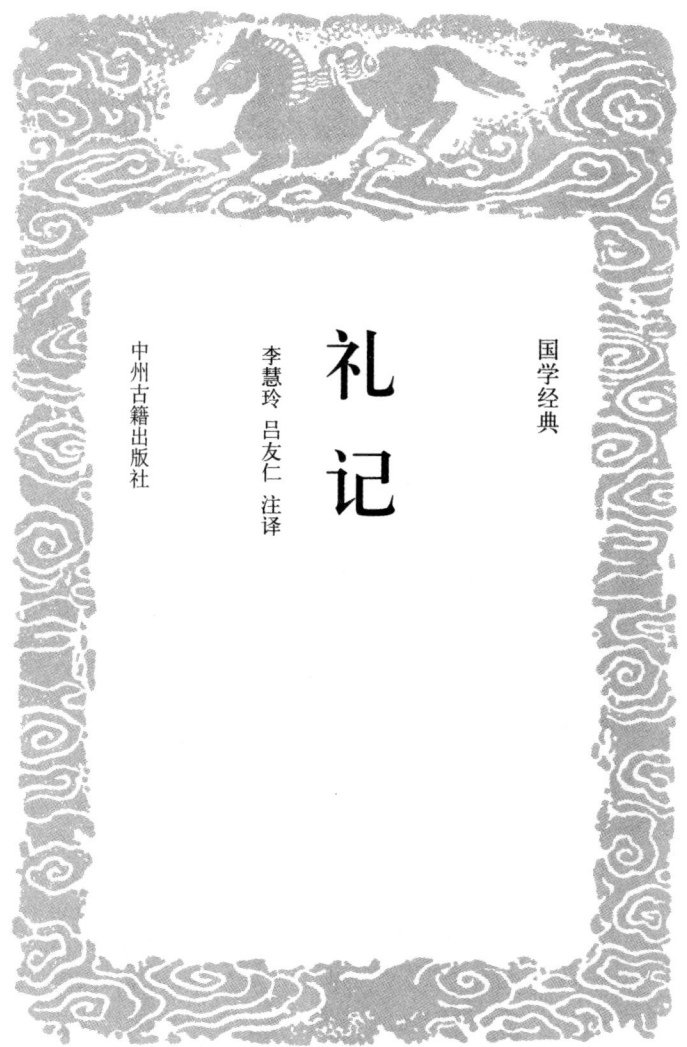

礼记

李慧玲 吕友仁 注译

国学经典

中州古籍出版社

礼 记

前　言

一、《礼记》的名称

《礼记》，顾名思义，就是《礼》之记。《礼》，就是今天的《仪礼》。不过我们要知道，《仪礼》之名是晋代以后才有的，此前则通称为《礼》。因为《礼》在两汉时是五经之一，所以又叫做《礼经》；又因为《礼》的内容主要是针对士的阶层，所以又叫做《士礼》。"记"的任务则是解释《礼》所未明和补充《礼》所未备。打个比方来说，《礼》好比教科书，老师在讲《礼》的时候，补充了一些教科书上没有的内容，学生把老师补充的内容记了下来，就是《礼记》。

《礼记》的别名甚多，或曰《礼》，或曰《记》，或曰《礼记》，或曰《小戴礼》，或曰《小戴礼记》，达五种之多。这些名称，或同一时间而单行，或同一时间而并行。再加上其中的某些名称与《仪礼》一书的早期名称同名（早期《仪礼》，亦或曰《礼》，或曰《礼记》。详下），其结果，不仅使初学者眼花缭乱，就是有的大学者由于一时不慎，也曾闹出张冠李戴的笑话。

两汉时期，今本《仪礼》也叫做《礼记》。之所以这样叫，是因为《仪礼》17篇，其中的13篇在正文后面都附有起补充说明作用的"记"。这样一来，就和49篇的《礼记》的名称纠缠在一起。清季学者皮锡瑞《经学通论·三礼》把这个问题解说得相当明白："汉所谓《礼》，即今十七篇之《仪礼》，而汉不名《仪礼》。专主经言，则曰《礼经》，合《记》而言，则曰《礼记》。许慎、卢植所称《礼记》，皆即《仪礼》与篇中之记，非今四十九篇之《礼记》也。其后《礼记》之名，为四十九篇之《记》所夺，乃以十七篇之《礼经》别称《仪礼》。"例如《后汉书·卢植传》："时始立太学石经，以正五经文字。植乃上书曰：'臣少从通儒故南郡太守马融受古学，颇知今之《礼记》，特多回宂。'"（按：此所谓《礼记》，即指《仪礼》而言。）

由于《礼记》和《仪礼》在名称上有上述纠葛，所以我们在读书时须要格外留心。清初学者万斯同作《石经考》，首先征引了西晋陆机《洛阳记》的一段话：

> 太学在洛城南开阳门外，讲堂长十丈，广二丈。堂前《石经》四部。本碑凡四十六枚。西行，《尚书》、《周易》、《公羊传》，十六碑存，十二碑毁。南行，《礼记》十五碑，悉崩坏。东行，《论语》三碑，二碑毁。《礼记》碑上有谏议大夫马日碑、议郎蔡邕名。

万斯同不知《洛阳记》中的《礼记》乃指《仪礼》而言，因加按语云："《礼记》不立学官，何以得与诸经并刻？及考洪氏，石经残碑有《仪礼》而无《礼记》，乃知《洛阳记》之误。"实际上是万斯同没有搞明白，反而说《洛阳记》错了。大学者尚有此失，我们就更应该小心了。

二、49篇的《礼记》编选者及编选时间

第一个将49篇的《礼记》的编选者归之于戴圣的是东汉的郑玄。孔颖达《礼记正义序》说："郑玄《六艺论》云：'今礼行于世者，戴德、戴圣之学也。'又云'戴德传《记》八十五篇'，则《大戴礼》是也；'戴圣传《礼》四十九篇'，则此《礼记》是也。"按戴德与戴

圣是叔侄关系，故世人称戴德为"大戴"，称戴圣为"小戴"；称大戴编选之《记》为《大戴礼记》，而称小戴编选之《记》为《小戴礼记》，简称《礼记》。郑玄是《礼记》的第一个注者，其言自当可信。

对于戴圣的生平事迹，史书记载不多。综合《汉书·儒林传》、《艺文志》、《何武传》的记载，知道戴圣是梁（今河南商丘）人，字次君，是当时《礼经》权威、博士后仓的弟子。汉宣帝甘露三年（前51），戴圣曾经以《礼经》博士的身份参加石渠礼议的会议，从此名声大震，自成一家之学，官至九江太守。

笔者认为，汉宣帝甘露三年（前51）的石渠礼议会议，对于确认《礼记》的编选者和《礼记》编成的时间，是一个非常重要的参考系。据笔者考证，石渠礼议会议的参加者凡五人，即萧望之、韦玄成、梁丘临、闻人通汉和戴圣。五人之中，只有戴圣一人是"以博士论石渠"，换言之，只有戴圣一人是以《礼经》专家身份与会的，其他四人则不然。此其一。从辑本《石渠礼论》可知，在这次最高级别的会议上，《记》文屡被称引，大出风头。此其二。根据我们对十种古书（《孟子》、《荀子》、《新语》、《新书》、《春秋繁露》、《盐铁论》、《淮南子》、《石渠礼论》和《史记》、《汉书》）的调查，在石渠礼议会议之前，今本《礼记》49篇中的42篇已经存在。此其三。考虑到笔者的调查还只是局限于上述十种书，考虑到要求从他书的征引中就能够百分之百地找出《礼记》49篇来未免标的过苛，考虑到我们的调查也可能有遗漏，我们认为，在宣帝以前已经存在今本《礼记》中的42篇这一事实，还是可以说明这样一个问题的：小戴《礼记》编选成书的客观条件在石渠礼议会议之前已经具备。据此，我们认为，汉宣帝甘露三年（前51）三月，石渠礼议会议之时，就是《小戴礼记》公开发表之时。至于其成书，还应该略早于此。

三、《礼记》49篇的取材、作者和成篇时代

1. 取材问题。

刘向《别录》说"古文《记》二百四篇"，《汉志》说"《记》百三十一篇"，究竟是多少篇，谁也说不清楚，所以洪业在《礼记引得序》里有"《记》无算"的说法，倒是被他说中了。《郭店楚墓竹简》出版以后，其中有些篇与今本《礼记》相同，有些篇是前所未见，但与今本《礼记》性质相似，有的学者径称之为"荆门礼记"，这从一个侧面验证了"《记》无算"的说法。所以笔者认为，这些谁也说不清楚篇数的《记》，应当是《礼记》49篇的主要来源。这些《记》在戴圣编选《礼记》之前，是以单篇形式流行的。

除了上述的《记》以外，学者在研究中发现，《汉书·艺文志》中《礼》类中的《明堂阴阳》33篇、《王史氏》21篇、《曲台后仓》9篇，《论语》类中的《孔子家语》27卷（按：非今日所见之《孔子家语》），"儒家类"中的《子思》23篇、《曾子》18篇、《公孙尼子》28篇，也是《礼记》49篇的取材来源。例如，49篇中的《曾子问》取材于《曾子》，《中庸》、《表记》、《坊记》、《缁衣》取材于《子思子》，《乐记》取材于《公孙尼子》，《明堂位》取材于《明堂阴阳》。还有个别篇，例如《投壶》、《奔丧》2篇，取材于《逸礼》，为《汉志》所未载。

2．作者问题。

49篇的作者问题是个难题，从汉至今，学者们动了不少脑筋，但收效甚微。目前学者比较一致的看法是，《乐记》，公孙尼子作；《坊记》、《中庸》、《表记》、《缁衣》4篇，子思作；《大学》，依朱熹所说："经一章，盖孔子之言，而曾子述之；其传十章，则曾子之意而门人记之。"能够指出作者的，仅此6篇而已。其余43篇的作者，或无可考，或众说纷纭，莫衷一是。

3．49篇的成篇时代问题。

《礼记》是一部丛书，其49篇，成于众手，作非一时。在这个问题的探讨上，王锷《〈礼记〉成书考》用力甚勤，是一部近年出现的力作，其结论值得重视。

王锷《〈礼记〉成书考》说："《礼记》四十九篇中，《哀公问》、《仲尼燕居》、《孔子闲居》、《儒行》、《曾子问》、《大学》、《学记》、《坊记》、《中庸》、《表记》、《缁衣》、《乐记》、《曲礼》、《少仪》等十四篇，是春秋末期至战国前期的文献。《礼记》四十九篇中，《奔丧》、《投壶》、《丧服小记》、《大传》、《杂记》、《丧大记》、《问丧》、《服问》、《间传》、《三年问》、《丧服四制》、《祭法》、《祭义》、《祭统》、《王制》、《礼器》、《内则》、《玉藻》、《经解》等十九篇，均成篇于战国中期。《礼记》四十九篇之中，战国中晚期的文献有《深衣》、《冠义》、《昏义》、《乡饮酒义》、《射义》、《燕义》、《聘义》、《文王世子》、《礼运》、《郊特牲》、《檀弓》、《月令》、《明堂位》等十三篇。其中《深衣》、《冠义》、《昏义》、《乡饮酒义》、《射义》、《燕义》、《聘义》七篇是战国中晚期的文献，《文王世子》、《礼运》、《郊特牲》三篇是战国时期陆续撰写，到战国晚期整理而成的文献；《檀弓》、《月令》、《明堂位》是战国晚期的文献。"《〈礼记〉成书考》颇多新义，这和作者的独特的研究思路有密切关系。作者放弃了那种长期以来把《礼记》作为一个整体来研究的思路，采取以篇为单位来研究，这就比较符合《礼记》的实际。

过去的一些中国哲学史论著和中国思想史论著，往往把《礼记》一书作为秦汉时期的作品来对待，现在看来不对了。笔者认为，从整体上来看，《礼记》应该定位为先秦的作品。郭店简和上博简中都有《礼记》的《缁衣》篇，上博简中还有《孔子闲居》篇，这些出土的文献也为《礼记》是先秦作品提供了新的旁证。过去讲先秦的哲学和思想史，从儒家来说，往往都是讲了孔子，接着就是孟子，所以形成了一个在中国妇孺老幼皆知的一个词语："孔孟之道"，似乎孟子是直接继承孔子。我们知道，孔子生于公元前551年，卒于公元前479年；孟子生于公元前385年，卒于公元前304年（用杨伯峻《孟子译注》说）。在孔子卒后，孟子成年之前，中间还有一个多世纪，如果套用过去的思维模式，这一个多世纪的学术思想就成了空白。这不禁使人想起孟子的自白："予未得为孔子徒也，予私淑诸人也。"朱熹注曰："诸人，谓子思之徒也。自孔子卒至孟子游梁时，方百四十余年，而孟子已老，然则孟子之生，去孔子未百年也。故孟子言予虽未得亲受业于孔子之门，然圣人之泽尚存，犹有能传其学者，故我得闻孔子之道于人，而私窃以善其身。"朱熹的这个注释，把孔子、孟子之间还有一个传承的桥梁的事实给点明了。而能够承担这个传承桥梁重任的人，就是"七十子后学者"，能够承担这个传承桥梁重任的书，没有比《礼记》更合适的了。

四、《礼记》在儒家经典中的地位

说起《礼记》在儒家经典中的地位，总觉得带有某种戏剧性。它最初的身份不过是《礼》的附庸而已，而后来竟蔚为大国，而原来的"主子"则黯然失色。非独此也，不仅《礼记》一书作为一个整体日益走红，而且从《礼记》中剖离出来的《大学》、《中庸》2篇，更是红得发紫，被编入了朱熹撰写的《四书》。

我们知道，在西汉时期，《五经》中的《礼》，指的是今本《仪礼》，并非《礼记》。但在西汉的政治生活中，《礼记》却显得非常活跃，而《仪礼》则相形见绌。例如《汉书·宣帝纪》："元平元年四月，昭帝崩。秋七月霍光奏议曰：'《礼》："人道亲亲故尊祖，尊祖故敬宗。"大宗无嗣，择支子孙贤者为嗣。孝武皇帝曾孙病已，有诏掖庭养视，至今年十八，师受《诗》、《论语》、《孝经》，操行节俭，慈仁爱人，可以嗣孝昭皇帝后，奉承祖宗，子万姓。'奏可。"（按："《礼》：'人道亲亲故尊祖，尊祖故敬宗。'"出自《礼记·大传》："是故，人道亲亲也。亲亲故尊祖，尊祖故敬宗。"）这是涉及立皇位继承人的大事，霍光从《礼记》中找到了理论根据。《礼记》的被重视，由此可见一斑。

到了三国魏时期，《礼记》正式升格为经。《礼记》的升格为经，意味着它已经取得与《仪礼》平起平坐的资格，已经摆脱了附庸的名分，蔚为大观。而随着《礼记》地位的上升，《仪礼》的地位则日趋式微。《北史·儒林传序》："诸生尽通《小戴礼》，于《周礼》、《仪礼》兼通者，十二三焉。"唐初，孔颖达奉太宗之命撰《五经正义》，《五经正义》中的《礼》已经不是《仪礼》而是《礼记》了。换句话说，《仪礼》的《礼经》地位已被《礼记》取而代之了。此后，《仪礼》的地位更是每况愈下。

《礼记》与《仪礼》这种戏剧性的变化，其原因何在？我们想到的有三点。第一，《仪礼》比较难读。唐代的韩愈，当过国子博士、国子祭酒，用今天的话来说，当过大学教授、大学校长。但韩愈犹说："余尝苦《仪礼》难读。"（《读〈仪礼〉》）则一般人可知。第二，从宋代开始，《仪礼》失去了科举考试这根指挥棒。中国的读书人都明白这个道理，你考试什么，我就学什么；你不考试，我就不学。这是很实际的事情，读书人不会在这方面犯傻。第三，《仪礼》和《礼记》的内容不同，因此影响了人们的取舍。《仪礼》17篇，篇篇都是一大堆烦琐的礼节单，篇与篇之间又多雷同，其枯燥无味自不必说了。更严重的是，它脱离时代，脱离生活，近乎一堆僵硬的教条。在这种情况下，统治者将其弃之如敝屣也就不足为怪了。《礼记》则不然。《礼记》虽然也记载了一些礼之末节，但分量很小。它的主要内容是系统地讲理论、讲礼的原则和意义。譬如说，《中庸》上说："非天子不议礼，不制度。"统治者看到这句话会不喜上眉梢吗？正是由于《礼记》为封建统治者提供了极富弹性的礼治理论，而这种理论正好满足了统治者"安上治民"的需要，所以赢得了历代统治者的青睐，所以才产生了上述戏剧性的变化。清代学者焦循《礼记补疏序》说："以余论之，《周礼》、《仪礼》，一代之书也；

《礼记》，万世之书也。《记》之言曰：'礼以时为大。'此一言也，以蔽千万世制礼之法可矣！"何谓"礼以时为大"？用今天的话来说，就是礼要与时俱进。这句话精辟地道出了《礼记》日益走红的根本原因。

五、《礼记》的价值

我国素称礼仪之邦，而赢得这个美誉的最大功臣应是《礼记》。《三礼》之中，《周礼》原叫《周官》，是讲中央政府的设官分职的，严格地讲，和礼仪有点不搭界。《仪礼》是讲礼仪的。它一共讲了15种人生礼仪。这15种人生礼仪，好是好，问题是它讲的礼仪基本上已经变成了僵死的教条，后世很少有人问津，时过境迁，已是明日黄花，可谓有历史意义而无现实意义。在礼仪文明形成的长河中，唯有《礼记》与时俱进地陪伴着我们。

《礼记》是讲究礼仪的百科全书。在中国汗牛充栋的书的海洋里，最具有此种功能的书非《礼记》莫属。平天下需要讲究礼仪，治国需要讲究礼仪，齐家需要讲究礼仪，修身也需要讲究礼仪。最高统治者需要讲究礼仪，一般士大夫需要讲究礼仪，普通百姓也需要讲究礼仪。活人对活人需要讲究礼仪，活人对死人也需要讲究礼仪。人的一生，有幼年、少年、青年、壮年、老年，每个人生阶段都需要讲究礼仪。人要说话，要走路，要吃饭，要穿衣，要睡觉，要访友，要吃喝拉撒，桩桩件件都需要讲究礼仪。人的一生，生、老、病、死四部曲，哪一部曲都需要讲究礼仪。你是做儿子的、做父亲的、做教师的、做学生的、做国君的、做太子的、做臣子的、做朋友的、做公婆的、做媳妇的、做兄长的、做弟弟的……无论你的身份是什么，都有你需要讲究的礼仪。而上述这些需要讲究的礼仪，在其他书中你或者看不到，或者看到的只是一部分，而在《礼记》中你都可以看得到。比较而言，《礼记》最切近人们的生活，它离我们并不遥远。

举些例子来说吧。

从中国共产党的十二大开始,"小康"、"小康社会"、"小康生活"、"小康水平"、"全面建设小康社会"等词语不仅高频率地出现在各种媒体上,而且也深深嵌印在每个中国人的心里,一步一步地落实在每个中国人的日常生活中,而"小康"一词的取义,便是来自《礼记·礼运》。

我们看到土葬时所用的棺木前方写一个大大的"奠"字,我们看到花圈中央也是写着一个大大的"奠"字,这是为何?或曰:"这是表示祭祀亡灵的意思。"那么,为什么不干脆写一个"祭"字,让人们一看就明了,何必故作高深地写作"奠"字?这里就又用得着《礼记》了。《礼记·檀弓下》:"奠以素器,以生者有哀素之心也。"孔颖达疏云:"奠,谓始死至葬之时祭名。以其时无尸(按:尸是代替死者接受祭品的人),奠置于地,故谓之奠也。"朱熹《仪礼经传集解》云:"自葬以前,皆谓之奠。其礼甚简,盖哀不能文,而于新死者亦未忍遽以鬼神之礼事之也。自虞以后,方谓之祭。"由此可知,葬前之祭,只能叫奠,不能叫祭。换句话说,下葬是条界线,下葬之前的所有祭祀亡灵的活动都叫做奠,下葬之后的所有祭祀亡灵的活动都叫做祭。我们看到的棺木和花圈,都是在下葬前,所以只能写"奠"。

如今的中国高校一般都有校训。我们知道,校训的文字非常精练简洁,寓意深远,耐人咀嚼。一般是8个字,多者16字,少者4字、2字。我们从互联网上做了一番调查,发觉很多大学的校训(包括香港、澳门、台湾)都和儒家的经典有关。其中,尤以与《礼记》有关者为多。据查,校训完全取自《礼记》者有下面6所:

1. 中山大学:博学,审问,慎思,明辨,笃行。

按:《礼记·中庸》:"博学之,审问之,慎思之,明辨之,笃行之。"

2. 东南大学：止于至善。

按：《礼记·大学》："大学之道，在明明德，在亲民，在止于至善。"

3. 湘潭大学：博学笃行，盛德日新。

按："博学"、"笃行"，出自《中庸》，见上。《礼记·礼器》："礼器是故大备。大备，盛德也。"又《礼记·大学》："汤之盘铭曰：'苟日新，日日新，又日新。'"

4. 黑龙江大学：博学慎思，参天尽物。

按："博学慎思"出自《礼记·中庸》，见上。"参天尽物"，亦出《中庸》："能尽人之性，则能尽物之性；能尽物之性，则可以赞天地之化育；可以赞天地之化育，则可以与天地参矣。"

5. 香港大学：明德格物。

按：《礼记·大学》："大学之道，在明明德。"又云："致知在格物。"

6. 香港城市大学：敬业乐群。

按：《礼记·学记》："三年视敬业乐群。"

校训中有6字、4字、2字取自《礼记》者甚多，此略。我们知道，校训是格言，是座右铭，它反映了学校的办学理念、价值取向、培养目标。它不仅镌刻在学校最醒目的地方，以期达到警示作用，而且嵌印在每个学子的脑海中，起着潜移默化的作用。而这么多高校的校训不约而同地选自《礼记》，这至少表明在教育界存在着这样一种共识，《礼记》是一部充满人文主义色彩的儒家经典，在塑造中国未来栋梁的国民性的事业中大有用武之地。

当然，《礼记》中也有糟粕。例如《礼记·郊特牲》说："妇人，从人者也：幼从父兄，嫁从夫，夫死从子。"这就是所谓"三从"，束缚妇女的三道紧箍咒。再如《礼记·昏义》："是以古者妇人先嫁三月，教以妇德、妇言、妇容、妇功。"这就是所谓"四德"，古代妇女砥砺自修的标准。

总而言之，《礼记》中既有精华，也有糟粕。我们在继承这份文化遗产的时候，只能吸取其精华，抛弃其糟粕。

最后，是有关注译的几句话。第一，我们注译所采用的《礼记》经文，是以2008年上海古籍出版社出版的、吕友仁整理的《礼记正义》本为据。这个本子，是以八行本为底本。之所以叫做八行本，是因为此本每半页八行。八行本，又叫越本，这是因为此本初刊于越州（今浙江绍兴市）；又叫黄唐本，这是因为主持此本初刻的官员叫黄唐。八行本初刻于宋光宗绍熙四年（1193），是《礼记》注疏合刻最早的本子，也是最好的本子。陈鳣《经籍跋文》说它"诚希世之宝也"。阮元在校勘《礼记注疏》时，固已心知八行本之善，他本莫及，无奈此本在当时为海内孤本，阮元但闻其名而未尝一见，盖欲求之而不可得，不得已乃退而求其次，以十行本为底本（阮元所据之十行本，并非宋本，而是元刻明修本）。这是时代造成的遗憾。潘宗周在《礼记正义校勘记》中说："《礼记注疏》得阮校而后信为可读，及校此本（按：谓八行本），乃敢言《礼记注疏》以此本为最不贻误读者。"第二，限于字数，这个《礼记注译》只能是个选本。《礼记》49篇，倒是全选了。但其中23篇是全选，26篇是节选。第三，对于"注译"，我们兢兢业业，是下了字斟句酌的工夫的。但由于我们学识谫陋，以注文之简明准确求之，以译文之信达雅求之，自愧弗能。恳请读者、识者批评指正，不胜企盼之至，不胜感激之至。

注译者
2009年6月16日

目 录

前言 —————————————————— 3

曲礼上第一 —————————————— 19
曲礼下第二 —————————————— 32
檀弓上第三 —————————————— 39
檀弓下第四 —————————————— 50
王制第五 —————————————— 63
月令第六 —————————————— 75
曾子问第七 —————————————— 83
文王世子第八 ————————————— 86
礼运第九 —————————————— 89
礼器第十 —————————————— 94
郊特牲第十一 ————————————— 97
内则第十二 —————————————— 102
玉藻第十三 —————————————— 122
明堂位第十四 ————————————— 124
丧服小记第十五 ———————————— 127
大传第十六 —————————————— 130

少仪第十七	143
学记第十八	145
乐记第十九	160
杂记上第二十	169
杂记下第二十一	174
丧大记第二十二	177
祭法第二十三	179
祭义第二十四	182
祭统第二十五	189
经解第二十六	192
哀公问第二十七	199
仲尼燕居第二十八	207
孔子闲居第二十九	215
坊记第三十	221
中庸第三十一	246
表记第三十二	281
缁衣第三十三	301
奔丧第三十四	316
问丧第三十五	324
服问第三十六	330
间传第三十七	332
三年问第三十八	337
深衣第三十九	344
投壶第四十	347
儒行第四十一	355
大学第四十二	368
冠义第四十三	384

昏义第四十四 ———————————————— 387
乡饮酒义第四十五 ———————————— 398
射义第四十六 ———————————————— 407
燕义第四十七 ———————————————— 415
聘义第四十八 ———————————————— 418
丧服四制第四十九 ———————————— 424
主要参考书目 ———————————————— 430

曲礼上第一

[题解]

本篇是以篇首二字命篇。寻其含义，众说纷纭。据郑玄和孔颖达说，本篇所记包含了吉、凶、宾、军、嘉五礼，但大多属于细微末节，故称。

敖不可长①，欲不可从②，志不可满，乐不可极③。

[注释]

①敖：郑玄读作"傲"，谓傲慢。王肃读作"遨"，谓遨游。二说皆通，后人从郑者较多。长（zhǎng）：滋长。②从：通"纵"，放纵。③乐（lè）：快乐，高兴。极：达到顶点。 按：以上四句皆言物极则反的必然规律，被后人视为格言、座右铭。

[译文]

傲慢之心不可产生，欲望不可放纵无拘，志气不可自满，享乐不可无度。

贤者狎而敬之，畏而爱之。爱而知其恶①，憎而知其善。积而能散②，安安而能迁③。临财毋苟④得，临难毋苟免。

[注释]

①恶（è）：此处指缺点、毛病。②积而能散：郑玄注："谓己有蓄积，见贫穷者，则当能散以赒救之。"③安安而能迁：大意是居安思危，能在安乐

之时避开是非之地。④苟：苟且，侥幸。

[译文]

对于道德、才能胜于己者，要亲近和尊敬他，畏服并爱戴他。对于自己所喜爱的人，不可只知其优点，而不知其缺点；对于自己所憎恶的人，不可只知其缺点，而不知其优点。自己有了积蓄，要能分给贫穷者。居安思危，能够及时改变处境。面对财物，不可苟且据有；面对危急，不可苟且逃避。

礼闻来学，不闻往教。①

[注释]

①礼闻来学二句：郑玄注："尊道艺也。"孔颖达疏："礼闻来学者，凡学之法，当就其师处，北面伏膺。不闻往教者，不可以屈师亲来就已。"

[译文]

依礼，听说过有学生主动来至师门拜师学艺的规矩，没有听说老师反到学生住处去施教的。

鹦鹉能言，不离飞鸟；猩猩能言，不离禽兽。今人而无礼，虽能言，不亦禽兽之心乎？夫唯禽兽无礼，故父子聚麀①。是故圣人作，为礼以教人，使人以有礼，知自别于禽兽。

[注释]

①父子聚麀（yōu）：犹言父子共妻。麀，牝鹿。

[译文]

鹦鹉虽然能学人说话，但终究还是飞鸟；猩猩虽然也能说话，但终究还是禽兽。如果作为人而不知礼，虽然能说话，难道不也是禽兽之心吗？正因为禽兽不知礼，所以才父子共妻。所以圣人制定了一套礼来教育人，使人人都有礼，知道自己有别于禽兽。

礼尚往来①。往而不来，非礼也；来而不往，亦非礼也。

[注释]

①往来：往，指对他人施惠。来，指接受被施惠者的回报。

[译文]

礼讲究有往有来。往而不来，不合乎礼的规定；来而不往，也不符合礼的规定。

人生十年曰幼，学。①二十曰弱，冠。②三十曰壮，有室③。四十曰强，而仕。④五十曰艾，服官政。⑤六十曰耆，指使。⑥七十曰老，而传。⑦八十、九十曰耄。百年曰期，颐。⑧

[注释]

①人生十年曰幼，学：郑玄注："名曰幼，时始可学也。"后产生"幼学"一词，指代10岁。②二十曰弱，冠：大意谓人到了20岁，已是成年，应该举行冠礼了。至于为什么叫"弱"，孔颖达说："体犹未壮，故曰弱。"后产生"弱冠"一词，指代20岁。③有室：娶妻。室，妻的代称。后产生"有室"一词，指代30岁。④四十曰强，而仕：40岁时人的体力、脑力最强，这时候可以出仕了。后产生"强仕"一词，指代40岁。⑤艾：孔颖达说："年至五十，头发苍白如艾。"服官政：参与国家政事。⑥六十曰耆，指使：大意是60岁叫做耆，做事就可以指使别人了。后产生"耆指"一词，指代60岁。⑦七十曰老，而传：70岁叫做老，可以把家事的治理交给子孙了。后产生"老而传"一词，指代70岁。⑧期：100岁之称。宋人方悫曰："人生以百年为期，故百年以期名之。"颐：颐养天年之义。后产生"期颐"一词，指代100岁。

[译文]

男子长到10岁叫做幼，这时候该出外上学了。20岁叫做弱，这时候就该加冠了。30岁叫做壮，这时候就该娶妻了。40岁叫做强，这时候就该做官了。50岁叫做艾，这时候就该参与国家的政事了。60岁叫做耆，这时候就该役使他人了。70岁叫做老，这时候就该把家事交给儿孙掌管了。80、90 岁的人叫做耄。百岁老人叫做期，儿孙要尽心加以供养。

凡为人子之礼：冬温而夏清①，昏定而晨省②。

[注释]

①冬温而夏清（qìng）：让父母冬天过得暖和，夏天过得凉爽。《二十四孝》中之"扇枕温衾"即由此出。②昏定：晚上为父母铺床安枕。晨省（xǐng）：早晨向父母问候。

[译文]

凡是做子女的，都应做到冬天让父母过得温暖，夏天让父母过得清凉；晚上替他们铺床安枕，早晨向他们问候请安。

夫为人子者：出必告，反必面①。年长以倍则父事之，十年以长则兄事之，五年以长则肩随之②。

[注释]

①出必告，反必面：这两句是互文，意谓"出必告面，反必面告"。后产生成语"出告反面"。②肩随之：虽然并肩走，但略靠后。

[译文]

做儿子的，出行之前一定要当面禀告父母，回到家里也要这样。对于年长自己一倍的人，应当待之如父；对于年长 10 岁的人，应当待之如兄；对于年长 5 岁的人，虽可以并肩而行，但仍须略微靠后。

孝子不服暗①，不登危，惧辱亲也。父母存，不许友以死；②不有私财。

[注释]

①服：事，行事。之所以"不服暗"，孔颖达云："一则为猝有非常，二则为暗中行事好生物嫌。"②父母存二句：孔颖达云："若父母存，许友报仇

而死,是忘亲也。亲亡则得许友报仇。"

[译文]

孝子不在冥暗之中做事,不行险以侥幸,怕给双亲带来不善教子的恶名。双亲健在,不应承诺为朋友报仇、卖命,也不应有私财。

为人子者,父母存,冠衣不纯①素。孤子②当室,冠衣不纯采。

[注释]

①纯(zhǔn):镶边。②孤子:幼而丧父曰孤。据《深衣》,如果双亲健在,"衣纯以青";如果是孤子,衣纯以素。

[译文]

当儿子的,如果双亲健在,戴的帽、穿的衣不可用素色镶边(因为那样有点像丧服)。主持家事的孤子,戴的帽、穿的衣可用素色而不用彩色镶边,以此表达其持久的哀思。

将上堂,声必扬。①户外有二屦②,言闻则入,言不闻则不入。将入户,视必下。③入户奉扃④,视瞻毋回⑤;户开亦开,户阖亦阖;有后入者,阖而勿遂⑥。

[注释]

①将上堂,声必扬:这一段讲的是进门之前应注意的礼节。②二屦:两双鞋子,即两个人的鞋子。③将入户二句:这是怕冲撞他人的隐私。④奉扃(jiōng):捧着门闩。这里是两手向心作奉扃状,表示神情严肃。⑤回:这里指东张西望,上下扫视。⑥遂:指把门关死。

[译文]

将要进入人家的堂室,一定要发出较大的声响。户外有两双鞋子,听见室内的说话声音才可进去,否则就不进去。将要进门,目光一定要向下。进门以后要神情肃敬，不要东张西望，上下扫视。如果门本来是开着的，就让它仍旧开着；如果门本来是阖着的，就让它仍旧阖着。如果后面还有人进来，就把门轻轻阖上，但不能阖紧。

堂上接武①，堂下布武②。室中不翔③，并坐不横肱④。授立不跪⑤，授坐不立。

[注释]

①接武：足迹相接，即后脚印紧接着前脚印。因为堂上地方狭窄。武，足迹。②布武：前后足迹之间有适当距离。③不翔：不可甩开两臂走路。④并坐不横肱：两个人并排坐时不可横起胳臂。⑤授立不跪：授东西给立者则自己不须跪。上古的跪与坐，都要两膝着地，但身子挺直，臀部不落在脚后跟上叫做跪，臀部落在脚后跟上则为坐。

[译文]

堂上走路要用小碎步，堂下走路可以用大步。室内走路不可张开两臂，和别人坐在一起不可横起胳膊。把东西交给站着的人则己不应跪，把东西交给坐着的人则己不应立。

毋剿说①，毋雷同。

[注释]

①剿说：郑玄注："谓取人之说以为己说。"后世谓之抄袭、剽窃。

[译文]

不可把别人的见解说成是自己的见解。不可没有主见，人云亦云。

侍坐于君子，君子欠伸、撰①杖屦、视日蚤莫②，侍坐者请出矣。侍坐于君子，君子问更端，则起而对。侍坐于君子，若有告者曰：

"少间③,愿有复④也。"则左右屏⑤而待。

[注释]

①撰:拿取。②蚤莫:蚤,通"早"。莫,暮的本字。③少间(xián):少许空闲时间。④复:报告。⑤屏(bǐng):退避。

[译文]

在君子身旁陪坐,如果看到君子打哈欠伸懒腰,或是准备拿起手杖和穿鞋,或是据太阳的位置看时间的早晚,陪坐者就该主动告退了。在君子身旁陪坐,君子如果问及另外的事,陪坐者要起立回答。在君子身旁陪坐,如果有人进来说:"想借用片刻空闲,有话要讲。"这时候,陪坐者就应暂时避开,在不影响来人说话的地方等待。

离①坐离立,毋往参焉。离立者,不出中间。男女不杂坐,不同椸枷②,不同巾栉,不亲授。嫂叔不通问,诸母不漱裳。外言不入于梱③,内言不出于梱。女子许嫁,缨④,非有大故⑤,不入其门。姑、姊、妹、女子子⑥,已嫁而反,兄弟弗与同席而坐,弗与同器而食。父子不同席。男女非有行媒,不相知名;非受币⑦,不交不亲。故日月以告君,齐戒以告鬼神⑧,为酒食以召乡党僚友,以厚其别也。取妻不取同姓⑨,故买妾不知其姓则卜之⑩。寡妇之子,非有见焉,弗与为友。

[注释]

①离:偶,成双成对。②椸枷(yí jià):衣架。《考文》引古本无"枷"字,郑玄也说:"椸,可以枷衣者。"单独一个椸字也是衣架之义。臧琳《经义杂记》据此以为"枷"字是衍字。③梱(kǔn):通"阃",古代妇女居住的内室。④缨:缨究竟是个什么东西,郑玄也只是说:"盖以五采为之,其制未闻。"(《仪礼·士昏礼》注)后人就更说不清楚了。这个缨,在新婚之夜由丈夫亲手解下。⑤大故:指灾祸丧病一类事情。⑥女子子:即女儿。孔颖达说:"女子子者,谓已嫁女子。不直云'女子'而云'女子子'者,案郑注

《丧服》云，女子重言子者，别于男子。"⑦受币：从女方的立场上讲叫受币，如果从男方的角度讲就叫纳币，即男方向女方送聘礼。纳币，相当于后代的订婚礼。⑧齐（zhāi）戒以告鬼神：齐，通"斋"，斋戒。斋戒是古人在祭祀前从精神、身体两方面所作的准备工作。精神方面要求摒除一切杂念、思想高度集中，身体方面要求沐浴、更衣、洁食。从《礼记》一书来看，尤注重精神方面。详见《祭义》。告鬼神：禀告祖先。从女方来讲，婚礼六礼中的每一环节，女方家长都要在家庙中祭告先祖。因为女儿是先祖的遗体，其父不得随便许人。如果男方父母早亡，新妇过门三个月要举行庙见之礼，这也是"告鬼神"。⑨取妻不取同姓：取，"娶"的古字。下同。《白虎通·嫁娶》："不娶同姓者，重人伦，防淫泆，耻与禽兽同也。"这是从宗法、伦理的角度上讲的。从生理角度讲，同姓相婚，"其生不蕃"。上古族姓分别极严，和后代之姓不同。⑩买妾不知其姓则卜之：《左传·昭公元年》已有此语，并且说出自更早的古书。所谓"卜之"，不是卜妾的本姓，而是卜买此妾是吉是凶。

[译文]

遇到两人并排坐着或并排立着，自己就不要再插身其间。遇到两人并立，不要从他们中间穿过。男女不可同坐在一起，不可共用同一个衣架，不可共用同一面巾和梳子，不可亲手互相递交东西。小叔和嫂嫂不互相问候。不可让庶母洗自己的下身衣裳。男人谈的事情不得让女人知道并干预，女人谈论的事情也不可让男人知道并干预。街谈巷议不得带入闺房，妇女在闺房所讲的话也不得拿到外边宣扬。女子订婚之后，就要佩戴彩带，表示已经有主了。没有大事，不得进入其居室之门。姑母、姐妹、自己的女儿，出嫁以后回到娘家，兄弟不可与之同席而坐，不可与之共用同一器皿进食。父子不可同席而坐。男女之间，如果没有媒人往来提亲，就不知道对方的名字；如果女方还没有接受财礼，双方就不会有交往，更不会关系亲密。因此，结婚的年月日要向官方登记，还要斋戒禀告祖先，还要置办酒席邀请乡邻、同事、朋友，如此郑重其事，就是为了强调男女之别。娶妻不得娶同姓女子，所以买妾不知她的本姓，就得通过占卜决定可否。寡妇的儿子,除非表现出有卓异的才能,否则不得和他交朋友(这是为了避嫌)。

父母有疾①,冠者不栉,行不翔,言不惰②,琴瑟不御③,食肉不至变味,饮酒不至变貌,④笑不至矧⑤,怒不至詈。疾止复故。

[注释]

①父母有疾:这一段讲父母生病时子女应有的礼节。②言不惰:不说开玩笑之类的话。郑玄注:"惰,不正之言。"③御:用,引申为弹奏。④食肉不至变味二句:因为肉吃得少,所以口味不变。因为酒喝得少,所以脸色不变。⑤矧(shěn):齿龈。

[译文]

父母生病,成年的儿子由于心中忧虑,头忘记了梳,走路也不像平日那样甩开双臂,开玩笑的话也不讲了,乐器也不弹奏了,吃肉只是少量地吃一点,饮酒也不至于喝到脸红,没有开怀的大笑,发怒也不至于骂人。父母病愈,做儿子的才恢复常态。

居丧之礼①,毁瘠不形②,视听不衰。升降不由阼阶③,出入不当门隧④。居丧之礼,头有创则沐⑤,身有疡则浴,有疾则饮酒食肉,疾止复初。不胜丧⑥,乃比于不慈不孝。五十不致毁⑦,六十不毁,七十唯衰麻在身⑧,饮酒食肉,处于内⑨。

[注释]

①居丧之礼:这一段讲子女居丧之礼。②毁瘠不形:允许由于悲伤而消瘦,但不可至于形销骨立。③不由阼阶:因为父母刚刚去世,不忍从父阼阶上下。祔祭之后则可。阼阶,东阶,主人上下之阶。④门隧:当门之中道。⑤创:通"疮"。沐:洗头。⑥不胜丧:(悲伤过度坏了身体而)不能承担丧事。⑦五十不致毁:50岁的人可以由于悲伤而损害身体,但不能过分。⑧七十唯衰(cuī)麻在身:70岁的人只要披麻戴孝就行了。衰麻,衰是孝服,麻

是头上缠的、腰上束的麻带。⑨处于内：住在屋子里。即不必住在户外的草庐里。

[译文]

居丧之礼，允许由于悲伤而消瘦，但不可至于形销骨立，视力和听力不可衰退。上堂下堂不走家长常走的东阶，出入大门不走门外当门之中道。居丧之礼：头上生了疮，可以洗头；身上长了疮，可以洗澡。有了病，这是特殊情况，可以饮酒吃肉，但病愈之后就要照旧。如果悲伤过度坏了身体而不能承担丧事，那就等于不慈不孝。50 的人，允许因悲伤而消瘦，但不可过分。60 岁的人，可以不因悲伤而消瘦。70 岁的人，只须披麻戴孝就行，可以饮酒吃肉，可以住在自己的居室内。

吊丧弗能赙①，不问其所费。问疾弗能遗，不问其所欲。见人②弗能馆，不问其所舍。赐人者不曰来取，与人者不问其所欲。

[注释]

①赙（fù）：拿钱财帮人办理丧事。②见人：郑玄说："见人，见行人。"

[译文]

慰问丧家，如果不能提供财物上的帮助，就不要问办丧事的花费。探视病人，如果不能有什么馈赠，就不要问病人需要什么。见到行人了，如果不能留宿，就不要问他住在什么地方。赠人物品，不要叫人来取，而要派人送去。给人东西，不要问人想要与否。

适墓不登垄①，助葬必执绋②。临丧不笑。揖人必违其位。望柩不歌。入临不翔。当食不叹。邻有丧，舂不相③；里有殡，不巷歌。适墓不歌，哭日不歌。送丧不由径，送葬不辟涂潦。临丧则必有哀色，执绋不笑，临乐不叹，介胄则有不可犯之色。故君子戒慎，不失色④于人。

[注释]

①垄：冢，坟包。②绋（fú）：出殡时拉柩车用的大绳。③相（xiàng）：舂谷时的号子声。④失色：表情与场合不一致。

[译文]

到墓地去，不要上到坟头上。参加葬礼必须助挽柩车。参加追悼，不可嬉笑。与人作揖，必须离开原位。望见运柩车，不可唱歌。进入丧家，走路不要张开两臂。吃饭时不可唉声叹气。邻居有丧事，即使在舂米时也不可喊号子。邻里有停殡待葬的，就不要在街巷中唱歌。到墓地去，不要唱歌。吊丧之日，不要唱歌。护送柩车，不要走小路。挽着柩车，不要只顾自己避开路上的积水。参加追悼一定要有哀伤的表情，助挽柩车时不可嬉笑，听音乐时不可叹气，披上铠甲戴上头盔，就要表现出不可侵犯的神态。所以君子小心谨慎，在什么场合就有什么场合的神态。

礼不下庶人，刑不上大夫。①

[注释]

①礼不下庶人，郑玄注云："为其遽于事，且不能备物。"孔颖达疏云："谓庶人贫，无物为礼，又分地是务，不暇燕饮，故此礼不下与庶人行也。《白虎通》云：'礼，谓酬酢之礼。不及庶人，勉民使至于士也。'"刑不上大夫，郑玄注云："不与贤者犯法，其犯法则在八议，轻重不在刑书。"郑玄把"刑"字解释为"五刑"之刑，"刑法"之刑，大错特错。实际上这个"刑"字是指滥用刑具给罪人带来的羞辱。西汉的贾谊、司马迁对这个"刑"字解释得很明白。详参《汉书·贾谊传》、《司马迁传》。

[译文]

士大夫阶层能够讲究的礼，平民是讲究不起的。士大夫犯了罪，该杀则杀，该剐则剐，只是不能滥用刑罚而侮辱他们的人格。

父之雠，弗与共戴天。

[译文]

对于杀父的仇人，做儿子的必须与他拼个死活，什么时候杀了他什么时候罢休。

卒哭①乃讳。礼，不讳嫌名②，二名不遍讳③。逮事父母，则讳王父母；不逮事父母，则不讳王父母。君所无私讳④，大夫之所有公讳⑤。《诗》、《书》不讳，临文不讳，庙中不讳⑥。夫人之讳⑦，虽质君之前，臣不讳也。妇讳不出门。大功、小功不讳⑧。入竟而问禁⑨，入国而问俗，入门而问讳⑩。

[注释]

①卒哭：祭名。按照规定，埋葬之后要举行虞祭，虞祭之后要举行卒哭之祭。卒是终止之义。所谓"卒哭"，就是终止此前的无时不哭。卒哭之后，丧亲的悲痛有所缓和，改为朝夕各一哭。卒哭以前之祭是丧祭，卒哭则属于吉祭。丧祭，是把死者当做活人看待；吉祭，是把死者作为神鬼看待。②嫌名：与人名读音相近的字。假设某人名禹，则与禹同音的雨、宇等字就是嫌名。③二名不遍讳：遍，各本皆作"偏"。有的学者认为当做"遍"，如段玉裁；有的学者认为"偏"通"遍"，如朱大韶。郑玄说："偏，谓二名不一一讳也。孔子之母名征在，言在不称征，言征不称在。"④私讳：家讳，即避免称呼自家尊长的大名。⑤公讳：君讳。⑥庙中不讳：这是有条件的。若果是祭祖，则讳祖不讳父，这叫做"尊无二也"。若果是祭父，则父、祖并讳，这叫做"於下则讳上"。⑦夫人之讳：国君之妻的家讳。因为臣于夫人之家恩远，故不避夫人之家讳。⑧大功、小功：五等丧服中的两等。五等丧服的名称及顺序是：斩衰、齐衰、大功、小功、缌麻。斩衰、齐衰是与死者关系较亲近者所着，大功以下则是与死者关系较疏远者所着。此言大功以下不讳，则大功以上当讳。⑨入竟：即入境，到新的地方。竟，"境"的古字。禁：禁忌。⑩入门：谓入别人家门。问讳：询问该家主人已故父祖的名号，以便言谈中避开。

[译文]

行过卒哭之祭，就要避免称呼死者之名。但据礼的规定，与死者之名读音相同的字可以不避，双字之名只要避其一字即可。如果赶上侍奉父母，就要避讳祖父之名；如果没有赶上侍奉父母，则可不避祖父之名。在国君面前不避家讳，在大夫面前则应避国君之讳。读《诗经》、《尚书》等经典时，不须避讳；写文章，不须避讳，否则将词不达意，闹出笑话。庙中的祭文和祝词，不须避讳。国君夫人的家讳，即令是在与国君对话，臣子也不须避。妇人之名讳，仅限于家门之内。对大功、小功的亲属，不须避讳。凡是到了一个新地方，要先打听当地的禁忌；进到城内，要先打听城里的风俗；进到别人家，要先打听主人的家讳。

曲礼下第二

[题解]

郑玄《三礼目录》云:"义与前篇同。简策重多,分为上下。"

侍于君子①,不顾望而对②,非礼也③。

[注释]

①侍:陪从、侍候。君子:一般指尊长、有德者、有学问者。②顾望:环视。对:对答,回答。③非礼也:是失礼的。郑玄注:"礼尚谦也。不顾望,若子路率尔而对。"孔颖达疏:"谓多人侍而君子有问,若指问一人,则一人直对。若问多人,则侍者当先顾望,坐中或有胜己者宜前,而己不得率尔先对。先对,非礼也。"

[译文]

在君子身旁陪坐,君子有问,如果不环顾周围是否有胜于自己者就贸然回答,是失礼的。

君子已孤不更名①。已孤暴贵②,不为父作谥③。

[注释]

①已孤:已经成了孤儿。换言之,父亲已经去世。不更名:不再更改名字。孔颖达说:"所以然者,名是父之所起,父今已死,若其更名,似遗弃其父。"②暴贵:突然发迹成为显贵。例如本来是士庶身份,忽然成为诸侯。

③谥：古代帝王、贵族、大臣、士大夫或其他有地位的人死后，据其生前业绩评定的带有褒贬意义的称号。孔颖达解释说："所以尔者，父贱无谥，子今虽贵，而忽为造之，如似鄙薄父贱，不宜为贵人之父也。"

[译文]

君子于父亡之后不再更换名字。父亡之后，做儿子的突然发迹成为显贵，也不须为父定个美谥，因为那样做像是嫌弃父亲贫贱，不宜为贵人之父。

居丧①，未葬②，读丧礼③；既葬④，读祭礼⑤；丧复常⑥，读乐章⑦。居丧不言乐⑧，祭事不言凶⑨，公庭⑩不言妇女。

[注释]

①居丧：此谓居父母三年之丧。②未葬：下葬之前。按：下葬之前是把死者当做生人来看待的。③丧礼：孔颖达疏："丧礼，谓朝夕奠下室，朔望奠殡宫及葬等礼也。此礼皆未葬以前。"按：人死以后，下葬之前，诸如小敛、大敛、成服、朝夕奠、卜宅兆和葬日、穿圹、明器等节，皆属于丧礼。详《仪礼》之《士丧礼》、《既夕礼》2篇。这期间，他书皆不可读，只可读丧礼。这样做的目的，一则可使孝子心无旁骛，二则避免有失礼数。④既葬：下葬之后。按：下葬之后是把死者当做鬼神来看待的。⑤祭礼：孔颖达疏："祭礼，虞、卒哭、祔、小祥、大祥之礼也。"换言之，下葬以后，大祥之前，历时二十五月，其间的种种礼数皆属于祭礼。详参《仪礼·士虞礼》。⑥丧复常：谓大祥除服之后。大祥，俗云"三周年"。⑦乐章：谓诗歌。读乐章，表示持丧结束，生活恢复正常。⑧乐（yuè）：泛指一切娱乐活动。古代的乐包括乐曲、诗歌、舞蹈。⑨祭事不言凶：祭事，即祭祀之事。祭祀属于吉礼，谈论凶事，不合时宜。⑩公庭：办理公事之处。

[译文]

居父母之丧，在未葬之前，应研究丧礼；已葬，应研究祭礼；居丧期满，恢复正常，就可以讽诵诗歌了。居丧时不谈乐事，祭祀时不谈凶事，在办公的地方不谈论有关妇女的事。

君子将营宫室，宗庙为先，厩库为次，居室为后。①凡家造②，祭器为先，牺赋③为次，养器④为后。无田禄者不设祭器⑤，有田禄者先为祭服⑥。君子虽贫，不粥⑦祭器；虽寒，不衣祭服；为⑧宫室，不斩于丘木⑨。

[注释]

①君子将营宫室四句：郑玄注："重先祖及国之用。"然则此"君子"谓国君。厩库，厩是养马之所，库是存放兵器之处，也泛指储藏财物之处。②凡家造：凡大夫有所制造。大夫称家。③牺赋：从采地征收供祭祀所用的牺牲。④养器：饮食器皿。⑤无田禄者不设祭器：因为祭器可以借用，不一定自备。⑥有田禄者先为祭服：因为祭服不可以借用，必须穿自己的。⑦粥（yù）：通"鬻"，出卖。⑧为：建造。⑨不斩于丘木：不从自家坟头上砍伐树木。

[译文]

国君将要营造宫室，应当先建宗庙，其次建厩库，最后才建自己的住室。大夫将要制造家具，应当先造祭器，其次是征收牺牲，最后才造自己饮食用的器具。没有田产俸禄的人，可以不置办祭器；有田产俸禄的人，先要备办祭服。君子虽贫，不可出卖祭器；虽寒，不可穿祭服御寒；建造宫室，不可从坟头上砍伐树木。

大夫见于国君，国君拜其辱。①士见于大夫，大夫拜其辱。同国始相见，主人拜其辱。②君于士③，不答拜也；非其臣④，则答拜之。大夫于其臣，虽贱，必答拜之。男女相答拜也。⑤

[注释]

①大夫见于国君二句：大夫拜见主国国君，主国国君要行拜礼以感谢他的屈驾光临。②同国始相见二句：同国之人初次相见，就不论身份高低，应由主人先拜，感谢客人的光临。③君于士：国君对于本国士的拜见。④非其臣：即不是本国的士。⑤男女相答拜也：郑玄注："嫌远别不相答拜，以明之。"意思是说，尽管男女有别，但是互相答拜之礼也不可少。

[译文]

大夫进见主国国君,国君要行拜礼感谢他的屈驾光临。士进见大夫,大夫也要如此行礼。同国之人初次相见,就不论身份高低,应由主人先拜,感谢客人的光临。国君对于本国的士,因地位悬殊,不须答拜;但对于他国的士,因为不是自己的臣子,则须答拜。大夫不能和国君相比,对于家臣,无论其贵贱,都要答拜。男女尽管有别,但互相答拜的礼也不可少。

岁凶①,年谷不登,君膳不祭肺②,马不食谷③,驰道不除④,祭事不县⑤。大夫不食粱⑥,士饮酒不乐⑦。

[注释]

①岁凶:荒年。②君膳不祭肺:意谓国君的膳食中没有肉。膳,美食之名,君膳每日必有肉。礼,在进食美食之前必祭。周人看重肺,故食先祭肺。此言"不祭肺",意谓不杀牲,也就是食无肉。国君以这种降低自己的膳食标准的做法,以表示"自贬损,忧民也"。③马不食谷:马食谷则与民争食。④驰道不除:驰道上的野菜不除,以备饥民采食。驰道,专供国君驰走车马之道。⑤祭事不县(xuán):遇到祭祀之事,虽有悬挂的钟磬,但并不演奏。县,"悬"的古字,此谓钟磬等悬挂乐器。据《周礼·春官·小胥》,天子的乐县,四面皆有,谓之宫县;诸侯仅三面悬挂,谓之轩县;大夫只有两面,谓之判县;士一面,谓之特县。⑥粱:此指精细小米。粱在古代属于美食,通常只吃黍稷,以粱为加食。⑦不乐:不奏乐。

[译文]

遇到荒年,庄稼没有收成,国君就不再杀牲吃肉,马也不用谷物喂食,驰道上的草也不除,祭祀时也不再奏乐。此时,大夫们不再加食粱,士人可以饮酒,但不得同时奏乐。

君无故①,玉不去身②。大夫无故,不彻县③。士无故,不彻琴瑟。

[注释]

①故:谓灾患丧病。②玉不去身:玉不离身。孔颖达疏:"君,诸侯也。玉,谓佩也。君子于玉比德,故恒佩玉,明身恒有德也。且以玉为容饰,无故则有容饰,故佩玉也。"③不彻县:即不撤掉钟磬。另参上条注释。

[译文]

如无重大变故,国君身上必总是佩玉,大夫家里必有钟磬,士人身边必有琴瑟。

为人臣之礼,不显谏①。三谏②而不听,则逃之③。子之事亲④也,三谏而不听,则号泣而随之⑤。君有疾,饮药,臣先尝之。亲有疾,饮药,子先尝之。医不三世⑥,不服其药。

[注释]

①不显谏:郑玄注:"显,明也。谓明言其君恶,不几微。"不几微,犹言不隐蔽。②三谏:谓多次进谏。③则逃之:郑玄注:"逃,去也。君臣有义则合,无义则离。"④亲:指父亲。⑤则号泣而随之:谓叫着哭着紧跟在父亲身后。注意这和上文的"则逃之"不同,原因在于"至亲无去,志在感动之"。⑥三世:谓父子相传,至于三代。

[译文]

为人臣之礼,在规劝国君过失时,要讲究方式、场合,不可有损其威严。如果多次规劝而国君仍不醒悟,臣子就可以离开他。做儿子的侍奉父亲,父亲有了过失,做儿子的多次规劝也不听,就应继之以号泣,希望感动父亲,使他知悟而改。国君生病吃药,臣子要先尝。父亲生病吃药,儿子要先尝。不是世代相传的医生,由于其医术不精,所以不服其药。

天子死曰"崩",诸侯曰"薨",大夫曰"卒",士曰不"禄",庶人曰"死"。①在床②曰"尸",在棺曰"柩"。

[注释]

①天子死曰"崩"五句：这五句是讲由于死者的尊卑不同，其死的称谓也不同。据郑玄说："自上颠坏曰崩。薨，颠坏之声。卒，终也。不禄，不终其禄。死之言澌也，精神澌尽也。"②在床：谓死者在床。

[译文]

天子死了，文告上称"崩"，诸侯死了称"薨"，大夫死了称"卒"，士死了称"不禄"，庶人死了称"死"。死者尚在床上，叫"尸"；死者已入棺，叫"柩"。

凡挚①，天子鬯②，诸侯圭③，卿羔④，大夫雁⑤，士雉⑥，庶人之挚匹⑦，童子委挚而退⑧。野外军中无挚，以缨、拾、矢可也⑨。妇人之挚，椇、榛、脯、脩、枣、栗⑩。

[注释]

①挚：通"贽"，见面礼。②鬯（chàng）：古代祭祀使用的香酒，以郁金香和黑黍为原料酿造而成。③圭：亦作"珪"。圭是玉制礼器的一种。据《周礼·大宗伯》，五等诸侯中的公、侯、伯用圭，子、男用璧。④羔：羊羔。用羔的含义，《白虎通》说："取其群而不党。"⑤雁：用雁的含义，《白虎通》说："取其飞有行列。"⑥雉：野鸡。用雉的含义，郑玄说："取其守介而死，不失节也。"⑦匹：后写作"鹜"，家鸭。用鸭的含义是取其不飞迁，如庶人但守耕稼而已。⑧童子委挚而退：凡宾所献之见面礼，因为双方都是成年人，所以一般都由主人亲自拜受。童子尚未成人，不敢与成人抗礼，所以把礼品置之于地以后就可以退下了。⑨缨：束于马颈上的皮带，驾车用。拾：谓射韝。古代射箭时使用的皮制护袖。⑩椇（jǔ）：即枳椇，又名拐枣。榛（zhēn）：榛子。脯：干肉。脩：加入姜桂制成的干肉。妇人的六种见面礼，用于新妇初见公婆。其象征意义，孔颖达说："此六物者，椇训法也，榛训至也。脯，始也；修，治也；枣，早也；栗，肃也。妇人有法始至，修身早起肃敬也。"

[译文]

凡见面用的礼品，天子用鬯，诸侯用圭，卿用羊羔，大夫用雁，士用雉，庶人用鸭子。童子献给老师的见面礼，不用亲手递交，可以放到地上便走。在野外军中难以置办合适的见面礼物，因地制宜，用马缨、射鞴和箭代替也可以。妇人的见面礼，是拐枣、榛子、干肉、加入姜桂制成的肉干、枣子、栗子。

檀弓上第三

[题解]

檀弓是人名，因为首章记檀弓之事，因以名篇。本篇的中心内容是讨论丧葬之礼，但多是就事论事，显得结构零散。其中不少章节义理文采俱佳，后人传诵不绝。"曾子寝疾"章、"孔子蚤作"章、"丧欲速贫，死欲速朽"章、"有子与子游立"章、"子路曰伤哉贫也"章、"苛政猛于虎"章、"齐大饥"章等，是其例。

孔子既得合葬于防①，曰："吾闻之：古也墓而不坟②。今丘也，东西南北之人也，③不可以弗识也④。"于是封之⑤，崇四尺⑥。孔子先反⑦，门人后，雨甚，至⑧。孔子问焉⑨，曰："尔⑩来何迟也？"曰："防墓崩⑪。"孔子不应⑫。三⑬，孔子泫然流涕曰："吾闻之：古不修墓。"

[注释]

①孔子既得合葬于防：孔子之父先死，殡于防。防是鲁国地名。其后，孔子母死，乃合葬于防。称"既得"者，据下文"孔子少孤"节，因孔子少孤，不知父殡何处，后经知情者告知，方得父母合葬，故称。②古：谓殷代。墓：《方言》卷十三："凡葬而无坟谓之墓。"《说文》："坟，墓也。"段玉裁注："此浑言之也。析言之则墓为平处，坟为高处。"③今丘也二句：我是个东西南北四方奔波之人。④不可以弗识（zhì）也：不可不做个标记。意思是

立个坟头。⑤封之：谓聚土。⑥崇四尺：高四尺。据《周礼·冢人》，坟的高度，因死者生前的身份而异。身份越高，坟的高度也越高。孔子的父亲叔梁纥生前是鲁国的大夫，相当于周天子的士，所以坟高四尺。⑦反：通"返"，回家。⑧至：此谓门人后至。⑨焉：之，指代门人。⑩尔：你，你们。⑪防墓崩：防地的墓因大雨而坍塌了。言外之意是说我们在那里修墓了。⑫不应：没有作出回应。原因是修墓不合乎礼的规定。⑬三：谓门人对孔子说了三遍"防墓崩"。

[译文]

孔子终于把父母合葬于防之后，说："我听说，古时的墓地上是不积土为坟的。现在我是个四处奔波的人，不可不做个标志。"于是就在墓地上积土，高四尺。孔子先从墓地回家，弟子们还在墓地照料，一阵大雨之后，弟子们才回家。孔子问他们，说："你们怎么回来得这么迟？"弟子们答道："防地的墓因雨而坍塌了，我们在那里修墓。"孔子没有做声。弟子们以为孔子没有听见，连说了三遍。这时，孔子才伤心地流下眼泪，说："我听说过，古人是不在墓上积土的。"

曾子曰："朋友之墓，有宿草而不哭焉。"①

[注释]

①曾子曰二句：意谓朋友的墓上有了隔年的草，就不该再哭了。据郑玄注，弟子为师，心丧三年；朋友之间，一年即可。

[译文]

曾子说："朋友的墓上有了隔年的草，就不该再哭了。"

曾子寝疾①，病②。乐正子春坐于床下③，曾元、曾申④坐于足，童子隅坐而执烛。童子曰："华而睆⑤，大夫之箦⑥与？"子春曰："止⑦！"曾子闻之，瞿然⑧曰："呼⑨！"曰⑩："华而睆，大夫之箦与？"曾子曰："然。斯季孙⑪之赐也，我未之能易也。

元，起易箦!"曾元曰："夫子之病革矣⑫，不可以变。幸而至于旦，请敬易之。"曾子曰："尔之爱我也不如彼。君子之爱人也以德⑬，细人之爱人也以姑息⑭。吾何求哉？吾得正而毙焉斯已矣⑮。"举扶而易之⑯，反席未安而没⑰。

[注释]

①曾子：即曾参，孔子弟子。寝疾：卧病。②病：疾甚曰病。③乐(yuè)正子春：人名。曾子弟子。乐正是复姓。坐：古之坐，相当于今日之跪，但臀部落于后足而已。床：《说文》云："安身之几坐也。"段玉裁注："床之制，略同几而庳于几，可坐。"④曾元、曾申：皆曾参之子。⑤华而睆(huǎn)：漂亮而且光滑。⑥箦(zé)：床上铺的竹席。童子的意思是说，曾子是士而使用大夫的箦，于礼不合。⑦止：犹言别做声。⑧瞿(jù)然：惊视貌。⑨呼：陈澔云："叹而嘘气之声。"⑩曰："曰"的主语还是童子。⑪斯：此。指代"箦"。季孙：鲁国的大夫。⑫夫子：郑玄注："言夫子者，曾子亲没之后，齐尝聘以为卿而不为也。"病革(jí)：病情危急。⑬君子之爱人也以德：君子的爱人是考虑如何成全对方的美德。⑭细人：小人。姑息：苟且偷安。⑮得正而毙：能够合乎礼仪的死去。斯已矣：也就了却了心愿了。已，完毕。⑯易之：更换箦。⑰反席未安而没：易箦之后，又重新把曾子放回席上，还没有等到放好曾子就断气了。

[译文]

曾子卧病在床，病得很厉害。他的弟子乐正子春坐在床下，他的儿子曾元、曾申坐在脚旁，一个小孩子坐在角落里，手执火烛。小孩子看到曾子身下的竹席，便说："多么漂亮光滑呀！是大夫用的竹席吧？"子春说："别做声!"曾子听到了，猛然惊醒过来，有气无力地出了口气。小孩子又说："多么漂亮光滑呀！是大夫用的竹席吧？"曾子说："是的。这是季孙送的，我因为病重，未能把它换掉。元呀，起来把席子换掉!"曾元说："您老人家的病已经很危险了，不可以移动。希望能等到天亮，再为您换掉它。"曾子说："你爱我的心意还不如那个小孩子。君子的爱人，是考虑如何成全他的美德;小人的爱人,则是考虑如何让他苟且偷安。此刻我还求什么呢?我能够合乎礼仪地死去,我的愿望就满足了。"于是,他们抬起曾子换席,换过后再把曾子放回席上,还没有放好,曾子就断气了。

子夏丧其子而丧其明。①曾子吊②之曰:"吾闻之也,朋友丧明则哭之。"曾子哭。子夏亦哭,曰:"天乎!予之无罪也。③"曾子怒曰:"商!女何无罪也?吾与女事夫子于洙、泗之间④,退而老于西河⑤之上,使西河之民疑女于夫子⑥,尔罪一也。丧尔亲,使民未有闻焉,尔罪二也。⑦丧尔子,丧尔明,尔罪三也。⑧而曰女何无罪与!"子夏投其杖而拜曰⑨:"吾过矣⑩!吾过矣!吾离群而索居⑪,亦已久矣。"

[注释]

①子夏丧其子而丧其明:子夏因儿子死去而哭瞎了眼睛。子夏,姓卜,名商,字子夏,孔子弟子,以文学著称。②吊:慰问。③天乎二句:郑玄注:"怨天罚无罪。"④夫子:谓孔子。洙、泗:鲁国二水名,流经曲阜。孔子在洙泗之间聚徒讲学。⑤西河:战国魏地名,郑玄说:"西河,龙门至华阴之地。"《史记·仲尼弟子列传》:"孔子既没,子夏居西河教授,为魏文侯师。"⑥使西河之民疑女于夫子:使西河的居民把你比做我们的老师孔子。疑,通"拟",比拟。原因在于子夏在卖弄学问时没有说明这些学问都是得自于孔子。⑦丧尔亲三句:郑玄注:"言居亲丧无异称。"意谓子夏在居亲丧时,没有表现出有什么值得称道之处。⑧丧尔子三句:郑玄注:"言隆于妻子。"意谓丧亲的哀痛还没有丧子的哀痛大。⑨投其杖:丢开手杖。拜:谓拜曾子。⑩过矣:错了。⑪离群而索居:郑玄注:"群,谓同门朋友也。索,犹散也。"离群索居,就很难听到朋友的规过之言。

[译文]

子夏因为死了儿子而哭瞎了眼睛。曾子去慰问他,说:"我听说过,朋友丧失了视力,应该为他难过得哭一场。"说完就哭了。

子夏也跟着哭，说："天啊！我是无罪的，怎么落此下场！"曾子一听动了气，说："商！你怎么无罪呢？我和你都在洙、泗之间跟着我们的老师学习本领，年纪大了，你就回到了西河地区，也没有听说你如何称扬老师，倒是使西河的居民把你比做我们的老师，这是你的第一条罪过。你的双亲死了，居丧期间，你也没有使当地的居民看到你有什么好的表现，这是你的第二条罪过。死了儿子，你就哭瞎了眼睛，说明你把儿子看得比老子还重要，这是你的第三条罪过……你怎么会是没有罪过呢？"子夏听得很服气，就抛开手杖下拜说："我错了！我错了！我离开朋友而独居，时间也太久了！"

孔子蚤作①，负手曳杖②，消摇③于门，歌曰："泰山其颓乎？④梁木⑤其坏乎？哲人其萎乎⑥？"既歌而入，当户⑦而坐。子贡闻之，曰："泰山其颓，则吾将安仰？梁木其坏，哲人其萎⑧，则吾将安放⑨？夫子殆⑩将病也。"遂趋⑪而入。夫子曰："赐！尔来何迟也？夏后氏殡于东阶之上，则犹在阼也；殷人殡于两楹之间，则与宾主夹之也；周人殡于西阶之上，则犹宾之也。⑫而丘也，殷人也。⑬予畴昔⑭之夜，梦坐奠于两楹之间⑮。夫明王不兴，而天下其孰能宗予？予殆将死也。⑯"盖寝疾七日而没。

[注释]

①蚤作：一早起来。蚤，通"早"。②负手曳杖：两手反交于背后，拖着手杖。③消摇：又作"逍遥"，悠闲自得貌。④泰山其颓乎：泰山将要崩塌了吧？泰山，孔子自喻。郑玄注："泰山，众山所仰。"⑤梁木：房屋的大梁。亦孔子自喻。郑玄注："梁木，众木所放（仿）。"按：椽子、檩条的位置都要依据大梁而定。⑥哲人：智慧超众者。孔颖达说是指孔子自己。萎：病。⑦当户：面对着门。⑧哲人其萎：王引之考究本节郑玄注，融会上下文，以为此四字乃后人据《孔子家语》增入，非《礼记》原文。其说可从。详见《经义述闻》卷十四。⑨放（fǎng）：依据，依靠。⑩殆：大概。⑪趋：快步。⑫夏后

氏殡于东阶之上六句：夏人停柩于东阶之上，那是把死者还当做主人看待的；殷人停柩于两楹之间，那是介于宾主之间的位置；周人停柩于西阶之上，那是把死者当做客人看待的。殡，大敛之后，停柩待葬谓之殡。东阶，又叫阼阶，是主人上下之台阶。两楹，堂上的两根柱子，一根靠近东阶，一根靠近西阶。西阶，客人上下的台阶。⑬而丘也二句：孔子的祖先是宋国人，而宋是殷人之后，故孔子自称殷人。⑭畴（chóu）昔：往日，从前。⑮坐奠：孙希旦说："犹言安坐也。"据上文"殷人殡于两楹之间"，所以"梦坐奠于两楹之间"是凶象。⑯夫明王不兴三句：郑玄注："孰，谁也。宗，尊也。两楹之间，南面乡明，人君听治正坐之处。今无明王，谁能尊我以为人君乎？是我殷家奠殡之象，以此自知将死。"

[译文]

孔子一早起来，背着两手，拖着手杖，悠闲自得地在门外踱步，口中唱着："泰山要崩塌了吧？大梁将折断了吧？哲人将凋零了吧？"唱罢走进屋里，对着门坐下。子贡听到歌声，说："泰山如果崩塌，叫我们仰望什么呢？大梁如果折断，哲人如果凋零，叫我们依靠谁呢？听歌中之意，夫子大概要生病了吧？"于是就快步走进屋里。孔子说："赐，你怎么这么晚才来呀！夏代停柩于东阶之上，那是还把死者当做主人看待的。殷人停柩于两楹之间，那是介乎宾主之间的位置。周人停柩于西阶之上，那是把死者当做宾客看待的。我是殷人的后代，昨天夜里，我梦见自己安坐在两楹之间。既没有明王兴起，天下有谁会把我当做两楹之间的国君那样尊重呢？这样看来，我大概是快死了吧。"果不其然，说过这番话以后，孔子大概病了七八天就去世了。

孔子之丧，门人疑所服。①子贡曰："昔者夫子之丧②颜渊，若丧子而无服③。丧子路亦然。请丧夫子若丧父而无服。④"

[注释]

①孔子之丧二句：孔子去世，弟子们不知道该穿何等丧服。据《仪礼·

丧服》，按照血缘亲疏，丧服分为五等，即斩衰、齐衰、大功、小功、缌麻。这五等丧服中，都没有谈到老师死了，弟子应不应该穿丧服以及穿何等丧服。②丧：犹言哀悼。下同。③若丧子而无服：就像哀悼自己的儿子但不穿丧服。④请丧夫子若丧父而无服：郑玄注："无服，不为衰，吊服而加麻，心丧三年。"所谓"不为衰"，即不穿丧服。但要穿上疑衰（即吊服），头上、腰部缠上经带（即加麻），从内心里哀悼三年。

[译文]

孔子去世的时候，他的弟子们都不清楚该为老师穿哪一等丧服。子贡说："以前夫子哀悼颜渊，其悲痛如同丧子一样，但不穿任何丧服。哀悼子路时也是这样。让我们悼念夫子，就像悼念父亲一样，但也不穿任何丧服。"

子路曰："吾闻诸①夫子：丧礼，与其哀不足而礼有余也，不若礼不足而哀有余也。②祭礼，与其敬不足而礼有余也，不若礼不足而敬有余也。③"

[注释]

①诸："之于"的合音字。②丧礼三句：郑玄注："丧主哀。"即丧礼强调的是哀痛。礼有余，谓冥器、衣衾之类过多。③祭礼三句：郑玄注："祭主敬。"即祭礼强调的是恭敬。

[译文]

子路说："我听夫子说过：举行丧礼，与其哀痛不足而冥器衣衾之类有余，还不如冥器衣衾之类不足而哀痛有余；举行祭礼，与其恭敬不足而祭品有余，还不如祭品不足而恭敬有余。"

幼名①，冠字②，五十以伯仲③，死谥④，周道也⑤。

[注释]

①幼名：孔颖达说："生若无名，不可分别，故始生三月而加名，故云幼名。"②冠字：孔颖达说："人年二十，有为人父之道，朋友等类，不可复呼

其名，故冠而加字。"③五十以伯仲：孔颖达说："年至五十，耆艾转尊，又舍其二十之字，直以伯仲别之。"耆艾转尊，按《曲礼上》："六十曰耆，五十曰艾。"意谓人活到了50岁、60岁更受尊敬。直以伯仲别之，谓仅仅以其排行老大、老二称呼之。④死谥：死了以后则称以谥号。按：谥号并非人人可得，仅限于贵族。⑤周道也：上述各项都是周代的制度。

[译文]

幼小时称呼其名。20岁行过冠礼以后，则称呼其字。50岁以后只称呼其排行，或伯或仲或叔或季。死后称其谥号。这是周朝的制度。

《丧服》①：兄弟之子犹子也，盖引而进之也；②嫂叔之无服也，盖推而远之也。③

[注释]

①《丧服》：《仪礼》篇名，专门记载丧服制度，对后世影响极大。②兄弟之子犹子也二句：据《仪礼·丧服》，父亲为长子以外的儿子和为其兄弟之子，都是服齐衰不杖期的丧服。换言之，就是把侄子当成儿子一样看待，所以说"兄弟之子犹子也，盖引而进之也"。③嫂叔之无服也二句：嫂子与小叔之间互相不穿丧服，这是为了表示男女有别而有意把关系疏远。

[译文]

《丧服》经中规定：为侄子就如同为儿子，都穿齐衰不杖期的丧服，这是为了表示亲近而提高丧服等级；嫂子和小叔之间互不穿孝，这是为了表示男女有嫌而有意把关系疏远。

有子①问于曾子曰："问丧于夫子乎②?"曰："闻之矣：丧欲速贫，死欲速朽③。"有子曰："是非君子之言也。④"曾子曰："参也闻诸夫子也。"有子又曰："是非君子之言也。"曾子曰："参也与子游闻之。⑤"有子曰："然。然则夫子有为⑥言之也。"曾子以斯言告于子游。子游曰："甚哉！有子之言似夫子也。⑦昔者夫子居于宋，见桓司马自为石椁⑧，三年而不成⑨。夫子曰：'若是其靡也，死不如速朽之愈也。⑩'死之欲速朽，为桓司马言之也。南宫敬叔反⑪，必载宝而朝。夫子曰：'若是其货⑫也，丧不如速贫之愈也。'丧之欲速贫，为敬叔言之也。"曾子以子游之言告于有子，有子曰："然，吾固曰非夫子之言也。"曾子曰："子⑬何以知之？"有子曰："夫子制于中都⑭，四寸之棺，五寸之椁，⑮以斯知不欲速朽也。昔者夫子失鲁司寇⑯，将之荆⑰，盖先之以子夏，又申之以冉有，⑱以斯知不欲速贫也。"

[注释]

①有子：孔子弟子有若。按：有子此问是在孔子死后。②问丧（sàng）于夫子乎：你从夫子那儿听说过如何对待丢掉官职吗？丧，丧失。③丧欲速贫二句：丢掉官职，就想快点贫穷；死了，就想快点烂掉。④是非君子之言也：这不像是君子所说的话。按：郑玄注："贫、朽非人所欲。"⑤参也与子游闻之：我和子游一道听到夫子这样讲的。也，助词，无义。⑥有为：有所针对，有所特指。⑦甚哉二句：真了不得！有子的话太像夫子了。⑧桓司马：宋国大夫。氏尚，名魋（tuí）。桓是谥号，司马是官名。石椁：石制的外棺。⑨三年而不成：言其精雕细刻，费时耗财。⑩若是其靡也二句：如此之奢侈，死了还不如快点烂掉的好。⑪南宫敬叔反：郑玄注："南宫敬叔，鲁孟僖子之子仲孙阅，盖尝失位，去鲁得反，载其宝来朝於君。"反，通"返"。⑫货：王夫之说："谓以货贿干求禄位。"⑬子：犹今言"您"，第二人称的尊称。⑭制：立规矩。中都：鲁国邑名。据《史记·孔子世家》，鲁定公九年（前501），孔子被任命为中都宰。⑮四寸之棺二句：内棺四寸厚，外棺五寸厚。⑯司寇：官名，主管刑狱。⑰将之荆：将到楚国去。⑱盖先之以子夏二句：意谓孔子在未去楚国之前，先派弟子子夏去楚国打前站，担心子夏一个人不好办事，就又加派弟子冉有去帮忙。按《史记·孔子世家》："于是使子贡至楚。楚昭王兴师迎孔子。"与此处记载不尽相同。

[译文]

有子向曾子问道："你从夫子那里可曾听说过如何对待丢掉官

职?"曾子说:"倒是听夫子说过:丢掉官职,最好快点贫穷;死了,最好快点烂掉。"有子说:"这不像是君子应该说的话。"曾子说:"这是我亲耳从夫子那里听到的呀!"有子仍然坚持说:"这不像是君子应该说的话。"曾子说:"是我与子游一道听到夫子这样讲的。"有子说:"那么,我相信夫子是这样说过。但是,夫子一定是有所针对才这样讲的。"曾子把这番对话告诉了子游。子游说:"真了不得,有子的话太像夫子了!从前夫子住在宋国,见到桓司马为自己制造石椁,花了三年工夫还没做好,夫子就说:'像他这样地奢侈,死了,还不如快点烂掉为好。'死了最好快点烂掉,这是针对桓司马说的。南宫敬叔丢官以后,每次返国,一定满载珍宝去晋谒国君。夫子说:'像他这样的行贿以求官,丢了官,还不如快点贫穷为好。'丢掉官职,最好快点贫穷,这是针对南宫敬叔说的。"曾子又把子游这番话讲给有子,有子说:"这说对了。我本来就说过'这不像夫子所讲的嘛!'"曾子说:"你是怎么知道的呢?"有子说:"夫子当中都宰时,曾经规定,内棺四寸厚,外椁五寸厚,就凭这一点就可以知道夫子是不主张人死了就快点烂掉的。还有,从前夫子丢掉了鲁国司寇的官职,将要应聘到楚国去做官,就先派子夏去安排,接着又加派冉有去帮办,就凭这一点就可以知道夫子是不主张丢了官就速贫的。"

成子高①寝疾,庆遗②入,请曰:"子之病革③矣,如至乎大病④,则如之何?"子高曰:"吾闻之也:'生有益于人,死不害于人。'吾纵生无益于人,吾可以死害于人乎哉?我死,则择不食之地而葬我焉。"

[注释]

①成子高:齐大夫。氏国,字子高。"成"是谥。选文即称国子高。②庆遗(wèi):齐大夫庆封的族人。③病革(jí):病危。④大病:讳言死,婉言大病。

[译文]

成子高卧病在床。庆遗进来请示说:"您的病已经很危险了,万一有个三长两短,怎么办?"子高说:"我听说:'活着应有益于人,死了也不应该有害于人。'我纵然活着的时候无益于人,难道我能死了还要危害于人吗?我死后,拣一块不长庄稼的地方把我埋掉好了。"

国子高①曰:"葬也者,藏也。藏也者,欲人之弗得见也。是故,衣足以饰身,棺周于衣,椁周于棺,土周于椁。反壤树之哉?"

[注释]

①国子高:即成子高。参上节注释。

[译文]

国子高说:"葬,就是藏的意思。为什么说是藏呢?因为人死了之后,叫人厌恶,所以就想叫人不能够看见。所以,只要衣衾足以遮盖身体,内棺包住衣衾,外椁包住内棺,墓圹能够容下外椁,就行了。何必还要聚土成坟、植树为标志呢?"

檀弓下第四

[题解]

郑玄《三礼目录》云:"义同前篇。以简策繁多,故分为上下二卷。"

晋献公之丧,秦穆公使人吊公子重耳,①且曰:"寡人②闻之,亡国恒于斯③,得国恒于斯。虽吾子俨然在忧服之中④,丧⑤亦不可久也,时⑥亦不可失也。孺子其图之。⑦"以告舅犯⑧。舅犯曰:"孺子其辞⑨焉!丧人⑩无宝,仁亲⑪以为宝。父死之谓何?⑫又因以为利,而天下其孰能说之⑬?孺子其辞焉!"公子重耳对客⑭曰:"君惠吊⑮亡臣重耳,身丧⑯父死,不得与于哭泣之哀⑰,以为君忧⑱。父死之谓何?或敢有他志⑲,以辱君义⑳。"稽颡而不拜㉑,哭而起,起而不私㉒。子显㉓以致命于穆公。穆公曰:"仁夫公子重耳!夫稽颡而不拜,则未为后㉔也,故不成拜㉕;哭而起,则爱父也;起而不私,则远利㉖也。"

[注释]

①晋献公之丧二句:郑玄注:"献公杀其世子申生,重耳避难出奔,是时在翟,就吊之。"按:晋献公,名诡诸,春秋时晋国国君。献公杀其世子申生,事见《左传·僖公五年》,又见《国语·晋语二》。献公宠骊姬,骊姬生子奚齐,欲立为太子,因设计进谗,谋害太子申生。秦穆公,名任好,嬴姓。

春秋五霸之一。公子，除世子以外的国君之子之称。重耳亦献公之子，其母狐姬，与世子申生同父异母。献公死时，重耳正避难在狄国。穆公派使者前往狄国慰问重耳，意在劝其趁机返国为君。②寡人：犹言"敝国国君"，使者之辞。③斯：此一时刻。谓旧君死而新君未立之际。④吾子：对对方的敬称，犹言"您"。忧服：谓因父母死而居忧服丧。⑤丧：服丧。⑥时：时机。⑦孺子其图之：请您考虑一下这件事！孺子，本为幼童之称，此处含有以重耳为晋国国君继承人之意。⑧舅犯：犯，即狐偃，字子犯。因为是重耳舅，故曰舅犯。时跟随重耳出亡。重耳将上述情况告诉舅犯，征求意见。⑨辞：谢绝。⑩丧人：流亡在外之人。重耳自称。⑪仁亲：孙希旦说："仁亲，仁爱其亲也。言为人子者当以爱亲为宝。"⑫父死之谓何：父亲死了意味着什么？意思是说，做儿子的遇此剧变，正处在巨大的悲痛之中。⑬而天下其孰能说之：这样做，谁能向天下人解说清楚呢？⑭客：谓秦穆公派来慰问的使者。⑮君惠吊：承蒙贵国国君派足下来慰问。⑯身丧：谓自己流亡国外。⑰不得与于哭泣之哀：不能星夜奔回国内在灵位前哭泣以抒发悲哀。⑱以为君忧：让贵国国君费心担忧。君，指秦穆公。⑲他志：谓利己之心。⑳以辱君义：从而玷辱了贵国国君的高谊呢！㉑稽颡：叩头时额头稍停于地。行稽颡礼，表示孝子丧亲的哀痛。不拜：没有向前来表示慰问的使者行拜礼。按规矩，如果是嫡长子，应该先稽颡，后拜，才算成礼。今不拜者，重耳以此表示自己不是嫡长子，换言之，表示重耳现在根本没有考虑做国君继承人的事。㉒不私：不再和使者私下交谈。㉓子显：郑玄注："使者，公子絷也。"㉔后：指国君的继承人。㉕故不成拜：即故不成礼。因为只有稽颡而没有拜。㉖远利：避开得国之利。

[译文]

晋献公去世后，秦穆公派人去慰问逃难在狄的公子重耳，且捎话说："敝国国君听说，丢掉君位总是在这个时刻，而得到君位也总是在这个时刻。虽然说您现在正在恭敬地丁忧服丧之中，但是服丧也不可太久，机不可失，请您考虑一下此事！"重耳把这些情况告诉了舅犯。舅犯说："您还是婉言谢绝的好。逃亡在外的人没有什么可宝贵的东西，要说有的话，那就是热爱父亲的精神。父亲去世意味着什么？那是天塌般的凶祸。反而趁此机会谋取私利，这样做怎么能向天下人解说清楚呢？您还是婉言谢绝的好。"于是，公子重耳对来使说："承蒙贵国国君派足下来慰问出亡在外的臣子，我流亡在外，而父亲死了，不能星夜奔回国内在灵位前哭泣，以抒发内心的悲哀，以至于使贵国国君为我担忧。可是，父亲去世意味着什么呢？那是天塌般的变故。此时此刻，怎么敢有自私自利之心，从而玷辱贵国国君的厚谊呢？"说完以后，只叩头表示丧父之悲，而不敢像丧主那样向来使表示拜谢。然后哭着站立起来，站起来后也不再和使者私下说任何话。使者子显向穆公复命。穆公说："公子重耳真仁厚啊！他只叩头而不拜谢，可见他不是以继承人自居，所以没有完成整套行礼动作。哭着站起来，就像孝子要攀辕不让柩车启动，可见他是很爱其父的。站起来以后就不再和使者私下说话，可见他完全没有乘机谋利的念头。"

葬日虞，弗忍一日离也。① 是日也，以虞易奠②。卒哭曰成事③。是日也，以吉祭易丧祭。

[注释]

①葬日虞二句：孙希旦说："虞以安神，葬日即虞，不忍一日离亲之神也。"虞，葬后祭名。虞是安的意思。下葬后，当天中午迎死者神魄于殡宫而祭之，以安其神魄。《仪礼》有《士虞礼》。②以虞易奠：孙希旦说："葬前无尸，奠置于地。至虞，始立尸以行祭礼，故曰'以虞易奠'。"尸，代表死者接受祭享的活人，一般由死者的孙辈充。所谓"奠置于地"，意谓将祭品置于地。③卒哭：虞后祭名。从此要停止无时之哭，故名。成事：这是举行卒哭祭时祝词中的话，意思是说丧祭已经完成，吉祭也从而开始。

[译文]

下葬的当天就举行虞祭，是因为孝子不忍心有一天和死去的亲人分离。就在这一天，将不用尸的奠改为开始用尸的虞祭。到了举行卒哭之祭时，祝就要致辞说明，丧祭已经完毕，吉祭已经开始。

就在这一天,开始以吉祭的礼数代替丧祭的礼数。

孔子谓:"为明器者①,知丧道②矣,备物而不可用也。哀哉!死者而用生者之器也,不殆于用殉乎哉③!其曰明器,神明之也。④涂车、刍灵⑤,自古有之,明器之道⑥也。"孔子谓"为刍灵者善"⑦,谓"为俑⑧者不仁,不殆于用人乎哉"!

[注释]

①为明器者:使用冥器的人。明器,中看不中用的随葬器物。②知丧道:懂得办丧事的道理。③殆:接近,近乎。殉:郑玄注:"杀人以卫死者曰殉。"④其曰明器二句:之所以把殉葬的器物叫做明器,意思就是把死者当做神明来看待的。⑤涂车:用泥土做成的车。刍灵:用茅草扎成的人马。涂车、刍灵,都是随葬器物。⑥明器之道:(这就是)明器的来历。⑦孔子谓"为刍灵者善":孔子认为发明刍灵的人心地善良。⑧俑:用以殉葬的木制或陶制的假人。

[译文]

孔子认为,用明器殉葬的人,是真正懂得办丧事的道理的,器物倒也齐备,就是中看不中用。多么让人心痛呀!死人而用活人的器物,那岂不近于用活人来殉葬吗?之所以把殉葬的器物叫做明器,意思就是把死者当做神明来看待的。用泥土做成的车,用茅草扎成的人,自古就有,这就是明器的来龙去脉。孔子认为,发明用刍灵的人,是个心地善良的人,而发明用俑的人则是个不仁的人,用假人殉葬,岂不接近于用活人殉葬吗?

有子①与子游立,见孺子慕②者。有子谓子游曰:"予壹不知夫丧之踊也③,予欲去之久矣。情在于斯④,其是也夫⑤?"子游曰:"礼有微情者⑥,有以故兴物⑦者;有直情而径行者⑧,戎狄之道也。礼道⑨则不然。人喜则斯陶,陶斯咏,咏斯犹,犹斯舞。⑩舞斯愠，⑪愠斯戚，戚斯叹，叹斯辟，辟斯踊矣。⑫品节斯⑬，斯之谓礼。人死，斯恶⑭之矣；无能⑮也，斯倍⑯之矣。是故制绞、衾⑰，设蒌、翣⑱，为使人勿恶也。始死，脯醢之奠；⑲将行，遣而行之；⑳既葬而食之㉑，未有见其飨之者也㉒。自上世以来，未之有舍也，㉓为使人勿倍㉔也。故子之所刺于礼者㉕，亦非礼之訾㉖也。"

[注释]

①有子：孔子弟子有若。②慕：小孩子哭哭啼啼地寻找父母。③予壹不知夫丧之踊也：我完全不明白丧礼中的踊为什么还有一套规定。踊，丧礼中的节目。孝子悲痛至极，无法发泄，就要跳跃，这就叫踊。但什么时候踊，什么时候一踊，什么时候三踊，什么时候踊无算，每一踊还要限于三跳，都有礼的规定。有子看到孺子的号慕是那样的纵情而无节制，就觉得丧礼中孝子的踊也应该像孺子号慕那样，纵情而无节制，于是就有了下文"予欲去之久矣"，意谓早就想抛开那些限制性的条文。④情在于斯：孝子抒发悲哀思慕的感情就应该和这个小孩子一样。⑤其是也夫：您说是吗？⑥礼：此谓礼的规定。微情：约束感情。像"踊"的限制性条文就属于此类。⑦以故兴物：通过穿着不同的丧服来触物生情。⑧有：俞樾以为"有"字是衍文。直情而径行：由着自己的性子来，不受任何约束。郑玄举例说："哭踊无节，衣服无制。"⑨礼道：礼的做法。⑩人喜则斯陶四句：人们遇到可喜的事就感到开心，感到开心就想唱歌，唱歌还不尽兴就晃动身体，晃动身体还不过瘾就跳舞。犹，通"摇"，摇动身体。⑪舞斯愠：《郭店楚墓竹简·性自命出》中此三字作"舞，喜之终也"，是，今从之。"舞，喜之终也"，谓到了跳舞这一步，就达到了高兴的顶点。⑫愠斯戚四句：有了愠怒之心就会感到悲戚，悲戚则导致感叹，光感叹还觉得发泄得不够，于是就捶胸，捶胸还不够味儿，就要跳跃。按：此四句下，《郭店楚墓竹简·性自命出》还有"踊，愠之终也"，意谓发展到跳跃这一步，就达到了愠怒的顶点。此五字当有。⑬品节斯：按等级、层次对感情加以节制。⑭恶（wù）：厌恶。下同。⑮无能：谓死人没有任何行为能力。⑯倍：通"背"，背弃。⑰绞（xiáo）、衾：入敛时裹束尸体的束带和衾被。⑱蒌：通

"柳"。古人将灵柩载于车上之后,在灵柩的周围设置一个如同尖顶帐篷形的木制框架,叫做柳,又叫墙。柳外用布覆盖,其上部如同帐篷顶的部分叫做荒,下部像墙的部分叫做帷。上面还有其他种种装饰品。上述种种棺饰,也叫柳。翣(shà):一种棺饰。扇形,木框木柄布面,布面上画有种种图案。柩车行进时,人持之随行在柩车的前后左右。⑲始死二句:人刚死时,用肉脯、肉酱来祭奠他。奠,下葬以前的祭。⑳将行二句:将要出葬,又设送行的遣奠。遣奠,遣者,送也。遣奠等于说是送别的祭奠。㉑食(sì)之:为死者举行反虞之祭。虞祭在从墓地返家后举行。㉒未有见其飨之者也:没有见到过死者真正享用上述祭奠的祭品的。㉓自上世以来二句:意思是尽管没有见到过死者真正享用上述祭奠的祭品,但从老辈子以来,也从未因此就废弃这些祭奠。㉔倍:通"背",背弃。㉕子:尊称对方。此指有子。刺于礼:挑礼的毛病。㉖礼之訾:礼的毛病。这最后两句照应开头的"予壹不知夫丧之踊也,予欲去之久矣"。

[译文]

有子和子游在一块儿站着,看见一个小孩子在哭哭啼啼地寻找父母。有子对子游说:"我一向不知道为什么丧礼中有顿足的规定,我早就想废除这条规定。现在看来,孝子抒发悲哀思慕的感情应该就和这孩子一样,只要是发自内心,可以想怎么哭就怎么哭,还要什么规定呢?"子游说:"礼的种种规定,有的是用来约束感情的,有的是借外在的事物以引发人们内在的感情的。如果没有统一的规定,谁想怎么着就怎么着,那是野蛮民族的做法。如果依礼而行则不然。人们遇到可喜之事就感到开心,感到开心就想唱歌。唱歌还不尽兴,就晃动身体。晃动身体还不过瘾,就跳舞。到了跳舞这一步,就达到了高兴的顶点。有了愠怒之心就会感到悲戚,悲戚则导致感叹。光感叹还觉得发泄得不够,于是就捶胸。捶胸还不够味,那就要顿足跳跃了。发展到顿足跳跃这一步,就达到了愠怒的顶点。将这种种感情和行动加以区别和节制,这叫做礼。人一死,就要被人厌恶;而且死人没有任何行为能力,人们就要背弃他。所以制作绞衾以掩盖尸体，设置萎翣以为棺饰，就是为了使人不感到讨厌。人刚死的时候，用肉脯肉酱来祭奠他；将要出葬，又设送行的遣奠；下葬以后，还有一系列馈食之祭。虽然从来没有看见鬼神来享用祭品，但是也并不因此而放弃祭祀，目的就在于不使人们背弃死者。所以，您刚才对礼提出的批评，实在也算不上是礼的毛病。"

知悼子①卒，未葬。平公②饮酒，师旷、李调侍③，鼓钟。杜蒉④自外来，闻钟声，曰："安在？"曰："在寝。"杜蒉入寝，历阶⑤而升，酌，曰："旷饮斯。"又酌，曰："调饮斯。"又酌，堂上北面坐饮之。降，趋而出。平公呼而进之曰："蒉，曩者尔心或开予，是以不与尔言。尔饮旷何也？"曰："子卯不乐。⑥知悼子在堂，斯其为子卯也大矣。旷也大师也，不以诏，是以饮之也。""尔饮调何也？"曰："调也，君之亵臣也，为一饮一食，忘君之疾，是以饮之也。""尔饮何也？"曰："蒉也宰夫也，非刀匕是共⑦，又敢与知防⑧，是以饮之也。"平公曰："寡人亦有过焉，酌而饮寡人。"杜蒉洗而扬觯⑨。公谓侍者曰："如我死，则必毋废斯爵也。"至于今，既毕献，斯扬觯，谓之"杜举"。

[注释]

①知悼子：即晋国大夫荀盈。知悼子卒于鲁哀公九年（前533）。本节记事，亦见于《左传·昭公九年》，但文字有出入，大旨则同。②平公：晋平公，名彪。③师旷：师是官名，即乐师。旷是名，其字子野。李调：平公的嬖臣。④杜蒉（kuài）：平公的膳宰（犹今日之司务长）。⑤历阶：一步跨越两个台阶。⑥子卯不乐：殷纣在甲子日死去，夏桀在乙卯日死去，所以人们把子卯这两天谓之疾日，也就是忌日，于此两日，停止奏乐，以自警惕。⑦非刀匕是共：刀与匕，是食器。共，通"供"。此句犹言不去干本职之内的工作。⑧防：谏诤国君的过失。⑨觯（zhì）：古代饮酒器。《说文》云"觯受四升"，而郑玄注《礼器》云："三升曰觯。"

[译文]

知悼子死了，尚未埋葬，晋平公就自个儿喝起酒来了，另有师旷、李调作陪，而且击钟奏乐。杜蒉从外面进来，听到钟声，就问侍卫说："国君在哪里？"回答说："在正寝。"杜蒉就急匆匆地向正寝走去，一步两个台阶地登上堂去，斟了一杯酒，说："旷，把这杯酒喝下去！"又斟了一杯酒，说："调，把这杯酒喝下去！"然后又斟了一杯，在堂上，面向北坐着自己喝了，然后下堂，快步走了出去。平公喊住他，命他进来，说："蒉，刚才我以为你或许是存心启发我，所以没和你说话。现在我要问你，你为什么要命令师旷喝酒呢？"杜蒉说："子日和卯日，这两天是国君忌讳的日子，不敢奏乐，以自警惕。现在知悼子停柩在堂，这比国君忌讳的子卯之日更加要紧，怎么能够饮酒作乐呢？师旷身为掌乐的大师，不把这层道理向您报告，所以罚他喝酒。"平公又问："你又为什么命令李调喝酒呢？"杜蒉答道："李调是您宠爱的臣子，有责任规劝君过，但却贪于吃喝，全然不顾国君的违礼之失，所以罚他喝酒。"平公又问："那么，你为什么要让自己喝酒呢？"杜蒉答道："我是为您服务的宰夫，提供膳馐才是我的本分。现在竟敢越职谏诤国君的过失，所以也应当自罚一杯。"平公说："寡人也有过失，斟杯酒来，也应该罚我一杯。"于时杜蒉将酒杯洗过，斟满一杯，举起来递给平公。平公饮毕，对左右侍从说："即是我死了以后，也不要扔掉这只酒杯。"从那时到现在，凡是向所有的人都献过酒后，再举起酒杯递给国君的动作，就被叫做"杜举"。

子路曰："伤哉贫也！①生无以为养，死无以为礼也。②"孔子曰："啜菽饮水尽其欢③，斯之谓孝；敛首足形，还葬而无椁，称其财，斯之谓礼。④"

[注释]

①伤哉贫也：贫穷真叫人伤心呀！②生无以为养二句：这两句是针对双亲而言。③啜（chuò）菽饮水：喝豆粥，饮生水。犹今言粗茶淡饭。古人平日主食是黍稷，穷人才吃菽。尽其欢：总是让父母很开心。这是指父母在世时。④敛首足形四句：父母死后，尽管家中所有的衣衾仅够遮盖尸体，不到规定的时间就埋葬，有棺而无椁，但只要是根据自己的财力尽力办事，也就可以说是合乎丧礼的要求了。还（xuán），立即，迅速。按照规矩，大夫、士、庶人三月而葬，诸侯五月而葬，天子七月而葬，所以郑玄注"还葬"云："还，犹疾也，谓不及其日月。"

[译文]

子路说："贫穷真叫人伤心啊！父母在世时没有什么可以供养，父母去世后，又没有什么东西可以按规矩办丧事。"孔子说："生前，尽管是粗茶淡饭，但只要总是让父母高高兴兴精神愉快，这就可以说是做到孝顺了。死后，尽管所有的衣衾仅够掩藏尸体，而且是敛罢立即就葬，有棺而无椁，但只要是根据自己的财力尽力办事，也就可以说是合乎丧礼的要求了。"

虞而立尸，有几筵。①卒哭而讳②，生事毕而鬼事始已③。

[注释]

①虞而立尸二句：虞，葬后祭名。详上文注。尸，亦详上文注。几是案子，筵是席子。这两句话反过来说就是"虞前不立尸，没有几筵"。那么，祭品置于什么地方呢？答曰：置之地。因为置于地，所以葬前的祭不叫祭，而叫奠。奠，置也。②卒哭：祭名。详上文注。讳：避讳。避开以名称呼死者。因为这时死者已是神鬼。孔颖达疏："卒哭而讳者，讳谓神名也。古者生不相讳，卒哭之前，犹生事之，故不讳。至卒哭，乃有神讳也。"③已：语气词，略同于"也"。

[译文]

从虞祭开始才立尸，才几案席子齐备。卒哭以后，才开始讳死者之名，因为以活人对待他的礼到此结束，而以鬼神对待他的礼从此开始。

二名不偏讳①。夫子之母名"徵在"，言"在"不称"徵"，言"徵"不称"在"。

[注释]

①二名：由两个字组成的人名。例如，孔子的母亲叫徵在。不偏讳：偏，有的学者认为当作"遍"，如段玉裁；有的学者认为"偏"通"遍"，如朱大韶。郑玄注云："偏讳，二名不一一讳也。孔子之母名徵在，言在不称徵，言徵不称在。"按：这里说的也是避死者讳。

[译文]

两个字的名，不必都避讳。例如，孔子的母亲名叫"徵在"，说"在"字时就不再说"徵"，说"徵"字时就不再说"在"。

孔子过泰山侧，有妇人哭于墓者而哀。夫子式而听之①，使子贡问之曰："子之哭也，壹似重有忧者②。"而曰③："然。昔者吾舅④死于虎，吾夫又死焉⑤，今吾子又死焉。"夫子曰："何为不去也？"曰："无苛政⑥。"夫子曰："小子识之⑦！苛政猛于虎也。"

[注释]

①夫子式而听之：郑玄注："怪其哀甚。"式，通"轼"。轼是古代车前的横木。《礼记·檀弓下》："过墓则式。"这里是俯身凭轼，表示对墓中死者的尊敬。②壹似：很像。重（chóng）有忧者：有不止一件伤心事。重，重复。③而曰：即乃曰。主语是妇人，省略了。④舅：公公，丈夫的父亲。⑤焉：代词兼语气词，犹言"于虎"。下同。⑥苛政：传统的解释是"暴政"。王引之认为"政"通"征"，征指徭役和赋税。⑦小子：老师对弟子的昵称。识（zhì）之：记住。

[译文]

孔子从泰山旁边路过，看见一个妇人在墓前哭得很伤心，就停下了车，俯身凭轼专注地倾听。然后让子贡去问那位妇人："听您的哭声，好像接二连三遭到不幸似的。"妇人停住了哭声回答道："不错。过去我的公爹被老虎咬死了，接着我的丈夫又被老虎咬死了，最近我的儿子也被老虎咬死了。"夫子问道："那么为什么不离开这里呢？"妇人答道："因为此地没有繁重的徭役和赋税。"夫子对学生们说："你们要记住，繁重的徭役和赋税，比老虎还要厉害啊！"

齐大饥①，黔敖为食于路②，以待饿者而食之③。有饿者蒙袂辑屦④，贸贸然⑤来。黔敖左奉食⑥，右执饮，曰："嗟！来食。"⑦扬其目而视之⑧，曰："予唯不食嗟来之食，以至于斯也。"⑨从而谢焉⑩。终不食而死。曾子闻之，曰："微与⑪！其嗟也可去，其谢也可食。"⑫

[注释]

①齐：齐国。大饥：严重饥荒。②黔敖：人名。为食：做饭施粥。③食(sì)之：给他吃。④蒙袂：郑玄注："蒙袂，不欲见人也。"袂，衣袖。辑屦：拖着鞋子。郑玄注："辑，敛也。敛屦，力惫不能屦也。"⑤贸贸然：陈澔说："垂头丧气之貌。"⑥左奉食：左手端着饭。⑦嗟！来食：犹言"喂！来吃吧"。郑玄注："虽悯而呼之，非敬辞。"⑧扬其目而视之：瞪着眼睛望着黔敖。⑨予唯不食嗟来之食二句：本人正是由于不吃这种没有好声好气的饭才落到这步田地的。⑩从：谓黔敖走近饿者。谢焉：犹言"谢之"，向饿者道歉。⑪微与：不对吧！微，无也，不也。与，后来写作"欤"，叹词。⑫其嗟也可去二句：意谓人家没有好声好气地招呼你，你可以拒绝，人家既然道了歉也就可以吃了。

[译文]

齐国发生严重的饥荒，黔敖在路边做饭，以备施舍给过路的饥民。有一个饥民，无力地垂着双手，走路一瘸一拐的，一副无精打采的样子走了过来。黔敖左手端着饭，右手端着汤，用可怜的口气喊道："喂！吃吧！"那个饥民瞪起眼睛望着他，说："本人正是由于不吃这种没有好声好气的饭才落到这步田地的。"黔敖听了连忙表示道歉，但那饥民还是坚持不吃，因而饿死了。曾子听说了这件事，说："这恐怕不大对吧？人家没有好声好气地叫你吃，你当然可以拒绝；但是人家既然道了歉，也就可以吃了。"

晋献文子成室①，晋大夫发焉②。张老曰③："美哉轮焉！④美哉奂焉！⑤歌于斯，哭于斯，聚国族于斯⑥。"文子曰："武也得歌于斯，哭于斯，聚国族于斯，是全要领以从先大夫于九京也⑦。"北面再拜稽首⑧。君子谓之善颂、善祷⑨。

[注释]

①晋献文子成室：晋国国君祝贺文子新居落成。王夫之则认为"献"是衍文，那就成了晋卿文子的新居落成。文子，即晋卿赵武，"文"是其谥。②发焉：携礼往贺。③张老：晋大夫名。曰：致贺词。④美哉轮焉：好高大啊！郑玄注："轮，轮囷，言高大。"⑤美哉奂焉：好漂亮啊！王肃注："奂，言其文章之貌也。"⑥歌于斯三句：谓在此新居祭祀奏乐，在此新居居丧哭泣，在此新居燕会国宾和同族。这三句话的言外之意是新居已经够用了，且莫另外再造。⑦全要领：谓不被刑戮而善终。要，古"腰"字。领，颈也。古代的死刑有腰斩和斩首两种。从先大夫：谓追随已经去世的祖先。九京：据郑玄注，当作"九原"。九原是地名，晋国卿大夫的墓地在此。其地在今山西新绛县北。按照古礼，被刑戮者不能入祖坟，故有此语。⑧北面：面向北。再拜稽首：最隆重的拜礼。一般用于臣对君。行此礼时，要先拜，即跪而拱手，头亦俯至于手，与心平，这叫拜手，省称做拜。既拜而拱手下至于地，头亦下至于地。拱手至地，手仍不分散。手在膝前，头在手前。这叫做稽首。再拜稽首，就是行两次拜稽首礼。⑨善颂：善于赞美。此谓张老。善祷：善于祈福。此谓文子。

[译文]

晋国赵文子的新居落成,晋国的大夫都去参加落成典礼。张老致辞说:"这高大的新居多么漂亮呀!这灿烂的新居多么漂亮呀!从此以后,主人就可以在这里祭祀奏乐,在这里居丧哭泣,在这里和僚友及族人聚会宴饮了。"文子致答辞说:"我能在这里祭祀奏乐,在这里居丧哭泣,在这里和僚友及族人聚会宴饮,这表明我将善终,有资格进入九原的祖坟。"说完后就朝北面再拜叩头表示感谢。懂礼的君子说,他们一个善于赞美,一个善于祈福。

王制第五

[题解]

《王制》，意谓王者之制度。郑玄说："名曰《王制》者，以其记先王班爵、授禄、祭祀、养老之法度。"这是一篇完整的施政大纲。将"鳏、寡、孤、独"四者视为弱势人群并由国家予以补贴，即出此篇。

王者之制禄爵①，公、侯、伯、子、男，凡五等。诸侯之上大夫卿②、下大夫、上士、中士、下士，凡五等。

[注释]

①制：制定。禄爵：俸禄和爵位。②上大夫卿：诸侯的卿均为上大夫，故以上大夫、卿合为一等。

[译文]

天子为臣下制定俸禄和爵位。以爵位来说，有公、侯、伯、子、男，共五等。诸侯为其臣下制定的爵位，有上大夫卿、下大夫、上士、中士、下士，也是总共五等。

制①：农田百亩②。百亩之分③，上农夫食九人④，其次食八人，其次食七人，其次食六人，下农夫食五人。庶人在官者⑤，其禄以是⑥为差也。诸侯之下士视上农夫⑦，禄足以代其耕也。

中士倍下士⑧，上士倍中士，下大夫倍上士。卿，四大夫禄；⑨君，十卿禄。⑩次国之卿，三大夫禄；君，十卿禄。小国之卿，倍大夫禄；君，十卿禄。

[注释]

①制：俸禄的分配规定。②农田百亩：每户由王者授予农田百亩。③分：本或作"粪"，与《孟子·万章下》所载同。分，指土地之肥瘠。④上：指第一等的农田百亩。农田的肥瘠分五等：上、其次（第二等）、其次（第三等）、其次（第四等）、下（第五等）。详下。农夫食（sì）九人：一个农夫可以养活九口之家。食，此谓养活。下同。⑤庶人在官者：郑玄注："庶人在官，谓府、史之属，官长所除，不命於天子、国君者。"按：府是负责保管文书、财物的办事员，史是负责撰写文书的办事员。府和史都未经天子册命，不属于王臣；他们的身份是平民，只是由于接受了某一职能部门的长官的聘请才成为在官府办事的小吏。⑥是：此。指上文的"上农夫食九人"以下五等。⑦视上农夫：（其俸禄）比照受第一等农田的农夫。⑧中士倍下士：诸侯中士的俸禄是下士的两倍。⑨卿，四大夫禄：大国诸侯的卿的俸禄是大夫的四倍。⑩君，十卿禄：大国国君的俸禄是卿的十倍。

[译文]

分配俸禄的规定：每个农户受田一百亩。百亩之田按其土质肥瘠分为五等，第一等的百亩之田一个农夫可以养活九口之家，第二等的可以养活八口之家，第三等的可以养活七口之家，第四等的可以养活六口之家，最末等的可以养活五口之家。平民在官府当差的，他们的俸禄也参照这个等差受田。诸侯的下士的俸禄比照受第一等田的农夫，使他们的俸禄足以能养活九口之家。诸侯中士的俸禄是下士的两倍，上士是中士的两倍，下大夫是上士的两倍。大国诸侯的卿的俸禄是大夫的四倍，国君的俸禄是卿的十倍。中等诸侯国的上卿的俸禄是大夫的三倍，国君的俸禄是卿的十倍。小国诸侯的卿的俸禄是大夫的两倍，国君的俸禄是卿的十倍。

天子、诸侯无事则岁三田①：一为干豆②，二为宾客③，三为充君之庖④。无事而不田，曰不敬⑤；田不以礼⑥，曰暴天物。天子不合围⑦，诸侯不掩群。天子杀则下大绥⑧，诸侯杀则下小绥⑨，大夫杀则止佐车⑩。佐车止，则百姓田猎。獭祭鱼⑪，然后虞人入泽梁⑫。豺祭兽⑬，然后田猎。鸠化为鹰⑭，然后设罻罗⑮。草木零落⑯，然后入山林⑰。昆虫未蛰，不以火田。⑱不麛，不卵，不杀胎，不殀夭，不覆巢。⑲

[注释]

①岁三田：一岁之中，田猎三次。据《周礼》，春田曰搜，夏田曰苗，秋田曰狝，冬田曰狩。夏季停止田猎。②一为干豆：一是为了准备提供祭祀用的干肉。将肉风干，置于豆中，叫做干豆。豆是食器，或以木制，或以陶制，形似高脚盘。③宾客：此谓招待宾客。④充君之庖：丰富天子、诸侯的膳食品种。⑤曰不敬：因为在祭祀、招待宾客上打折扣，故云。⑥田不以礼：下文"天子不合围"以下，都是田猎时应该遵循的礼。所谓"礼"，即规矩。⑦不合围：围其三面，一面不围。这和下句的"不掩群"，都表示在田猎时不能斩尽杀绝。⑧杀：谓射杀禽兽之后。下大绥：放倒指挥田猎的大旗。⑨小绥：诸侯指挥田猎的旗帜较小，故称小绥。⑩止：停止。佐车：协助驱赶和堵截禽兽的车。⑪獭（tǎ）祭鱼：指代正月。《礼记·月令》："孟春之月，獭祭鱼。"郑玄注："此时鱼肥美，獭将食之，先以祭也。"⑫虞人：掌管山林川泽之官。见《周礼》。入泽梁：进入泽中设梁捕鱼。梁，为捕鱼而设的河中小坝。⑬豺祭兽：豺将所获野兽杀死之后，四面摆开，像人的祭祀一样，古人称做祭兽。《礼记·月令》："季秋之月，豺乃祭兽。"这也是修辞手法，用发生的事情代替时间。此处指代九月。⑭鸠化为鹰：也是指代时候。《礼记·月令》仲春之月有"鹰化为鸠"的记载，但没有"鸠化为鹰"的记载。孔颖达推测鸠化为鹰应在仲秋之月。⑮罻（wèi）罗：捕鸟的网。罻、罗二字同义，大约罻小而罗大。⑯草木零落：指代十月。孔颖达疏："案《月令》季秋'草木黄落'，其零落芟折则在十月也。"⑰然后入山林：意谓可以砍伐树木。⑱昆虫未蛰二句：孔颖达疏："云昆虫未蛰不以火田者，谓未十月之时，十月则得火田。故

《罗氏》云'蜡则作罗襦',注云:'今俗放火张罗。'从十月以后至仲春,皆得火田。"火田,焚烧草木而田猎。⑲不麑五句:不捕捉小兽,不取鸟卵,不杀怀胎的母兽,不杀刚出生的小兽,不捣毁鸟巢。麑,本义是小鹿,此指小兽。

[译文]

天子、诸侯在没有战争和凶丧的情况下,每年田猎三次,其目的在于,第一是为了准备祭祀的供品,第二是为了招待宾客,第三是为了丰富天子、诸侯的膳食品种。在没有战争和凶丧的情况下也不田猎,就叫做不敬。田猎时不守规矩,随意捕杀,就叫做践天地所生之物。田猎的规矩是:天子打猎不应四面合围,诸侯打猎不应把成群的野兽全部杀光。射杀野兽之后,天子要放下指挥的大旗,诸侯要放下指挥的小旗。大夫射杀野兽后,就应命令协助驱赶野兽的副车停止驱赶。大夫的副车停止驱赶之后,百姓开始田猎。正月以后,虞人才可以进入川泽垒梁捕鱼。秋冬之交,才可以开始田猎。八月以后,才可以设网捕鸟。到了十月,才可以进入山林砍伐。昆虫尚未蛰居地下之前,不可以纵火焚草肥田。不捕捉小兽,不取鸟卵,不杀怀胎的母兽,不杀刚出生的小兽,不捣毁鸟巢。

冢宰制国用①,必于岁之杪②。五谷皆入,然后制国用。用地小大,视年之丰耗。③以三十年之通制国用,量入以为出。④祭用数之仂。⑤丧⑥,三年不祭⑦,唯祭天地社稷为越绋⑧而行事。丧用三年之仂。⑨丧祭,用不足曰暴⑩,有余曰浩⑪。祭,丰年不奢,凶年不俭。国无九年之蓄曰不足,无六年之蓄曰急,无三年之蓄曰国非其国也。三年耕,必有一年之食;⑫九年耕,必有三年之食。以三十年之通⑬,虽有凶旱水溢⑭,民无菜色⑮,然后天子食,日举以乐⑯。

[注释]

①冢宰:又名"太宰"。据《周礼》,冢宰乃百官之长,地位相当于后来

的冢宰。制国用：编制下一年度国家经费的预算。②岁之杪（miǎo）：年底。③用地小大二句：郑玄注："小国大国，丰凶之年，各以岁之收入制其用多少。多不过礼，少有所杀。"意谓编制预算时，要考虑到国家的大小，年成的好坏，量入为出。年成好，预算也不能超过礼的规定；年成坏，就要有所减省。杀（shài），减省。④以三十年之通制国用二句：郑玄注："通三十年之率，当有九年之畜。出，谓所当给为。"意谓在编制国家预算时，按连续三十年的收入来算，应该留够九年的储备。出，支出。给，指百官、宾客、百姓的消费。为，指用于建造的花费。⑤祭用数之仂（lè）：祭祀的费用占经费总数的十分之一。⑥丧：谓父母之丧。⑦不祭：谓不祭自家宗庙。⑧越绋：谓不受自家丧事的限制。绋，系在辒车上的绳索。在停柩待葬时叫绋，在送葬的路上叫引。这里指代私家丧事。⑨丧用三年之仂：郑玄注："丧，大事，用三岁之什一。"⑩用不足曰暴：超过了预算叫做暴。暴，损耗。⑪有余曰浩：预算的钱没有花完叫做浩。浩，有剩余。⑫三年耕二句：种地三年打的粮食，一定要有一年的余粮。⑬通：谓平均数。⑭凶旱水溢：孔颖达疏："凶旱，谓凶荒遭旱也。水溢，谓水之泛滥。"⑮菜色：指饥民营养不良的脸色。⑯日举以乐：按《周礼·天官·膳夫》："王日一举，以乐侑食。"郑玄注："杀牲盛馔曰举。侑，犹劝也。"意谓每天顿顿有肉吃，吃饭时还奏乐助兴。

[译文]

　　冢宰编制下一年度国家经费的预算，必定在年终进行。因为要等五谷入库之后才能编制预算。编制预算，要考虑国土的大小，年成的丰歉，用三十年收入的平均数作依据来编制预算，根据收入的多少来决定如何开支。祭祀的费用，占每年收入的十分之一。遇到父母之丧，虽然在服丧的三年内不祭宗庙，但天地社稷之神却照祭不误，因为天地社稷之神比父母还要尊贵。丧事的开支，用三年收入的平均数的十分之一。丧事和祭祀的开支，超过了预算叫做"暴"，决算有余叫做"浩"。祭祀的开销，丰年不可铺张浪费，荒年不可节俭从简。一个国家如果没有九年的储备叫做准备不足，如果没有六年的储备叫做储备危急，如果没有三年的储备就可以说是国家不成其为国家了。耕种三年，一定要有一年的余粮。耕种九年，一定要有三年的余粮。以三十年的收入的平均数来编制预算，即使遇到水旱凶荒的年头，老百姓也不至于饿肚子，然后，天子的膳食才会顿顿有肉，而且吃饭时可以奏乐。

天子七日而殡，七月而葬。诸侯五日而殡，五月而葬。大夫、士、庶人，三日而殡，三月而葬。①三年之丧②，自天子达③。庶人县封④，葬不为雨止⑤，不封不树⑥，丧不贰事⑦。自天子达于庶人，丧从死者⑧，祭从生者⑨。支子不祭。⑩

[注释]

①天子七日而殡七句：郑玄注："尊者舒，卑者速。"意谓地位越高的人，殡葬的时间越从容。又《左传·隐公元年》："天子七月而葬，同轨（指天下诸侯）毕至；诸侯五月，同盟至；大夫三月，同位（指同僚）至；士踰月，外姻（指女系的亲属）至。"这是从会葬者聚齐所需时间有长有短上说明这条规定的合理性。②三年之丧：父母去世，儿子要服丧三年，故称。③自天子达：郑玄注："下通庶人，与父母同。"意谓父母死，上起天子，下至庶人，统统都是服丧三年。④县（xuán）封：县，"悬"的古字。封，当作"窆"，将棺木葬入圹穴。悬窆，悬绳下棺入圹。士大夫则可以碑绊下棺。⑤葬不为雨止：郑玄注："虽雨犹葬，以其礼仪少。"⑥不封不树：既不聚土为坟，也不栽树。郑玄注："至卑无饰也。"⑦丧不贰事：庶人可以在家专心一意地服丧，不用操心他事。士大夫则可能因为国家的临时需要（如战争），居丧未满也得出来为国家服务。⑧丧从死者：丧礼的规格按照死者的身份办理。⑨祭从生者：祭礼的规格按照生者的身份办理。⑩支子不祭：不是嫡长子就不能主持祭祀。支子，除嫡长子以外的其他诸子。

[译文]

天子死后七天乃停棺正寝堂西，死后七月乃举行葬礼。诸侯死后五天乃停棺正寝堂西，死后五月乃举行葬礼。大夫、士、平民死后三日即停棺正寝堂西，死后三月即举行葬礼。为父母须守丧三年,上起天子下至平民均不例外。平民下葬,只能用绳子缒棺入穴,即使下雨也照样埋葬,不聚土成坟,也不种树。服丧期间不得做其他事情。从原则上讲,从天子到平民都适用这一规定。办丧事的规格是依据死者的爵位来定,而祭祀的规格是依据主持祭祀者(即孝子)的爵位来定。不是嫡长子就不能主持祭祀。

天子七庙,三昭三穆,与大祖之庙而七。① 诸侯五庙,二昭二穆,与大祖②之庙而五。大夫三庙,一昭一穆,与大祖③之庙而三。士一庙。④ 庶人祭于寝。⑤

[注释]

① 天子七庙三句:就周代而言,太祖之庙指始祖后稷之庙。后稷庙下是文王庙、武王庙。再往下是四亲庙,即高祖庙、曾祖庙、祖庙、父庙。昭穆,宗庙排列的次序。始祖以下,父庙曰昭,子庙曰穆,孙之庙又曰昭,曾孙之庙又曰穆。余可类推。由此可知,祖与孙永远昭穆相同。七庙是个常数,不得超过,也不得减少。如有新死者,并不另建新庙,而是将高祖的神位迁入大宗庙内,曾祖以下递升,这样就会空出一庙,即为新死者之庙。每有新死者,即如此递迁一次,所以总是保持七庙不变。② 大祖:即太祖。诸侯的太祖,指的是始封之君。③ 大祖:大夫的太祖,指的是别子始得封爵者。④ 士一庙:这个"士",指的是诸侯的中士、下士。诸侯的上士则二庙。⑤ 庶人祭于寝:因为庶人无庙。寝,正屋或正厅。

[译文]

天子设七庙:左边三个昭庙——文王、高祖、祖,右边三个穆庙——武王、曾祖、父,加上正中一个太祖庙,共七庙。诸侯设立五庙,即高祖、祖二昭庙,曾祖、父二穆庙,加上太祖庙,共五庙。大夫设立三庙,一昭一穆,加上太祖庙,共三庙。士只设一庙。平民无庙,祭祀祖宗在正寝。

凡养老①:有虞氏以燕礼②,夏后氏以飨礼③,殷人以食礼④,周人脩而兼用之⑤。五十养于乡⑥,六十养于国⑦,七十养于学⑧,达于诸侯⑨。八十拜君命,一坐再至⑩,瞽亦如之⑪。九十使人受⑫。五十异粻⑬,六十宿肉⑭,七十贰膳⑮,八十常珍⑯,九十饮食不离寝,膳饮从于游可也⑰。六十岁制,七十时制,八十月制,九十日脩⑱。唯绞、紟、衾、冒⑲,死而后制。五十始衰,六十非肉不饱,七十非帛不暖,八十非人不暖⑳,九十虽得人不暖矣。五十杖于家,六十杖于乡,七十杖于国㉑,八十杖于朝,九十者,天子欲有问焉,则就其室,以珍从。七十不俟朝㉒,八十月告存㉓,九十日有秩㉔。五十不从力政㉕,六十不与服戎㉖,七十不与宾客之事㉗,八十齐丧之事㉘弗及也。

[注释]

①凡养老:孔颖达疏引皇侃云:"人君养老有四种,一是养三老、五更;二是子孙为国难而死,王养死者父祖;三是养致仕之老;四是引户校年,养庶人之老。"引户校年,根据户籍校对年龄。②有虞氏:谓虞舜时。燕礼:较低规格的宴会。燕礼所用之牲是狗,有酒有肴而无饭,以饮酒为主,可以微醉。为了表示亲昵,行之于路寝(飨礼、食礼则行之于庙)。③飨礼:较高规格的宴会。飨礼所用之牲是太牢,有酒,也有饭,但由于飨礼的意义主要在于教训恭敬节俭,所以虽设有酒,并不喝。④食礼:规格在飨礼之下的一种宴会。食礼所用之牲也是太牢,有饭有肴,虽设酒而不饮,其礼以饭为主,故称为食礼。⑤脩:当作"循",隶书形近致误。兼用之:兼用虞、夏、殷三代之养老礼。孔颖达疏:"周人修而兼用之者,谓周人修三代之礼而兼用之以养老。春夏养老之时,用虞氏燕礼、夏后氏飨礼之法;若秋冬养老之时,用殷人食礼之法。以周极文,故兼用三代之法也。"⑥乡:谓乡学。乡是行政单位。周代,天子畿内有六乡。⑦国:郑玄注:"国,国中小学,在王宫之左。"⑧学:郑玄注:"学,大学也,在郊。"⑨达于诸侯:孔颖达疏:"言此养老之事,非唯天子之法,乃通达于诸侯。"⑩一坐再至:跪下去连叩两次头。古代拜君命,按规定当行再拜稽首礼。此因年老,特许简化礼节。⑪瞽亦如之:因为瞽人行动不便。⑫九十使人受:90岁的老人可以让他人代替拜君命。⑬异粻

(zhāng)：异粮。不与青壮年人吃同样的粮食，吃较精细的粮食。⑭宿肉：预先置备的有肉。⑮贰膳：副膳。主膳在吃饭时食用，贰膳则作为零食来吃。⑯常珍：平常皆食美味。⑰九十饮食不离寝二句：90岁的老人，由于饮食无时，所以所饮所食，不仅住处常有，而且无论走到哪里，都随身带有。⑱六十岁制四句：60岁的老人，其子女应该为他准备需要一年时间才能完成的丧葬用品（如棺）；70岁的老人，其子女应该为他准备需要一个季度才能完成的丧葬用品（如衣物之难得者）；80岁的老人，其子女应该为他准备需要一个月才能完成的丧葬用品（如衣物之易得者）；90岁的老人，其子女应该为他准备需要一天时间才能做好的丧葬用品。⑲绞（xiáo）：古代小敛、大敛后用以紧死者的布带。紟：小大敛时所用之单被。衾：小大敛时所用之夹被。冒：小敛前套在尸体上的布袋。以上四件物品都可以在一两天内做好，所以下文说"死而后制"。⑳非人不暖：没有人暖被窝就不暖和。㉑国：谓国都。㉒七十不俟朝：孔颖达疏："此谓大夫士老年而听致事者，则七十杖于国，朝君之时，入门至朝位，君出，揖之即退，不待朝事毕也。"㉓八十月告存：孔颖达疏："告，谓问也。君每月使人致膳，告问存否。"㉔九十日有秩：郑玄注："秩，常也。有常膳。"谓国君每日供给常膳。㉕不从力政：不服劳役。㉖不与服戎：不服兵役。与，及也。㉗不与宾客之事：不参与应酬宾客的活动。㉘齐丧之事：祭祀和丧葬之事。齐，通"斋"，斋戒。祭祀之前必须斋戒，所以这里是以斋来代表祭祀。

[译文]

凡招待老人的宴会，有虞氏用燕礼，夏后氏用飨礼，殷人用食礼，周人遵循古制而三礼兼用。50岁的老人就可以参加在乡学中举行的敬老宴会，60岁的老人就可以参加在王官小学中举行的宴会，70岁的老人就可以参加在大学举行的宴会。诸侯国也是如此。人到了80岁时精力已衰，在拜受君命时只要跪下去连叩两次头就可以了。盲人行动不便，也可照此办理。90岁的老人则可以让他人代替自己拜受君命。50岁以上的老人可以不吃粗粮而吃细粮；60岁以上的老人没有肉就吃不饱，所以要常备有肉；70岁以上的老人饿得快,要每顿多做一份,以备零食;80岁以上的老人要常吃珍美的食品;90岁以上的老人住室里食品不断,无论他走到哪儿,随身都有饮食供应。人到了60岁,做子女的就要为其准备需要一年时间才能做好的丧葬用品;人到了70岁,子女就要为其准备需要一季时间才能做好的丧葬用品;人到了80岁,子女就要为其准备需要一月时间才能做好的丧葬用品;人到了90岁,子女就要为其准备需要一天时间才能做好的丧葬用品。只有绞、纻、衾、冒,死后再做也不迟。人到50岁就开始衰老,60岁以后不吃肉就不饱,70岁以后没有丝绵就会感到身上不暖,80岁以后没有人暖被就感到睡不暖和,90岁以后虽有人暖被也睡不暖和了。50岁以后可以挂杖于家,60岁以后可以挂杖于乡,70岁以后可以挂杖于国都,80岁以后可以挂杖上朝,90岁以后,天子若有事询问,就要派人到他家请教,还要带上好吃的东西。大夫到了70岁就可以不在朝里侍候,80岁以后,天子要每月派人来问候安康,90岁以后,天子要每天派人送食物来。平民到了50岁就不服劳役,60岁以后就不服兵役,70岁以后就不再参与应酬宾客的活动,80岁以后,就连祭祀丧葬这类重要的事情也不参与了。

凡三王养老皆引年[①]。八十者一子不从政[②],九十者其家不从政,废疾非人不养者一人不从政。父母之丧,三年不从政。齐衰、大功之丧,三月不从政。将徙于诸侯,三月不从政。[③]自诸侯来徙家,期不从政。[④]

[注释]

①三王:谓夏、商、周三代。引年:引户校年。即根据户籍,核对年龄。②政:通"征",谓劳役征召。下同。③将徙于诸侯二句:孙希旦说:"将徙于诸侯,谓将徙于他国也。三月不从政,以其当为行计也。"④自诸侯来徙家二句:孙希旦说:"自诸侯来徙家,谓自他国始来,家于此也。期不从政,以

其未有业次也。"期（jī），谓一年。

[译文]

夏、殷、周三代的天子举行养老宴会，都要依据户籍来核实与会老人的年龄。家有80岁以上老人的，可以有一人被豁免力役之征。家有90岁老人的，豁免其全家的力役征召。家有残废人、病人必须有他人侍候的，也可以豁免一人的劳役。父母去世，在三年守丧期间不应力役之征。遇到齐衰、大功亲属去世，可以三个月不应力役之征。将从王畿移居诸侯的家庭，临行之前免役三月；自诸侯移居王畿的家庭，到达后免役一年。

少而无父者谓之孤，老而无子者谓之独，老而无妻者谓之矜①，老而无夫者谓之寡。此四者，天民②之穷而无告者也，皆有常饩③。

[注释]

①矜（guān）：同"鳏"。②天民：天下百姓。孙希旦说："天民者，民皆天之所生也。"③常饩（xì）：固定的生活补贴，粮食救济。

[译文]

年幼即失去父亲的人叫做孤，老了却失去儿子的人叫做独，年老而失去妻子的人叫做矜，年老而失去丈夫的人叫做寡。这四种人，是世界最可怜而又求告无门的人，国家对他们有经常性的生活补贴。

瘖、聋、跛躃、断者、侏儒、百工①，各以其器食之②。

[注释]

①瘖：哑巴。跛躃（bì）：足不能行。跛，一足瘸者。躃，两足俱废者。断者：肢体残缺者。侏儒：躯体矮小者。百工：各种手艺人。②各以其器食之：这些人都靠着干点力所能及的工作由国家养活他们。孙希旦说："百工非

疾民而并言之者，因以器食之，其事同也。"

[译文]

哑巴、聋子、一足瘸者、两足俱废者、肢体残缺者、躯体矮小者以及各种手艺人，这些人都靠着干点力所能及的工作由国家养活他们。

道路：男子由右，妇人由左，车从中央。父之齿随行，兄之齿雁行，朋友不相踰。①

[注释]

①父之齿随行三句：在路上，遇到和自己父亲年龄差不多的人，要让人家走在前面；遇到和自己兄长年龄差不多的人，自己可以稍后一点并排而行；和朋友同行，不可争先恐后。雁行，大雁飞行时的排列，即在其旁而稍后。

[译文]

在道路上，男子靠右走，妇人靠左走，车子走中央。遇到和自己父亲年龄差不多的人，要让人家走在前边；遇到和自己兄长年龄差不多的人，自己可以稍后一点并排而行；和朋友同行，不可争先恐后。

轻任并，重任分，①班白者不提挈②。

[注释]

①轻任并二句：老少二人都挑着担子而担子皆轻，这时候，少者应把老者的轻担合并到自己肩上；老少二人都挑着担子而担子皆重，这时候，少者应把老者的重担分过来一些，以减轻老者的负担。任，担子。②班白者不提挈：不要让头发花白的老人提着东西走路。

[译文]

老年人与年轻人都挑着轻担子，年轻人应该把老人的轻担并到自己肩上；老年人与年轻人都挑着重担子，年轻人应把老人的重担分过来一些。不要让头发花白的老人提着东西走路。

月令第六

[题解]

郑玄《三礼目录》说:"名曰《月令》者,以其纪十二月政令之所行也。"一年十二个月,每月施行什么样的政令,取决于当月的天象、节气、候应。本篇是以阴阳五行学说为指导的全年施政纲领,对后世颇有影响。

孟春①之月,日在营室②,昏参中,旦尾中。③其日甲乙。④其帝大皞⑤,其神句芒⑥。其虫鳞⑦。其音角⑧,律中大蔟⑨。其数八。⑩其味酸⑪,其臭膻⑫。其祀户⑬,祭先脾⑭。

[注释]

①孟春:春季的第一个月,即农历正月。郑玄注:"孟,长也。"孔颖达疏:"此言孟春者,夏正建寅之月也。"②日在营室:孙希旦曰:"日在营室者,谓是月日之所行,躔于亥宫营室之星也。"营室,二十八宿之一,又叫定星。二十八宿都是恒星,古人用以作为观察天象的坐标。古人为了说明日月星辰的运行和节气变换的对应关系,把黄道附近一周天按照由西向东的方向分为星纪、玄枵、诹訾、降娄、大梁、实沈、鹑首、鹑火、鹑尾、寿星、大火、析木等十二等分,叫做十二次。每一次都有二十八宿中的某一星宿作为标示。例如,孟春之月,日躔于诹訾之次,作为标示的星是营室。③昏参(shēn)中二句:黄昏时,参星位于南天正中。拂晓时,尾星位于南天正中。换言之,黄昏时的中星是参星,拂晓时的中星是尾星。中星,二十八宿分布四方,按一定

轨道运转,依次每月行至中天南方的星叫中星。观察中星可确定四时。参星、尾星均是二十八宿之一。④其日甲乙:孟春的吉日是甲乙。五行家将天干十日与五行相配,即甲乙配木,丙丁配火,戊己配土,庚辛配金,壬癸配水。又以五行配东南中西北和四季:东方、春季配木,南方、夏季配火,中央配土,西方、秋季配金,北方、冬季配水。王夫之说:"凡春,以甲乙之日为王而吉也。余仿此。"⑤大皞(tài hào):即伏羲氏,传说中的古帝名。五行家认为他是以木德王,故将其尊为春季、东方之帝。⑥句(gōu)芒:少皞氏的儿子,名重,死后被尊为木神。孙希旦说:"有帝而复有神者,盖四时之气运于天,而五行之质丽乎地,自其气之各有所主则为五帝,自其质之各有所司则为五神,故《周礼》五帝为天神,而五祀为地祇也。"⑦虫:古时对包括人在内的动物的总称。鳞:五虫之一。《大戴礼·易本命》:"有羽之虫(即禽类)三百六十,而凤凰为之长;有毛之虫(即兽类)三百六十,而麒麟为之长;有甲之虫(即昆虫类)三百六十,而神龟为之长;有鳞之虫(即鱼类)三百六十,而蛟龙为之长;倮之虫(即人类)三百六十,而圣人为之长。"五行家又以五虫配五行:鳞虫配木,羽虫配火,倮虫配土,毛虫配金,甲虫配水。⑧角(jué):五声之一。宫、商、角、徵、羽,合称五声。五行家将五声与五行相配:宫配土,商配金,角配木,徵配火,羽配水。⑨律:律管,用以定音的管子(铜制或竹制)。中(zhòng):相应。大蔟(tài còu):古代十二律之一。十二律分为阴阳两类:黄钟、大蔟、姑洗、蕤宾、夷则、无射为阳律,称"六律";大吕、夹钟、中吕、林钟、南吕、应钟为阴律,称"六吕"。五行家又将十二律与一年的十二个月相配,孟春所配即大蔟。古人将葭莩(芦苇内壁的薄膜)灰分别塞入十二律的管子中,某个月份到了,和它相应的律管里的葭莩灰就飞动起来了,这就是"律中"。⑩其数八:这是五行中与木相配的数字。古人将从一到十这十个数字按奇偶分属天地,即天一,地二,天三,地四,天五,地六,天七,地八,天九,地十。而五行自水始,火次之,木次之,金次之,土最后。木为天三与地八。三是木的生数,八是木的成数。这里只说"其数八",是言其成数。⑪酸:五味之一。酸、苦、甘、辛、咸,合称五味。五行家将五味配地之四方及中央。酸配东方,苦配南方,甘配中央,辛配西方,咸配北方。⑫臭(xiù):气味。膻:五臭之一。膻、焦、香、腥、朽,合称五臭。五行家将五臭配地之四方及中央。膻配东方,焦配南方,香配中央,腥配西方,朽配北方。⑬户:五祀之一。孙希旦曰:"春祀户,夏祀灶,中央祀中霤,秋祀门,冬祀行,此所谓五祀也。门、户者,人之所出入也;灶者,人所藉以养也;行者,人之所往来也;中霤者,人所居以安其身也。此五者,皆有神以主之。"⑭祭先脾:孙希旦曰:"祭先脾者,言所祭牲之五脏以脾为先也。"五行家将五脏配五行:脾配木,肺配火,肝配金,肾配水,心配土。孟春之月属木,故五脏以脾脏为先。

[译文]

孟春正月:太阳运行的位置在营室;黄昏时,参星位于南天正中;拂晓时,尾星位于南天正中。春季的吉日是甲乙,于五行属木。尊崇的帝是以木德王的太皞,敬奉的神是木官句芒。动物中与木相配的是鳞虫。五声中与木相配的是角声,与此月相应的是十二律中的太蔟。与木相配的成数是八。与木相配的五味是酸,五臭是膻。本月要祭祀户神,祭品中以脾脏为尊。

东风解冻,蛰虫始振①,鱼上冰②,獭祭鱼③,鸿雁来④。天子居青阳左个⑤,乘鸾路⑥,驾仓龙⑦,载青旂⑧,衣青衣⑨,服仓玉⑩,食麦与羊⑪。其器疏以达⑫。是月也,以立春。先立春三日,大史谒⑬之天子曰:"某日立春,盛德在木。"天子乃齐⑭。立春之日,天子亲帅三公、九卿、诸侯、大夫以迎春于东郊。还反⑮,赏公卿、诸侯、大夫于朝。命相布德和令⑯,行庆施惠,下及兆民。庆赐遂行,毋有不当。乃命大史守典奉法⑰,司⑱天日月星辰之行,宿离不贷⑲,毋失经纪⑳,以初为常㉑。

[注释]

①蛰虫始振:蛰伏土中的动物开始苏醒。②鱼上冰:孔颖达疏:"正月,阳气既上,鱼游于水上,近于冰,故云鱼上冰。"③獭(tǎ)祭鱼:水獭将捕得的鱼陈列在水边,像祭食似的,故称。④鸿雁来:《吕氏春秋》作"候雁北"。⑤青阳左个:即东向明堂的北室。明堂,古代帝王居住及宣布政教之

所，其构造依五行：东向的叫青阳，南向的叫明堂，西向的叫总章，北向的叫玄堂，中央的叫太庙。除太庙只有一个太室外，其余东南西北四个正堂的两侧各有一室，叫个。左侧室叫左个，右侧室叫右个。共有四个正堂和八个侧室，帝王按照四时五行的运行，月居一室。⑥鸾路：有銮铃的车子。鸾本是青色凤鸟，取其青色与五行之木相配。路，通"辂"，车。⑦驾仓龙：用仓龙驾车。仓龙，青色的马。仓，通"苍"。八尺以上的马称为龙。⑧载青旂：车上插着绘有青龙的旗子。⑨衣青衣：穿着青色的衣服。⑩服仓玉：佩带青色的玉饰。⑪食麦与羊：五行家将五谷（麦、黍、稷、麻、菽）和五畜（鸡、羊、牛、犬、豕）与五行相配。麦属木，是春季宜食之谷。但因为春季还有冬日的余寒，还须要吃羊来御寒。羊属火。⑫其器疏以达：使用的器物纹理粗疏而通达。象征到了春季，万物将破土而出。⑬大史：即太史。官名，掌管典法、礼籍和星历。谒：禀告。⑭齐：通"斋"，斋戒。斋戒是为了下文的"迎春"，迎春是迎祭大皡帝和句芒神。⑮反：《吕氏春秋》作"乃"，孟夏、孟秋、孟冬同。王引之认为当从《吕氏春秋》。⑯相：谓三公，即太师、太傅、太保。因为三公助王理事，故称。和令：宣布禁令。王引之说："和"、"宣"二字古音相近，可通假。⑰守典奉法：遵守六典，奉行八法。六典，谓治典、教典、礼典、政典、刑典、事典。八法，谓官属、官职、官联、官常、官成、官法、官刑、官计。详《周礼·春官·大宰》。⑱司：负责。⑲宿：太阳所在的位置。孙希旦曰："宿，谓日之所次。"离：孙希旦曰："谓月之所历。"离，通"丽"，依附。贷：通"忒"（tè），差错。⑳经纪：郑玄注："谓天文进退度数。"㉑以初为常：遵循旧法，以为常规。

[译文]

春风吹起，冰雪解冻，蛰伏土中的动物开始苏醒活动。鱼儿从深水处向上游到冰层下；水獭将捕到的鱼陈放在岸边，像祭祀一般；鸿雁从南方飞来。

这个月，天子居住在东向明堂的左侧室，乘坐饰有用青凤命名的响铃的车子，车前驾着青色的高马，车上插着绘有青龙的旗子，穿着青色的衣服，佩戴着青色的饰玉，吃的是麦与羊，使用的器物纹理粗疏而通达。

这月的节气,是立春。在立春前三天,太史向天子禀告说:"某日立春,木德当令。"天子于是斋戒,准备迎春。立春的那天,天子亲自率领三公、九卿、诸侯、大夫到东郊去举行迎春的祭祀。祭毕回朝,在朝中赏赐公卿、诸侯、大夫。并命令三公发布德教,宣布禁令,实行褒奖,施与恩惠,下及所有百姓。褒奖赏赐之事,一一落到实处,没有不当。于是命令太史遵守六典,奉行八法,负责推算日月星辰的运行,太阳所在的位置,月亮所经的地方,都要计算得丝毫不差,不得背离法度,要遵循旧章而不变。

是月也,天子乃以元日祈谷于上帝①。乃择元辰②,天子亲载耒耜③,措之于参保介之御间④,帅三公、九卿、诸侯、大夫,躬耕帝藉⑤。天子三推⑥,三公五推,卿、诸侯九推。反⑦,执爵于大寝⑧,三公、九卿、诸侯、大夫皆御⑨,命曰劳酒⑩。

[注释]

①元日:此谓上辛日,即孟春之月的第一个辛日。祈谷:祈求五谷丰登。又叫祈年。②元辰:吉辰。此指祈谷于上帝之后的第一个亥日。以天干甲、乙、丙、丁、戊、己、庚、辛、壬、癸纪日谓之元日,以地支子、丑、寅、卯、辰、巳、午、未、辛、酉、戌、亥纪日谓之元辰。祭天神用日,祭地支用辰。③耒耜:古代耕地的农具,似犁。犁柄叫耒,犁铧叫耜。④措之于参保介之御间:将耒耜放在身穿甲衣的骖乘与驾车者之间。参,通"骖",此谓骖乘,又叫车右,负责保卫工作。第二个"之"字作"与"讲。御,驭者。⑤躬:亲自。帝藉:天子为保证祭祀供给而借民力耕种之田。藉,借助。天子藉田千亩,名曰亲耕,实借民力。⑥推:谓推耒耜入土,翻地。⑦反:通"返"。⑧执爵:犹言举杯,意谓设宴。寝:天子处理政务之所。⑨御:作陪。⑩劳酒:慰劳之酒。

[译文]

在这个月里,天子于第一个辛日祭祀上帝,祈求五谷丰登。又于此后的第一个亥日,天子亲自把耒耜搬到自己的车上,放在穿甲衣的骖乘和驾车人之间，并率领三公、九卿、诸侯、大夫亲自耕种藉田。其做法是把耒耜推入土里，天子推三下，公推五下，卿和诸侯推九下。礼毕返回，天子在寝举杯宴饮，三公、九卿、诸侯、大夫全部陪侍，这次宴饮称为"劳酒"。

是月也，天气下降，地气上腾①，天地和同②，草木萌动。王命布③农事，命田舍东郊④，皆脩封疆⑤，审端径术⑥，善相丘陵、阪险、原隰土地所宜⑦，五谷所殖，以教道⑧民，必躬亲之。田事既饬⑨，先定准直⑩，农乃不惑。

[注释]

①天气下降二句：天气下降，谓阳气在下；地气上腾，谓阴气在上。按：孟春之月的卦象是《泰卦》，《泰卦》由六爻组成，其上面三爻都是阴爻，是《坤卦》；其下面三爻都是阳爻，是《乾卦》。阴爻代表阴气，阳爻代表阳气。所谓"三阳开泰"，说的正是这种卦象。但从近期发展趋势来说，阳气逐月增加，阴气逐月减少。②天地和同：阴气、阳气，和合混同。从《泰卦》的卦象上来看，阳气、阴气各占一半，正是和同之象。③布：布置，规划。④命田舍东郊：郑玄注："田，谓田畯，主农之官也。舍东郊，顺时气而居，以命其事也。"⑤封疆：疆界，土地之经界。⑥审端：审正。径：田间小路。术：郑玄说当作"遂"。遂，田间小沟。⑦善相：认真视察。丘陵：小的土山叫丘，大的土山叫陵。阪险：斜坡叫阪，陡坡叫险。原隰：高而平的土地叫原，低而湿的土地叫隰。⑧道：通"导"。⑨饬：整治。⑩准直：准绳，标准。此谓上文的封疆径遂均已厘清。

[译文]

在这个月里，天气往下降，地气往上升，天地之气和合混同，于是草木开始萌芽生长。天子下令布置春耕之事，命令田畯住在东郊，监督农夫都来整治疆界，审察和修整田间的小路和水沟，认真地考察丘陵、坡地、原隰各种土地所适宜种植的作物，什么谷物应在什么地方种植，将这些教导给农民。田畯一定要亲自做这些事。

田事都已整饬妥当，是由于事先做好了封疆径遂的端正平直工作，农民才没有疑惑。

是月也，命乐正入学习舞①。乃脩祭典②，命祀山林川泽，牺牲毋用牝③。禁止伐木。④毋覆巢，毋杀孩虫、胎、夭、飞鸟，毋麛，毋卵。⑤毋聚大众，毋置城郭。⑥掩骼埋骴。⑦

[注释]

①命乐正入学习舞：郑玄注："为仲春将释菜。"按：释菜，以芹藻等物祭祀先师。乐正，乐官之长。学，指太学。②脩：整理。祭典：有关祭祀的法典。③牺牲毋用牝：孟春之月，阳气发生之时，担心伤及怀孕的雌牲。④禁止伐木：因为孟春是木德所在之月。⑤毋覆巢四句：郑玄注："为伤萌幼之类。"即不杀害幼小动物。另参《王制》注。⑥毋聚大众二句：因为孟春是农事活动的开始，要避免一切妨农之事。⑦掩骼埋骴：掩埋枯骨和尸骸。郑玄注："为死气逆生也。"这是抑阴助阳的措施。

[译文]

在这个月里，命令乐正到太学教练舞蹈，同时修正祭祀的法典。下令祭祀山林川泽，但不准许用母畜作祭品。禁止砍伐树木。不许捣毁鸟巢，不许杀害幼虫、已怀胎的母畜、刚出生的小兽、正学飞的小鸟，不许捕捉小兽和掏取鸟卵。不得聚集民众，不得修建城郭。要掩埋枯骨尸骸。

是月也，不可以称兵①，称兵必天殃。兵戎不起，不可从我始。毋变天之道②，毋绝地之理③，毋乱人之纪④。

[注释]

①称兵：举兵。因为举兵与阳气背道而驰。②天之道：举事阴阳顺时即天之道。当阳之时，不行阴政；当阴之时，不行阳政。孟春为阳气上升之时，用兵属阴，故孟春不可用兵。③地之理：刚柔得宜即地之理。如春季为柔，用兵为刚，如果春季用兵，则是以刚逆柔，绝地之理。④乱人之纪：郑玄注：

月令第六 81

"仁之时而举义事。"盖谓春季为仁,用兵为义。

[译文]

在这个月里,不可以举兵,举兵必定遭到天灾。要解甲休兵,更不可由我方发动战争。发令行事,不可使阴阳相犯,不可使刚柔相犯,不可使仁义违时。

孟春行夏令①,则雨水②不时,草木蚤落③,国时有恐④;行秋令,则其民大疫,猋风暴雨总至⑤,藜莠蓬蒿并兴⑥;行冬令,则水潦⑦为败,雪霜大挚⑧,首种不入⑨。

[注释]

①孟春行夏令:如果孟春实行夏季的政令。②雨水:孙希旦说:"据孔疏当为'风雨'。"③蚤落:提前凋零。蚤,通"早"。④国时有恐:国都中时有惊恐事件发生。⑤猋(biāo)风:暴风,旋风。猋,通"飙"。总(cōng)至:突然来到。总,通"匆"。⑥藜莠蓬蒿并兴:谓杂草茂盛。藜莠蓬蒿,蒺藜、莠草、蓬草和蒿草。⑦水潦(lào):积水成灾。潦,通"涝"。⑧挚:通"至"。⑨首种不入:谓稷无法下种。郑玄注:"旧说首种谓稷。"孔颖达疏:"百谷之内稷先种,故云首种。首即先也,种在百谷之先也。"

[译文]

孟春如果施行夏季的政令,就会导致雨水不时,草木过早地凋零,国都中常有叫人惊恐的事发生。孟春如果施行秋季的政令,就会导致在百姓中流行瘟疫,暴风暴雨突然来到,蒺藜、莠草、蓬蒿等野草都很茂盛。孟春如果施行冬季的政令,就会导致水涝成灾,雪霜大至,稷无法下种。

曾子问第七

[题解]

曾子是孔子的弟子。全篇采取曾子问（个别条是孔门其他弟子问）、孔子答的形式，所涉及的问题则是遇到丧葬之礼中的某些突发情况应如何处置。从这个意义上来说，本篇补充了《仪礼·士丧礼》之所未备。

曾子问曰："并有丧①，如之何？何先何后？"孔子曰："葬，先轻而后重；其奠也，先重而后轻：礼也。②自启③及葬，不奠④，行葬不哀次⑤；反葬奠，而后辞于殡⑥，遂修葬事。其虞⑦也，先重而后轻，礼也。"

[注释]

①并有丧：指父母或其他亲人同月而死。②"葬，先轻而后重"至"礼也"：因为葬是夺情，故先轻而后重；奠是供养，故先重而后轻。以父母为例，父重而母轻。余可类推。③启：启殡。古时死者大殓入棺后，棺柩用柴草泥封，临葬前数日，除泥封，叫启殡。④不奠：指不为重者（未葬者）设朝夕奠。因为这段时间内孝子主要忙于葬轻者。⑤不哀次：次是大门外的倚庐，孝子居丧时的临时住宿之处。灵柩至此，孝子当哭踊发泄悲哀。今先葬母，父柩尚在殡宫，故孝子不在此处哭踊致哀。⑥殡：当作"宾"。辞于宾，谓告诉宾客重丧的启殡日期。⑦虞：葬后之祭，有安神之意。

[译文]

曾子问道:"如果有两个亲人同月而死,这丧事怎么办?谁先谁后?"孔子答道:"埋葬,先埋恩轻的,后埋恩重的;祭奠,先祭恩重的,后祭恩轻的。这是正礼。从启殡到下葬这段时间,因忙于埋葬恩轻者,所以对恩重者暂不设朝夕奠。出葬时,灵柩经过大门外的倚庐,孝子也不在此哭踊致哀,这是因为恩重者尚停柩殡宫,葬毕恩轻者回来后,为恩重者设奠,然后将恩重者的启殡日期告诉宾客,接着就为恩重者举行葬礼。至于葬后的虞祭,先祭恩重者,后祭恩轻者,才是正礼。"

曾子问曰:"昏礼既纳币①,有吉日,女之父母死,则如之何?"孔子曰:"婿使人吊。如婿之父母死,则女之家亦使人吊。父丧称父,母丧称母。父母不在,则称伯父世母。婿,已葬,婿之伯父致命女氏曰:'某②之子有父母之丧,不得嗣为兄弟③,使某致命④。'女氏许诺,而弗敢嫁,礼也。婿免丧,女之父母使人请,婿弗取⑤而后嫁之,礼也。女之父母死,婿亦如之。"

[注释]

①纳币:男方向女方交纳聘礼,又叫"纳徵"。徵,成也,纳过聘礼之后婚事就算定下来了。这相当于今天的订婚。古婚礼分六个步骤,即纳采、问名、纳吉、纳币、请期、亲迎,叫做"六礼"。纳币是六礼的第四步骤,而下文的"有吉日",则是第五步骤请期,即双方已把迎亲的吉日商定。②某:指婿父的姓名、官位。③嗣为兄弟:结为婚姻的代称。④某:使者名。致命:郑玄注:"必致命者,不敢以累年之丧使人失嘉会之时。"居父母之丧而嫁娶,古人视为不孝,后来被列为十恶之一。⑤取:"娶"的古字。

[译文]

曾子问道:"婚礼已经进行到订婚之后,连亲迎的吉日都择定了,如果忽然女方的父亲或母亲死了,那该怎么办呢?"孔子答道:

"婿家应该派人去吊丧。如果是婿的父亲或母亲死,女方也应该派人到婿家吊丧。如果一方是丧父,另一方就以父亲的名义去吊丧;如果一方是丧母,另一方就以母亲的名义吊丧;如果父母不在,就得以伯父、伯母的名义。从男方来说,在料理完丧事之后,由婿的伯父出面向女方致意说:'某之子不幸遇到父或母之丧,居丧期间,不能和府上结为婚姻,特派我来致意。'女方答应了,但并不敢把女儿改嫁他人,这是正礼。婿除丧之后,女方父母派人到婿家敦请联姻,这时候如果婿还不迎娶,女方就可以把女儿改嫁他人,这也是正礼。如果女方的父或母死,男方也要这样。"

曾子问曰:"女未庙见而死,则如之何?"孔子曰:"不迁于祖①,不祔于皇姑②,婿不杖、不菲、不次,归葬于女氏之党,示未成妇也。"曾子问曰:"取女,有吉日而女死,如之何?"孔子曰:"婿齐衰而吊,既葬而除之。夫死亦如之。"

[注释]

①不迁于祖:即不朝庙。即出殡时不像通常那样迁柩朝见祖庙,好似生人临行前的与长者告别,就直接下葬。因为未曾庙见,也就无须朝庙。②祔:将后死者神位附于先祖神位之后。皇姑:祖姑,即婆婆的婆婆。

[译文]

曾子问道:"新娘没有庙见而死,怎么办?"孔子答道:"她的灵柩,出殡时不须朝见祖庙,她的神主也不附在祖姑神主之后,做丈夫的不须持丧棒,不须穿孝鞋,不须居丧次,归葬于她娘家的墓地,以表示她尚未成为男家的媳妇。"曾子又问道:"迎娶新娘的吉日已经商定而新娘突然去世,该怎么办?"孔子答道:"婿应该穿着齐衰孝服前去吊丧,新娘下葬后即可除去孝服。如果是丈夫突然死去,新娘也照此办理。"

文王世子第八

[题解]

文王，谓周文王。世子，即太子。本篇主要讲周文王、周武王如何扮演世子的角色，以及周公如何教育成王之事。又推而广之，论及夏、商、周三代对世子的教育等事。

文王之为世子，朝于王季①，日三。鸡初鸣而衣服，至于寝门外，问内竖之御者曰②："今日安否何如？"内竖曰："安。"文王乃喜。及日中，又至，亦如之。及莫③，又至，亦如之。其有不安节④，则内竖以告文王，文王色忧，行不能正履。王季复膳，然后亦复初。食上，必在⑤视寒暖之节；食下，问所膳。命膳宰曰："末有原⑥！"应曰："诺。"然后退。武王帅而行之，不敢有加⑦焉。文王有疾，武王不说⑧冠带而养。文王一饭，亦一饭；文王再饭，亦再饭。旬有二日乃间⑨。

[注释]

①王季：周文王的父亲，名季历，亦称公季。周武王灭商后，追尊为王季。②内竖：宫内小臣，负责内外信息的上传下达。御者：值班的人。③莫：古"暮"字。④节：王夫之疑此字衍，译文从之。⑤在：察视。⑥末：勿，毋。原：再。指把吃剩的饭再次进上。⑦加：增益。意谓文王对王季的孝养已

经达到尽善尽美，无以复加。⑧说：通"脱"。⑨间：谓瘥愈。

[译文]

　　文王当太子的时候，每天三次到他父亲王季那里去请安。第一次是鸡叫头遍就穿好了衣服，来到父王的寝门外，问值班的内竖："今天父王的一切都平安吧？"内竖回答："一切平安。"听到这样的回答，文王就满脸喜色。第二次是中午，第三次是傍晚，请安的礼节都和第一次一样。如果王季身体欠安，内竖就会向文王禀告。文王听说之后，就满脸忧色，连走路都不能正常地迈步。王季的饮食恢复如初，然后文王的神态才能恢复正常。每顿饭端上来的时候，文王一定要亲自察看饭菜的冷热。每顿饭撤下去的时候，文王一定要问吃了多少。同时交代掌厨的官员："吃剩的饭菜不要再端上去。"听到对方回答"是"，文王才放心地离开。武王做太子时，就以文王做太子时的行为为榜样，不敢有一点走样。文王如果有病，武王就头不脱冠、衣不解带地昼夜侍奉。文王吃饭少，武王也就吃饭少；文王吃饭增多，武王也就随着增多。如此这般地12天以后，文王的病也就好了。

　　成王幼，不能莅阼①。周公相，践阼②而治。抗世子法于伯禽，欲令成王之知父子、君臣、长幼之道也。成王有过，则挞伯禽，所以示成王世子之道也。《文王之为世子》③也。

[注释]

　　①莅阼：临视阼阶。即即天子位，特指履行天子职务。②践阼：天子即位。此谓周公暂摄天子之位，代行天子职务。③《文王之为世子》：这是本节的篇题。上古篇题在后。

[译文]

　　成王年幼，不能即位履行天子职务。由周公出面辅助，代行天子职权。周公把教育太子的一套规定搬了出来，要求自己的儿子伯禽在陪伴成王时要首先做到，目的就是要让成王懂得父子、君臣、长幼的道理。成王如果有做不到的地方，周公就痛打伯禽，使成王看后懂得如何做个太子。以上是《文王之为世子》。

礼运第九

[题解]

《礼运》者，礼之发展演变也。社会由五帝时的大同，演变为三王时期的小康，其分水岭便是由德治变为礼治。孔子借着弟子子游之问，遂纵论礼的产生、发展与作用。篇中对大同社会、小康社会的描写，几千年来，一直牵动着中国人的心。

昔者仲尼与于蜡宾①，事毕，出游于观②之上，喟然而叹③。仲尼之叹，盖叹鲁也。言偃④在侧，曰："君子何叹？⑤"孔子曰："大道之行也，与三代之英，丘未之逮也，而有志焉。⑥大道之行也，天下为公⑦。选贤与⑧能，讲信修睦。故人不独亲其亲⑨，不独子其子⑩，使老有所终⑪，壮有所用⑫，幼有所长⑬，矜、寡、孤、独、废疾者皆有所养⑭。男有分⑮，女有归⑯。货⑰，恶⑱其弃于地也，不必藏于己；力，恶其不出于身⑲也，不必为己。是故谋闭而不兴，盗窃乱贼而不作⑳，故外户而不闭㉑。是谓大同。㉒今大道既隐㉓，天下为家㉔，各亲其亲，各子其子，货力为己，大人世及以为礼㉕，城郭沟池以为固㉖，礼义以为纪㉗，以正君臣㉘，以笃父子㉙，以睦兄弟，以和夫妇，以设制度，以立田里㉚，以贤勇知㉛，以功为己㉜。故谋用是㉝作，而兵㉞由此起。

禹、汤、文、武、成王、周公，由此其选也。㉟此六君子者，未有不谨㊱于礼者也，以著其义㊲，以考其信，著有过，刑仁，讲让㊳，示民有常㊴。如有不由此㊵者，在势者去㊶，众以为殃㊷。是谓小康㊸。"

[注释]

①与于蜡宾：以助祭者的身份参与蜡祭。蜡（zhà），祭名。按：《礼记·郊特牲》："蜡也者，索也。岁十二月，合聚万物而索飨之也。"周历之十二月，夏历则为十月。蜡，就是搜索的意思。周历的十二月，农事活动结束，把一切和农作物生长有关的神（甚至包括猫、虎）都找来祭祀一番，表示报答。同时彻底地放松热闹一番。据《礼记》的《郊特牲》和《杂记》两篇记载，蜡祭非常热闹，近乎是全民的狂欢节。②观（guàn）：天子、诸侯宫门前的较高建筑，可以悬挂法令，让人观看。关于它的形制和得名由来，孙诒让《周礼正义》说："天子、诸侯宫门皆筑台，台上起屋，谓之台门。天子台门之两旁，特为屋，高出于门屋之上者，谓之双阙，亦谓之两观。诸侯不得为两观，则即于门台之上正中，特高其屋，出于它门台之上，是谓一观。观即因门台为之，故亦称观台。无论一观两观，皆巍然而高，即通谓之魏阙；无论为台为观，皆可以悬法，即通谓之象魏。象魏之名，起于悬法象。"③喟然而叹：郑玄注："孔子见鲁君于祭礼有不，于此又睹象魏旧章之处，感而叹之。"④言偃：孔子弟子。姓言名偃，字子游，在孔门七十二贤人之中以文学著称。⑤君子何叹：孔颖达疏云："不云'孔子'而云'君子'者，以《论语》云'君子坦荡荡'，不应有叹也，故云君子何叹。"⑥大道之行也四句："大道之行"，谓下文的大同社会；"三代之英"，谓夏、商、周三代的杰出君主，此处喻指下文的小康社会；"丘未之逮"，谓以上两种社会我都没有赶上；"而有志焉"，谓古书上有记载。"志"，《孔子家语·礼运》作"记"。⑦天下为公：把天下传给贤者而不是传给儿子，即禅让。这是大同社会的本质特点。⑧与：通"举"。⑨亲其亲：以自己的亲人为亲。⑩子其子：以自己的儿子为子。⑪有所终：有安度晚年的去处。⑫有所用：有可以出力干活的去处。⑬有所长：有可以成长的去处。⑭矜、寡、孤、独：解详《王制》。废疾：废指伤残，疾指疾病。⑮男有分（fèn）：男子都能找到活干。分，职责，职分。⑯女有

归：女子都能找到婆家。归，女子出嫁。此谓夫家。⑰货：财物。⑱恶（wù）：讨厌。⑲身：自身。⑳是故谋闭而不兴二句：郑玄注："尚辞让之故也。"谋，谓奸诈之心。闭而不兴，闭塞而不起。盗窃，谓盗窃财物。乱贼，谓犯上作乱。㉑外户而不闭：意谓门的作用只是为了阻挡风尘进入室内，不是为了防备坏人。外户，从外面把门掩上。不闭，不用上锁。㉒是谓大同：孔颖达疏："率土皆然，故曰大同。"㉓隐：消逝不见。㉔天下为家：把天下传给儿子而不是传给贤者，这是小康社会的本质特点。㉕大人世及以为礼：大人：指天子和诸侯。世及：父子相传叫世，兄弟相传叫及。"世及"是介词"以"的前置宾语。以下数句结构同此。㉖沟池：护城河。以为固：以为防御设施。㉗纪：纲纪，引申为根本大法。㉘以：介词，后面省掉了宾语"礼"。以下七句同。正君臣：使君臣关系得到规范。正，用作动词，使动用法。以下七句同。㉙以笃父子：用礼来使夫子关系亲密。笃，笃厚。㉚以立田里：用礼来确立有关田里的制度。田里，田地和宅地。㉛以贤勇知：用礼来使勇者、智者受到尊崇。其原因，孔颖达说："既盗贼并作，故须勇也；更相欺妄，故须知也。"知，古"智"字。㉜以功为己：用力只是为了自己。以，用也。功，力也。㉝用是：由此。㉞兵：指战乱。㉟禹、汤、文、武、成王、周公二句：夏禹、商汤、周文王、周武王、周成王、周公，就是在这种情况下产生的佼佼者。㊱谨：看重，关注。㊲以著其义：这句话省掉了前置宾语"礼"。意谓用礼来让人们看清什么是义。以下五句结构同此。㊳刑仁二句：刑仁，以合乎仁的行为为法则。刑，法则。讲让，提倡谦让。㊴常：据孔颖达说，这个"常"就是上文的仁、义、礼、智、信五德。孔疏云："示民有常者，以礼行上五德，是示见民下为常法也。然此五德，即仁、义、礼、知、信也。能明有罪，是知也。能讲推让，即是礼也。"㊵由此：谓用礼。㊶在势者去：在位者（当权者）即被罢免。㊷众以为殃：结合上句，谓民众以不用礼来规范社会秩序的在势者为祸殃。㊸小康：郑玄注："康，安也。言小安者，失之则贼乱将作矣。"

[译文]

　　从前，孔子曾作为来宾参与蜡祭，祭毕，孔子出来到官门外的高台上散步，不禁感慨而叹。孔子的感叹，当是感叹鲁君的失礼。

言偃在一旁问道:"老师为什么叹气呢?"孔子说:"大道实行的时代,和夏商周三代杰出君主在位的时代,我没有赶得上,而内心深怀向往。大道实行的时代,天下是公共的,大家推选有道德有才能的人为领导,彼此之间讲究信誉,相处和睦。所以人们不只把自己的亲人当做亲人,不只把自己的子女当做子女,使老年人都能安度晚年,壮年人都有工作可做,幼年人都能健康成长,矜寡孤独和残废有病的人都能得到社会的照顾。男子都有职业,女子都适时而嫁。对于财物,人们只是不愿让它白白地扔在地上,倒不一定非藏到自己家里不可;对于气力,人们只怕不是出在自己身上,倒不一定是为了自己。所以勾心斗角的事没有市场,明抢暗偷作乱害人的现象绝迹。所以,门户只须从外面带上而不须用闩上锁。这就叫大同。现在,大同社会的准则已经被破坏了,天下成为一家所有,人们各自亲其双亲,各自爱其子女,财物生怕不归自己所有,气力则唯恐出于己身。天子、诸侯的宝座,时兴父传于子,兄传于弟。内城外城加上护城河,这被当做防御设施。把礼义作为根本大法,用来规范君臣关系,用来使父子关系亲密,用来使兄弟和睦,用来使夫妇和谐,用来设立制度,用来确立田地和住宅,用来表彰有勇有智的人,用来把功劳写到自己的账本上。因此,勾心斗角的事就随之发生,兵戎相见的事也因此而起。夏禹、商汤、周文王、武王、成王、周公,就是在这种情况下产生的佼佼者。这六位君子,没有一个不是把礼当做法宝,用礼来表彰正义,考察诚信,指明过错,效法仁爱,讲究礼让,向百姓展示一切都是有规可循。如有不按礼办事的,当官的要被撤职,民众都把他看做祸害。这就是小康。"

何谓人情?喜、怒、哀、惧、爱、恶、欲,七者弗学而能。何谓人义[①]?父慈、子孝、兄良、弟弟、夫义、妇听、长惠、幼顺、君仁、臣忠[②],十者谓之人义。讲信修睦,谓之人利[③]。争夺相杀，谓之人患④。故圣人之所以治人七情，修十义，讲信修睦，尚⑤辞让，去⑥争夺，舍礼何以治之？饮食男女⑦，人之大欲⑧存焉；死亡贫苦，人之大恶⑨存焉。故欲恶者，心之大端也。⑩人藏其心，不可测度也。美恶皆在其心，不见其色也，⑪欲一以穷之，舍礼何以哉？⑫

[注释]

①人义：人际关系的准则。②兄良：即《左传·昭公二十六年》之"兄爱"。弟弟（tì）：即《左传》之"弟敬。"下弟，通"悌"。夫义：丈夫守义。妇听：妻子顺从。长惠：长辈惠幼。幼顺：幼者顺长。③人利：人际关系的改善。④人患：人际关系的破坏。⑤尚：崇尚。⑥去：避免。⑦饮食男女：吃喝和求偶。⑧大欲：普遍的欲望。⑨大恶：普遍的畏惧。⑩故欲恶者二句：所以大欲和大恶，是心所考虑的两件大事。⑪美恶皆在其心二句：美好的念头和丑恶的念头都深藏在心，从外表来看谁也看不出来。⑫欲一以穷之二句：想要彻底地搞清楚，除了礼之外恐怕也没有别的办法。

[译文]

什么叫做人情？喜、怒、哀、惧、爱、恶、欲，这七种不学就会的感情就是人情。什么叫做义？父亲慈爱，儿子孝敬，兄长友爱，幼弟恭顺，丈夫守义，妻子听从，长者惠下，幼者顺上，君主仁慈，臣子忠诚，这十种人际关系准则就叫人义。讲究信用，维持和睦，这叫做人利。你争我夺，互相残杀，这叫做人患。圣人要想疏导人的七情，维护十种人际关系准则，崇尚谦让，避免争夺，除了礼以外，没有更好的办法。饮食男女，是人的最大欲望所在。死亡贫苦，是人的最大厌恶所在。这最大欲望和最大厌恶，构成了人心日夜思虑的两件大事。每人都把心思藏在肚子里，深不可测。美好或丑恶的念头都深藏在心，从外表来看谁也看不出来，要想彻底搞清楚，除了礼之外恐怕也没有别的办法。

礼器第十

[题解]

本篇所讲的礼,不是抽象的礼,而是具体的礼,故以"器"称之。本篇论述这样一个原则:礼以恰如其分为贵。人作为礼的施行者,又必须具备忠信的美德,否则,礼作为器的作用也要受到影响。

礼器,是故大备①。大备,盛德也。礼释回②,增美质,措则正,施则行。其在人也,如竹箭之有筠也③,如松柏之有心也。二者居天下之大端矣,故贯四时而不改柯④易叶。故君子有礼,则外谐而内无怨,故物无不怀仁⑤,鬼神飨德。

[注释]

①大备:即《礼运》之"大顺",也可以说是《中庸》篇的"修身、齐家、治国、平天下"。②释回:消除邪恶。③箭:小竹。筠(yún):竹子外部的青皮。④柯:草木之茎。⑤物:人。怀:归。

[译文]

以礼为器,就可导致"大顺"的局面。而这种局面乃是盛德的表现。礼能够消除邪恶,增进本质之美,用到人身上则无所不正,用到做事上则无所不成。礼对于人来说,就好比竹箭的外表青皮,又好比松柏的内部实心。普天之下,只有竹箭和松柏有此大节,所以才一年四季从头到尾总是郁郁葱葱，枝叶永不凋落。君子有礼，也恰是如此，他不仅能与外部的人和谐相处，而且能与内部的人相亲相爱。所以人们无不归心于他的仁慈，连鬼神也乐于消受他的祭品。

礼，时为大，顺次之，体次之，宜次之，称次之。尧授舜，舜授禹；汤放桀，武王伐纣，时也。《诗》云："匪革其犹，聿追来孝。"①天地之祭，宗庙之事②，父子之道，君臣之义，伦也。社稷山川之事，鬼神之祭，体也。丧祭之用，宾客之交，义也。③羔豚而祭，百官皆足；④大牢而祭，不必有余，此之谓称也。诸侯以龟为宝，以圭为瑞。⑤家⑥不宝龟，不藏圭，不台门⑦，言有称也。

[注释]

①《诗》云二句：见《诗·大雅·文王有声》。今本作"匪棘其欲，遹追来孝"。匪，通"非"。"革"与"棘"，字异义同，都是"急"的意思。"聿"与"遹"，皆读作 yù，语首助词，无义。来，介词，"于"的意思。②事：指祭祀。③丧祭之用三句：孔颖达说："宜，义也。主人有丧祭之事，应须费用，而宾客有赙賵之交，是人道之宜也。"④羔豚而祭二句：此指大夫、士举行的小规模祭祀。百官，指助祭者。皆足，指每个助祭者在祭礼完毕之后都能够得到一份祭肉。⑤诸侯以龟为宝二句：陈澔说："诸侯有国，宜知占详吉凶，故以龟为宝也。五等诸侯，各有圭璧为瑞信。又以天子所赐，如祥瑞之降于天，故以为瑞。"按：圭是一种玉制的礼器，其形制、大小、用途，详《周礼·春官·典瑞》。⑥家：指大夫。⑦台门：在门的两旁筑土为台，高出于门，是天子、诸侯布告法律、观察天气之所。也叫"观"，叫"阙"，叫"象魏"。

[译文]

先王在制礼的时候，首先考虑的是要合乎时代环境，其次是合乎伦理，再其次是区别对象而不同对待，再其次是合乎人情，最后是要与身份相称。举例来说,尧传位给舜,舜传位给禹,那是禅让的时代;而商汤放逐夏桀,周武王讨伐殷纣王,那是革命的时代。这就是时代环境问题。《诗经》上说:"周文王兴建封邑,并非急于实现自己的愿望,而是追念祖先的功业,显示自己的孝心。"意思是说,迫于形势,不得不这样做。对天神地祇的祭祀,对列祖列宗的祭祀,其中体现有父父子子之道和君君臣臣之义。这就是个体的问题。社稷之祭、山川之祭、鬼神之祭,祭的对象不同,礼数也随之不同。这就是个体的问题。某家有了丧祭之事,理应有一笔相当的开销,而作为亲朋好友也应该对丧家有所赙赠,这便是个宜的问题。大夫、士的祭祀,虽然只用一只羊羔或一头小猪作供品,但到末了,每个助祭的人都可得到一份祭肉;而天子、诸侯的祭祀,尽管是以牛、羊、豕三牲作为供品,但到末了,也还是每人一份祭肉,不会有什么剩余。这就叫做与身份相称。诸侯可以拥有龟,并以为珍宝;可以拥有圭,并以为祥瑞。而大夫之家就不得这样,不得把大门建成宫阙形式。这也是讲的合乎身份问题。

郊特牲第十一

[题解]

陆德明《经典释文》云："郊者，祭天之名。用一牛，故曰特牲。"本篇内容较杂。以解说祭天、社祭、蜡祭、庙飨等祭礼为主，另外还有涉及朝觐、燕礼的内容，涉及冠礼、婚礼的内容。

天子大蜡八。①伊耆氏②始为蜡，蜡也者，索也。岁十二月，合聚万物而索飨之也。蜡之祭也：主先啬而祭司啬也③。祭百种以报啬也。飨农及邮表畷、禽兽④，仁之至、义之尽也。古之君子，使之必报之。迎猫，为其食田鼠也；迎虎，为其食田豕也，迎而祭之也。祭坊与水庸⑤，事也。曰："土反其宅，水归其壑，昆虫毋作，草木归其泽。"皮弁素服而祭。素服，以送终也。葛带榛杖，丧杀也。⑥蜡之祭，仁之至、义之尽也。黄衣黄冠⑦而祭，息田夫也。野夫黄冠；黄冠，草服也。

[注释]

①天子大蜡八：据孔颖达说，大蜡所祭的八神是：先啬一，司啬二，农三，邮表畷四，猫虎五，坊六，水庸七，昆虫八。实际上大蜡所祭的神很多，此八神可以说是主要的。②伊耆氏：古天子之号。孔颖达说就是神农氏。③先啬：首先发明稼穑的人。郑玄说可能是神农氏。司啬：主管农事之神。郑玄说

就是后稷。④农：田官之神。邮表畷（zhuì）：田间庐舍和阡陌之神。⑤坊：堤坊。水庸：沟渠。⑥葛带榛杖二句：按礼，丧服用麻，杖用竹桐。今以葛为带，以榛木为杖，规格比丧礼低。杀（shài），减降。⑦黄衣黄冠：这是农夫参加蜡祭时的装束。黄冠，指草笠，草色黄。

[译文]

天子的蜡祭，主要祭八种神。从伊耆氏开始才有蜡祭。蜡字的含义，从词源学上来讲就是索的意思，因为按古音"蜡"与"索"叠韵，读音相近。说具体点，就是在周历的十二月农事终了，把一切和农作物有关的神都找来祭祀一番。蜡祭的神灵，主要是始创农业的先啬，附带而及主管农事的司啬。祭祀谷神，就是报答先啬和司啬的。还要祭田官之神、祭田间庐舍和阡陌之神，祭包括虎猫在内的禽兽，从报恩的角度说，真可以说是仁至义尽了。古代的君子，对于有利于农作物的神灵，一定要报答。例如，邀请猫来加以祭祀，那是因为猫帮助人们吃掉了危害农作物的田鼠；邀请虎来加以祭祀，那是因为虎帮助人们吃掉了危害农田的野猪。所以要把它们请来加以祭祀。至于祭祀堤防和祭祀沟渠，也是因为它们有功于农事。蜡祭的祝祠中有这样的话："希望堤防安然无事，沟渠不要漫溢；病虫害不要发生，荒草野树不要生于良田。"天子身着皮弁素服参加蜡祭。之所以穿素服，是因为有助于农事的万物都衰老了，这就等于为其送终。但是腰系葛带，手执榛杖，这种礼数又比丧礼略低。就蜡祭的这种礼数而言，真可谓是仁至义尽了。身穿黄衣头戴草笠来参加蜡祭的人，都是终年劳碌难得有闲的农夫。农夫头戴黄冠身穿黄衣，是因为季秋草木黄落，服象其色的缘故。

天地合而后万物兴焉。①夫昏礼，万世之始也②。取于异姓③，所以附远厚别也。币必诚，辞无不腆，告之以直信。信，事人也；信，妇德也。壹与之齐④，终身不改。故夫死不嫁。男子亲迎，男先于女，刚柔之义也。天先乎地，君先乎臣，其义一也。执挚⑤以相见，敬章别也。男女有别，然后父子亲，父子亲然后义生，义生然后礼作，礼作然后万物安。无别无义，禽兽之道也。⑥婿亲御授绥，亲之也。亲之也者，亲之也。敬而亲之，先王之所以得天下也⑦。出乎大门而先，男帅女，女从男，夫妇之义由此始也。妇人，从人者也；幼从父兄，嫁从夫，夫死从子。夫也者，夫也⑧；夫也者，以知帅人者也。玄冕⑨斋戒，鬼神阴阳也。将以为社稷主，为先祖后，而可以不致敬乎？共牢而食，同尊卑也。⑩故妇人无爵，从夫之爵，坐以夫之齿。器用陶匏，尚礼然也。三王作牢用陶匏。厥明，妇盥馈。舅姑卒食，妇馂余，私之也。舅姑降自西阶，妇降自阼阶，授之室也。⑪昏礼不用乐，幽阴之义也。乐，阳气也。昏礼不贺，人之序也。⑫

[注释]

①天地合句：这是个大题目。夫妇和，而后子胤生，则是题中应有之义。②万世之始也：《哀公问》作"万世之嗣"也。二者互补，其义乃足。③取于异姓：《曲礼上》："娶妻不取同姓。"④壹与之齐：郑玄说："齐，谓共牢而食，同尊卑也。'齐'，或作'醮'。"王引之认为"齐"字当作"醮"，声近假借。而"醮"与"醋"同，"醋"是饮干杯中酒之意。二说皆通。⑤挚：见面礼。此指亲迎那天婿执的雁。⑥无别无义二句：《曲礼上》："夫唯禽兽无礼，故父子聚麀。"聚麀，喻父子共妻，上烝下报。⑦先王句：郑玄举的例子是周代的祖先太王王季和周文王。⑧夫也：有的本字作"傅也"。下同。⑨玄冕：大夫以上所穿的祭服。此指亲迎时所著之服。⑩共牢而食二句：这个"牢"，主要是指一个分作两半的完整的小猪，盛放在一个俎上。注意：绝对不能把左右两半分置于两俎，那样的话就做不到夫妇同尊卑了。因为周人的习惯是以牲牢的左半体为贵，右半体为贱，左右半体分置就等于有一个俎贵，一个俎贱，不论夫妇谁得到贵俎或贱俎，总要有一人是贵，一人是卑。而如果左右半体共置一俎则无此弊。这个道理，清人郑珍的《仪礼私笺》讲得最为明白。⑪"厥明"至"授之室也"：这几句话讲的是嫡妇之礼。若非嫡子之妇，

则无此礼。又,"妇盥馈"三字,有的本子无此三字,说者多以为是衍字。
⑫昏礼不贺二句:婚礼的实质是传宗接代,它意味着新的一代将要诞生,老的一代将要谢世,用这种眼光来看,婚礼就不值得庆贺。《曾子问》:"取妇之家,三日不举乐,思嗣亲也。"就有这个意思。

[译文]

　　天气下降,地气上升,天地交配而万物生。婚礼也是传宗接代繁衍子孙以至于无穷的事。娶异姓女子为妻,这既是为了和血缘关系疏远的人家结亲,也是为了严格区别血缘相近的族人。男方向女方献纳的礼品一定要诚信不欺,讲究实用,男方的使者在赠送聘礼时也不要说"礼物太菲薄了"这类客气话,要直言相告,开诚相见。这表示诚信是做人的立身之本,也是做媳妇应有的本分。只要和丈夫在同牢的仪式上同吃了一碗菜,同喝了一杯酒,那就生是夫家的人,死是夫家的鬼,所以丈夫死了也不再嫁。成亲的那天,男子亲自到女家迎娶,从女家出来以后,男的要先走一走,女的随后跟着,这表示阳刚阴柔的意思。这就好比天先于地,君先于臣,其道理是一样的。迎亲的时候,男子到了女家,先拜过岳父,然后放下礼品,这才和新娘施礼相见,这样做是要彰明男女之别。男女有别,然后才有父子之亲;父子相亲,然后才有君臣之义;君臣有义,然后才有礼;有了礼,然后才万物各得其所,天下太平。如果男女无别,无亲疏之分,那岂不是禽兽之行了吗?从女方家中出来,婿亲自为新娘赶车,让车子往前走三圈,然后又亲自把登车的引绳交给新娘,这样做是表示对新娘的亲爱。新郎对新娘表示亲爱,作为回报,新娘自然也亲爱新郎。对新娘又敬又爱,把这种敬爱推而广之,有的先王就是凭借这点得到天下的。从女家大门出来以后男的就一直在前,男的领着女的,女的跟着男的,夫唱妇随的表现就由此开始。所谓"妇人",就是服从别人的人。幼小时服从父兄,出嫁后服从丈夫,丈夫死了则服从儿子。所谓"夫",就是师傅的意思。作为师傅，自然要以智慧领导别人。迎亲之前，新郎要身着祭服，斋戒沐浴，禀告祖先和天地。试想，成亲之后，新娘就成了内当家的，生男育女，繁衍后代，事体如此重大，怎能不虔诚地祭告天地祖宗呢。成亲的当晚，在新房里，夫妇同吃一个碗里的菜，其含义是夫妇平等，尊卑相同。所以妇人是没有爵位的，丈夫有了爵位，妻子就跟着做命妇，这叫夫贵妇荣；就是席间座次的安排，也是以丈夫的辈分和年龄为准。远古时的食器用的都是没有装饰的陶器，当时崇尚的风气就是如此。夏商周三代始有共牢之礼，其食器就沿用陶器。成亲次日的黎明，新娘先拜见公婆，然后洗手，向公婆进献食品，表示新妇开始履行孝养的义务；而公公婆婆吃毕，把剩下的食物赐给新妇，表示对新妇的疼爱。礼毕，公婆先从西阶下堂，然后新妇从阼阶下堂，这表示主持家务的权力将要授予新妇了。结婚典礼上不兴奏乐，因为婚礼属于幽阴之事，而音乐则属于阳气。举行婚礼，也不邀请亲朋好友前来祝贺，因为结婚就意味着新陈代谢，下一代将要产生，上一代将要衰亡啊。

内则第十二

[题解]

所谓"内则",即家庭之内,儿子、媳妇如何伺候父母、公婆的细则。这是本篇的主要内容。此外,还谈到养老之法、食谱和育子之法。

子事父母①,鸡初鸣②,咸盥漱③,栉𬘬笄总④,拂髦冠缕缨⑤,端韠绅⑥,搢笏⑦。左右佩用:左佩纷帨、刀、砺、小觿、金燧⑧,右佩玦、捍、管、遰、大觿、木燧⑨。偪屦⑩,著綦⑪。

[注释]

①子:据江永说,此"子"谓下文有"命士以上"爵位之子。因为有爵位,所以才"服玄端而著韠,搢笏,若庶人则深衣而已"。事:侍奉。②鸡初鸣:鸡叫头遍的时候(起床)。江永曰:"鸡初鸣,甚言其早。其实,适父母舅姑之所,亦在昧爽之后。朱文端公疑其有妨老人之安寝,而终岁行之,亦恐以烦劳致疾,读者不可以辞害意,此亦当知之。先儒虽采此文入《小学》,而不能使士庶之家皆通行。礼过烦劳者,难行也。如《曲礼》所云'冬温而夏清,昏定而晨省',言简而赅,此则家庭可常行者矣。"③咸盥漱:皆洗手漱口。④栉:梳子。此谓梳头。𬘬(xǐ):包扎头发用的缯帛,宽二尺二寸,长六尺。此谓用𬘬包扎头发作髻。笄:簪子。作髻之后,以笄插之,以固定之。总:孔颖达说:"总者,裂练缯为之,束发之本,垂余于笄后,以为饰也。"⑤拂髦:郑玄注:"拂髦,振去尘著之。髦用发为之,象幼时鬊,其制未闻

也。"按《诗·鄘风·柏舟》"髧彼两髦"毛传:"髦者,发至眉,子事父母之饰。"综合毛、郑之说,髦盖以假发所制之刘海。冠缕(ruí)缨:谓戴好帽子,整理好帽带。冠,帽子。缕,帽带系好后的下垂部分。缨,系冠的带子。⑥端韠(bì)绅:谓穿上玄端礼服,系上蔽膝,系上大带。端,玄端,一种礼服,衣是缁色,裳有三色,可玄,可黄,可杂。韠,蔽膝,皮制。陈澔《礼记集说》:"古者席地而坐,以临俎豆,故设蔽膝以备濡渍。韠之言蔽也。"绅,本义是大带之下垂部分。此谓大带。大带宽四寸,用以束腰。⑦搢笏:把笏插到大带上。古代上至天子,下至士,朝见皆执笏。笏的作用,同于汉魏以后的手版,有事则书于其上,以备遗忘。⑧纷帨(shuì):纷与帨都是拭物之佩巾。有似今日之手帕。纷,通"帉",佩巾。刀:小刀。砺:磨石。小觿(xī):觿是古代解结的用具。形如锥,用象骨制成。小觿解小结,大觿解大结。金燧:在阳光下可以取火的铜镜。有似今日之凸透镜。孔疏引皇氏云:"左旁用力不便,故佩小物。"⑨玦:古代射箭时套在大拇指上的骨质套子,以便钩弦。俗称扳指。捍:射箭时套在左臂上的皮制护袖,用以防止发矢时左臂内衣袖碍事。管:郑玄注:"管,笔弢也。"说者谓笔套。遰(shì):刀鞘。木燧:钻木取火的工具。孔疏引皇氏云:"以右厢用力为便,故佩大物。"⑩偪(bī):打好绑腿。用布帛裹束膝下足上部位,以便腾跳。先秦又叫"邪幅",汉代叫"行縢"。屦:谓穿好鞋子。⑪著綦(qí):系好鞋带。

[译文]

儿子侍奉父母,应该在鸡叫头遍时就都洗手漱口,然后梳头,用缁帛束发作髻,插上发簪,用一条丝带束住发根而垂其末于髻后,戴上假发做的刘海,戴上帽子,系好帽带,穿上玄端,系上蔽膝,系上大带,把笏插入带间。身上左右佩上常用之物:左边佩的是手帕、小刀、磨石、小觿和金燧。右边佩的是射箭用的玦、捍、笔管、刀鞘、大觿和木燧。打好绑腿,穿好鞋子,系好鞋带。

妇事舅姑①,如事父母。鸡初鸣,咸盥漱,栉縰笄总,衣绅②。左佩纷帨、刀、砺、小觿、金燧,右佩箴、管、线、纩③,

施縏袠④,大觿、木燧。衿缨⑤,綦屦。以适⑥父母、舅姑之所。及所,下气怡声⑦,问衣燠寒⑧,疾痛苛⑨痒,而敬抑搔之⑩。出入,则或先或后,而敬扶持之。⑪进盥,少者奉槃,长者奉水,请沃盥⑫。盥卒⑬,授巾。问所欲⑭而敬进之,柔色以温之⑮。饘、酏、酒、醴、芼羹、菽、麦、蕡、稻、黍、粱、秫⑯,唯所欲。枣、栗、饴、蜜以甘之⑰,堇、荁、枌、榆⑱,免薧滫瀡以滑之⑲,脂膏以膏之⑳。父母舅姑必尝之而后退。

[注释]

①舅姑:公婆。②衣绅:谓穿上绡(xiāo)衣,系上大带。士大夫以玄端为正服,士大夫之妻则以绡衣为正服。段玉裁《说文解字注》:"未练之丝曰绡,以生丝之缯为衣曰绡衣。"按:对比上节,可知起床以后男女之梳妆打扮有同有异。③箴:同"针"。缝纫所用。纩(kuàng):丝绵。④施縏袠(pán zhì):(将以上四物)装在针线袋内。縏与袠均有"小囊"义。⑤衿缨:郑玄注:"衿犹结也。妇人有缨,示系属也。"孔疏云:"案郑注《昏礼》云:'妇人十五许嫁,笄而礼之,因著缨,明有系。盖以五采为之,其制未闻。'""示系属",谓表示已经许配于人。⑥适:去,往。⑦下气怡声:态度恭顺,声音甜蜜。⑧燠(yù)寒:暖寒。⑨苛:通"疴",疥癣。⑩抑搔之:为父母舅姑做按摩。⑪出入三句:父母舅姑进进出出时,做儿子和媳妇的有时要走在他们前面,有时要走在他们后面,并且或拉住手,或挽住胳膊。⑫进盥四句:请他们洗手时,年龄小点的捧着槃子在下面接水,年龄大点的则手捧匜(yí)器从上方往他们手上浇水。槃,木盘。奉水,谓捧匜。匜是古人洗手时用以盛水之具。沃盥,浇水洗手。古人洗手,须要一人持匜,浇水于盥者之手上,下有槃,用以接盥讫之弃水。⑬盥卒:洗手完毕。⑭问所欲:问想吃什么东西。⑮柔色以温之:和颜悦色地应承他们。郑玄注:"温,藉也。"藉有应承义。⑯饘(zhān):稠粥。酏(yí):薄粥。醴:甜酒。芼羹:以菜杂肉做成之羹。菽:豆类。蕡(fén):大麻子。郑玄注:"蕡,熬枲实。"孔颖达疏:"此中菽豆以下,供尊者所食,悉皆须熟,或煮或熬,故云熬枲实。"黍:稻之黏者。今称糯米。粱:即粟,通称谷子,去皮后称小米。秫(shú):孙希旦说:

"《尔雅》：'秫，黏粟也。'然则凡黍稻之黏者，皆谓之秫，不独粟也。"⑰枣、栗、饴、蜜以甘之：在烹调时还要加上枣子、栗子、糖稀、蜂蜜使其甘甜。⑱堇：草名。《说文》云："根如荠，叶如细柳，蒸食之甘。"荁（huán）：堇类。郑玄注："冬用堇，夏用荁。"枌（fén）：白榆。榆树之一种。榆：孙希旦说是刺榆。⑲免薨（wèn kǎo）：新鲜的和干的（堇、荁、枌、榆）。滫瀡（xiǔ suǐ）：用粉芡调成的浓汁。有使食品柔滑的作用。⑳脂膏：油脂。孔颖达疏："凝者为脂，释者为膏。"以膏之：谓使其香美。

[译文]

　　媳妇侍奉公婆，如同儿子侍奉父母一样。也是鸡叫头遍的时候，就都起床洗手洗脸漱口，然后梳头，用缁帛束发作髻，插上簪子，用一条丝带束住发根而垂其末于髻后，穿上玄色绡衣，系上大带。身上左右佩带的东西，左边和男子一样，右边则佩带针、笔管、线、丝绵、大觿、木燧六样东西。其中的针、笔管、线和丝绵都装在一个小袋子里。发上系条五彩丝绳，系好鞋带。做儿子的、做媳妇的，就应这样梳洗干净穿戴整齐地到父母或公婆那里去请安。到了父母公婆的住室，要柔声细气地问暖问寒；如果他们身上疼痛或疥癣作痒，就要恭敬按摩扒搔患处。他们出入走动时，有时要走在他们前边，有时要走在他们后边，并且恭敬地或拉住手，或挽住胳膊。请他们洗手时，年龄小点的捧着脸盆在下面接水，年龄大点的手执匜器从上方往他们手上浇水，洗过之后递给他们擦手巾。然后问他们想吃什么，恭恭敬敬地进上，和颜悦色地应承。厚粥、稀粥、酒、甜酒、菜肉羹、豆子、麦子、大麻子、稻、黍、粱、秫，这些食品任其选择。在烹调的时候，还要加上枣子、栗子、糖稀、蜂蜜使其甘甜，用新鲜的或干燥的堇、荁、白榆、刺榆浸泡在粉芡汤里使其柔滑，用油脂拌和使其香美。一定要等到父母舅姑都尝过以后才可告退。

男女未冠笄者①，鸡初鸣，咸盥漱，栉縰，拂髦总角②，衿缨③，皆佩容臭④。昧爽而朝⑤，问"何食饮矣"⑥。若已食则退，若未食则佐长者视具⑦。

[注释]

①男女未冠笄者：指未成年子女。男子20岁行冠礼，女子15岁行笄礼。行过冠礼、笄礼之后才算成年人。②总角：把头发束为两大撮，状如两角，故称。这是童子的发式。③衿缨：此"衿缨"与上文的"衿缨"不同，孔颖达疏云："男女未冠笄亦云'衿缨'者，彼未冠笄之缨，用之以佩容臭，故下注云：'容臭，香物，以缨佩之。'故童子男女皆有之。与此妇人既笄之缨别也。"④容臭（xiù）：即香囊。孙希旦云："容臭，谓为小囊以容受香物也。"⑤昧爽而朝：天色微明时去向父母请安。晚于成年人。⑥问"何食饮矣"：询问他们早点都吃了点什么，喝了点什么。⑦佐长者视具：谓帮助哥嫂张罗安排。

[译文]

子女尚未成年者，在鸡叫头遍时，也都起床洗手漱口，然后梳头，用缁帛束发作髻，戴上用假发做的刘海，把头发扎成总角式样，身上都用带子系个香囊。在天色微明时去向父母请安，问他们早点都吃了点什么，喝了点什么。如果父母已经用过早点，就可以告退；如果尚未用过，那就帮助哥嫂张罗安排。

凡内外①，鸡初鸣，咸盥漱，衣服②，敛枕簟③，洒扫室堂及庭，布席④，各从其事⑤。孺子蚤寝晏起，唯所欲，食无时。⑥

[注释]

①凡内外：谓全家上下人等，不论尊卑，不分男女老幼，包括男仆女仆在内。②衣服：作动词用。谓穿戴整齐。③敛枕簟（diàn）：将枕头和贴身的竹席收起来。郑玄注："敛枕簟，不欲人见己亵者。"④布席：铺设坐席。⑤各从其事：各人该干啥就做啥。⑥孺子蚤寝晏起三句：小孩子早睡晚起，想什么时候睡就什么时候睡，想什么时候起就什么时候起，吃饭也不定时。蚤，

通"早"。晏,晚。

[译文]

家中所有的人,不论男女上下,在鸡叫头遍的时候,都要起来洗手漱口,穿戴整齐,把枕席收起来,洒水扫地,室内、堂上、庭中都要打扫,铺设坐席,各人做自己分内的事。还没有上学的小孩子可以早睡晚起,随他高兴,吃饭也没有固定的时间。

由命士①以上,父子皆异宫②。昧爽而朝,慈以旨甘③。日出而退,各从其事。日入而夕④,慈以旨甘。

[注释]

①命士:受有爵命的士。王夫之说:"命士,谓子为命士也。侯伯之上士,天子之中士,始受命。"②父子皆异宫:据孙希旦说,谓父子之寝各有正寝、燕寝及侧室,但不在同一正寝门之内,而在同一大门之内。换言之,大门之内,父子各有自己独立的小院子。③慈以旨甘:以美味孝敬父母。慈,孝敬。④夕:指晚上的请安。

[译文]

儿子有命士以上爵位者,要和父亲住在不同的小院里。天刚明的时候到父母那里去请早安,献上好吃的东西表示孝敬。太阳出来以后才可向父母告退,然后各人干各自分内的事。太阳落了以后,还要到父母那里去请晚安,也要带上好吃的东西献上。

父母舅姑将坐①,奉席请何乡②;将衽③,长者奉席请何趾④,少者执床⑤与坐。御者举几,敛席与簟,县衾箧枕,敛簟而襡之。⑥

[注释]

①将坐:此谓早晨起床以后。②奉席请何乡:儿子和媳妇捧着席子请示朝哪边铺。③将衽:指更换卧处。衽,卧席。④长者:子辈中之年长者。请何趾:请示脚朝哪头。⑤床:坐榻。形制甚小,不是后世睡眠之床。⑥御者举几

四句：侍者搬来几案（让父母舅姑凭依），然后将他们所卧之大席与贴身的竹席收起来，被子悬挂起来，枕头收进箱子，担心贴身的竹席有污秽，所以要收藏起来。县，悬的本字。襡（dú），收藏。

[译文]

早晨起来以后，父母公婆如果将要坐下休息，儿子媳妇就要捧着席子请示朝哪边铺；他们如果要更换卧处，子辈中的年长者要捧着卧席请示脚朝哪头，再由子辈中的年少者移动坐榻，由冢子冢妇侍坐。这时候，侍者搬来几案让父母公婆依凭，然后为他们整理内务，将大席和贴身的竹席收起来，把被子悬挂起来，把枕头放进箱子，把贴身竹席收藏起来。

父母舅姑之衣、衾、簟、席、枕、几，不传①；杖、屦，祗敬之，勿敢近。②敦、牟、卮、匜③，非馂莫敢用④。与恒食饮，非馂莫之敢饮食。⑤

[注释]

①不传：谓以上诸物皆放在固定之处，子妇不得随便移动。②杖、屦三句：对于父母舅姑使用的手杖、穿的鞋子，要毕恭毕敬，不敢靠近。祗（zhī）敬，恭敬。③敦（duì）、牟（móu）：两种盛放黍稷之食器。牟，通"䥫"，土釜。卮（zhī）、匜（yí）：两种盛放酒浆之器。④非馂（jùn）莫敢用：不是吃他们剩下的饭就不敢用。馂，吃别人剩下的食物。⑤与恒食饮二句：就是他们平常吃的喝的，如果不是吃他们剩下的，没有人敢碰。与，及也。

[译文]

父母公婆的衣服、被子、簟席、枕头、几案，不得随便移动地方，以免用时还要费神寻找；他们的手杖、鞋子，更要敬而远之，不可乱动。他们饮食用的器皿，不是吃他们剩下的饭就不敢用；他们的日常饮食之物，不是他们吃剩下的谁也不敢触动。

父母在，朝夕恒食，子妇佐馂，既食恒馂。①父没母存，冢子御食，群子妇佐馂如初。② 旨甘柔滑，③ 孺子馂。

[注释]

①父母在四句：父母健在时，早晚两顿常吃的东西，由长子、众子及其妇帮助吃他们剩下的饭。既吃就要吃干净，不能再剩。②父没母存三句：如果是父亲不在，只有母亲，就由长子服侍母亲吃饭，而由长子妇、众子及其妇来吃母亲的剩饭。也要像父母健在时那样，既吃就要吃干净，不能再剩。冢子，长子。③旨甘柔滑：如果剩下的饭是美味可口、质地柔滑的，就由小孩子来吃。

[译文]

如果是父母健在，他们每天的早饭晚饭，要由儿子和儿媳们帮助吃他们剩下的饭。既吃就要吃净，不可再有剩余。如果是父亲去世而母亲健在，每天的早饭晚饭，就由长子在旁照料，而母亲吃剩下的，由弟弟和弟媳们来吃，也要同样吃净，不再剩余。美味可口和易于消化的食品，如果父母吃不完，由小孩子们把它吃掉。

在父母舅姑之所，有命之①，应"唯"②，敬对。进退周旋慎齐③，升降出入揖游④，不敢哕噫、嚏咳、欠伸、跛倚、睇视⑤，不敢唾洟⑥。寒不敢袭⑦，痒不敢搔。不有敬事，不敢袒裼。⑧不涉不撅。⑨亵衣衾不见里。⑩父母唾洟不见。⑪冠带垢，和灰请漱；衣裳垢，和灰请浣；⑫衣裳绽裂，纫箴请补缀。五日⑬，则燂汤⑭请浴，三日具沐⑮；其间⑯面垢，燂潘请靧⑰；足垢，燂汤请洗。少事长，贱事贵，共帅时⑱。

[注释]

①有命之：有事召唤。②应"唯"：用"唯"来答应。《玉藻》："父命呼，唯而不诺。"唯、诺都是答应之声，但唯恭于诺。③周旋：拐弯。慎齐：庄重。齐，通"斋"，端庄。④升降出入揖游：孙希旦曰："升降于堂阶，出入于门户。揖，俯身也。游，行也。"然则，揖游，俯身而行，自敛束之貌也。⑤哕（yuě）噫：打嗝儿。欠伸：打哈欠，伸懒腰。跛倚：东倒西歪，左靠右

倚。睇（dì）视：斜视。⑥唾洟（tì）：吐吐沫，擤鼻涕。⑦袭：加衣。⑧不有敬事二句：如果不是为尊长干力气活儿，不敢露出胳膊。袒裼，露臂。⑨不涉不撅：不是涉水，不敢撩起衣服。⑩亵衣衾不见里：郑玄注："为其可秽。""不见里"，谓不让人看到亵衣衾的里（表里之里）。见，古"现"字。⑪父母唾洟不见：看到父母脸上有口水和鼻涕要及时擦掉。⑫冠带垢四句：冠带尊，尽管脏了，要用手洗；衣裳卑，尽管脏了，要用脚洗。和灰，加入有洗涤作用的草木灰汁。在这里，漱是手洗，浣是脚洗，这是散言则别，而浑言则同。⑬五日：此谓每隔五日。⑭燂（xún）汤：把水烧热。⑮具沐：谓置备洗头用水。⑯其间：蒙上文，谓三日之间。⑰燂潘请靧（huì）：烧热淘米水请父母舅姑洗脸。潘，《说文》云："淅米汁也。"靧，洗脸。字亦作"沫"。⑱共帅时：帅是遵循之义。"时"是"是"的通假字，此也。连上二句，意谓年少者侍奉年长者，卑者侍奉尊者，也都要按照儿子媳妇侍奉父母舅姑的礼数去做。

[译文]

在父母公婆跟前，他们如果有事召唤，要先用"唯"答应，然后恭敬地回话。在父母公婆跟前，进退拐弯都要态度庄重，升降堂阶和出入门户都要俯身而行。在父母公婆跟前，不敢打饱嗝，不敢打喷嚏、咳嗽，不敢打呵欠、伸懒腰，不敢东倒西歪左靠右倚，不敢斜视，不敢吐唾沫、擤鼻涕。在他们跟前，感到寒冷也不敢加衣，身上发痒也不敢抓挠。在他们跟前，不是为长者干重活，不敢脱衣露臂；不是涉水，不敢撩起衣服。发现父母脸上有口水和鼻涕，要及时帮助擦掉。他们的冠带脏了，就蘸着灰汁洗涤；他们的衣裳脏了，就蘸着灰汁洗濯；他们的衣裳有裂口，就穿针引线把它缝好补好。每隔五天就烧些热水让他们洗澡，每隔三天让他们洗一次头。这期间，如果脸脏了，就烧热淘米水让他们洗脸；如果脚脏了，就烧点热水让他们洗脚。年少的侍奉年长的，卑贱者侍奉尊贵者，也要按照儿子媳妇侍奉父母公婆的礼节去做。

男不言内，女不言外。非祭非丧，不相授器。①其相授，则女受以筐；其无筐，则皆坐奠之而后取之②。外内不共井，不共湢浴③，不通寝席，不通乞假④。男女不通衣裳。内言不出，外言不入。男子入内⑤，不啸不指⑥，夜行以烛⑦，无烛则止。女子出门，必拥蔽其面，夜行以烛，无烛则止。道路，男子由右，女子由左。

[注释]

①非祭非丧二句：郑玄注："祭严丧遽，不嫌也。"意谓祭事严肃，丧事紧迫，男女可以相授器。②则皆坐奠之而后取之：由授器者坐下把所授之器放在地上，然后由接受器者坐下把所授之器从地上拿走。③不共湢（bì）浴：不用同一间浴室洗澡。湢，浴室。④不通乞假：不互相借用东西。⑤内：内宅。⑥啸：孙希旦说："啸，蹙口出声也。"近乎吹口哨。指：指手画脚。⑦烛：火把。

[译文]

男子不讲应该由女人关心和从事的事，女子不讲应该由男子关心和办理的事。如果不是举行祭祀和办理丧事，男女之间不能用手传递东西。如果必须传递东西，那么女方要用一个竹筐来承接。如果没有竹筐，就要由递东西的人坐下把东西放在地上，然后由接东西的人坐下把东西从地上取走。男女不在同一口井上汲水，不同用一间浴室洗澡，不互相通用一床寝席，不互相讨借东西，不能男女衣裳混着穿。闺门内讲的不可传之于外，闺门外讲的不可传之于内。男子进入内宅，不可以嘘声示意，也不可用手指指点点，免得使人感到鬼鬼祟祟。夜晚行路要点燃火把，没有火把就不要外出。女子出门，要以物遮面，如果是夜晚行路，也要点燃火把，否则便不外出，免得人们说三道四。走路，男人靠右边走，女人靠左边走。

子妇①孝者敬者，父母舅姑之命，勿逆勿怠。若饮食之，虽不嗜，必尝而待。②加之衣服③，虽不欲，必服而待。加之事，人代之，己虽弗欲，姑与之而姑使之，而后复之。④子妇有勤劳之事，虽甚爱之，姑纵之，而宁数休之。⑤子妇未孝未敬，勿庸疾怨，姑教之；若不可教，而后怒之。不可怒，子放妇出，而不表礼焉。⑥

[注释]

①子妇：儿子和媳妇。②若饮食之三句：父母舅姑如果让子妇吃东西，虽然子妇不喜欢吃，也一定要少尝一些，等到父母舅姑察觉以后说声"不喜欢吃就别吃了"，这才住口。③加之衣服：父母舅姑赐予子妇衣服。④加之事五句：父母舅姑交代子妇要办的事，办到中途，父母舅姑让他人来代替自己办，自己虽然不想让他人代替，但也要姑且交给代替者来做，等到代替者做不下去时，然后自己再接着来做。⑤子妇有勤劳之事四句：子妇有辛勤劳累之事，做父母舅姑的虽然心疼他们，也只能让他们缓着点干，而且宁可让他们多休息几次。按：这几句话背后的意思是，不能因为心疼此一子妇，而让另一子妇来干。⑥子妇未孝未敬八句：子妇如果不孝敬，做父母舅姑的也不用怨恨，可以先教育他们；如果教育也不管用，那就可以谴责他们；如果谴责也不管用，那就把儿子赶出家门，把媳妇休回娘家。即令闹到这一步，也不对人明言其过，以免家丑外扬。表礼：郑玄注："表犹明也。犹为之隐，不明其犯礼之过也。"

[译文]

做儿子做媳妇的，如果想要有个孝敬的美名，就必须对于父母公婆的旨意，一不要违背，二不要懈怠。父母公婆如果叫他们吃东西，虽然做儿子做媳妇的不喜欢吃，也要少尝一些，等到父母公婆察觉以后说声不爱吃也就算了，这才住口。父母公婆赐给他们衣服，虽不想穿也要暂时穿上，等到父母公婆发话说收起来吧，才能脱下。父母公婆交代他们要办的事，中途可能会叫他人代替来做，自己虽然不想让人代替，但也要姑且交给代替者来做，等到代替者把事情办糟之后，自己再心平气和地从头收拾。当儿子媳妇在辛勤劳作时，做父母公婆的很心疼他们，就一定要劝说他们别赶得那么紧，而且宁可让他们多休息几次。如果儿子和媳妇不孝敬公婆，也用不着生气埋怨，可以先教育他们。如果教育了也不管用，那就可以责罚他们；如果责罚还不管用，那就把儿子赶出家门，把媳妇休回娘家。即令如此，也不对人明言其过，免得家丑外扬。

父母有过，下气怡色①，柔声以谏。谏若不入，起②敬起孝，说③则复谏；不说，与其得罪于乡党州闾，宁孰谏④。父母怒、不说，而挞之流血，不敢疾怨，起敬起孝。

[注释]

①下气怡色：即下气怡声。见上注。②起：郑玄注："起，犹更也。"③说："悦"的古字。下同。④与其得罪于乡党州闾二句：与其让父母得罪于乡党州闾，宁可自己再三再四地苦谏。乡党州闾，周代的行政区划。据《周礼》，二十五家为闾，四闾为族，五族为党，五党为州，五州为乡。此谓当地乡亲。孰谏，吴澄曰："孰谏者，至三至四而犹未已，如火之孰物，必期变化。"孰，通"熟"。

[译文]

父母有了过失，做儿子的要低声下气、和颜悦色地劝谏。劝谏如果不起作用，做儿子的就应更加恭敬更加孝顺，等到他们高兴的时候再次劝谏。再次劝谏也可能招致父母的不高兴，但是与其让父母得罪于乡党州闾，宁可自己犯颜苦谏。如果犯颜苦谏招致父母大怒，把自己打得皮破血流，那也不敢生气埋怨，而是更加恭敬更加孝顺。

父母有婢子若庶子、庶孙①，甚爱之，虽父母没，没身敬之不衰。子有二妾，父母爱一人焉，子爱一人焉，由②衣服饮食，由执事，毋敢视③父母所爱，虽父母没，不衰。子甚宜④其妻，父母不说⑤，出⑥。子不宜其妻，父母曰："是善事我。"子行夫妇之礼焉，没身不衰。

[注释]

①婢子：即婢。"子"是词尾。若：及，和。庶子、庶孙：吴澄说："庶子，谓父妾之子。庶孙，谓父妾子之子也。"②由：自，从。③视：比。④宜：动词。此为"以其妻为宜"之义。换言之，儿子对自己的媳妇甚为满意。⑤不说：即不悦。谓不悦儿子的媳妇。⑥出：休回娘家。⑦是善事我：这个媳妇很会侍候我们。

[译文]

父母有十分宠爱的贱妾及庶子、庶孙，即令父母去世，做儿子的也要终身敬重他们。儿子如果有两个妾，父母喜欢其中的一个，而儿子喜欢的则是另一个，那么，无论是在穿戴饮食方面，或是在干活方面，儿子喜欢的那一个都不敢攀比父母喜欢的那一个，即令是父母去世了也仍旧如此。儿子认为自己的妻子蛮好，但是父母看着不顺眼，那就应当休掉。儿子认为自己的妻子差劲，但是父母说："这个媳妇很会侍候我们。"那么儿子就要以夫妇之礼相待，终身不变。

父母虽没，将为善，思贻父母令名，必果①；将为不善，思贻父母羞辱，必不果。

[注释]

①思贻父母令名二句：想到这会给父母带来美名，就会果敢地去做。贻，遗留。

[译文]

父母虽然去世了，儿子将做好事，想到这会给父母带来美名，就一定果敢地去做；如果是将做坏事，想到这会使父母跟着丢人，那就一定敛手不敢去做。

舅没则姑老①,冢妇所祭祀、宾客②,每事必请于姑③,介妇请于冢妇④。舅姑使冢妇,毋怠、不友、无礼于介妇。⑤舅姑若使介妇,毋敢敌耦⑥于冢妇,不敢并行,不敢并命,不敢并坐⑦。凡妇,不命适私室,不敢退。⑧妇将有事,大小必请于舅姑。子妇无私货,无私畜,无私器,不敢私假,不敢私与。⑨妇或赐之饮食、衣服、布帛、佩帨、茝兰⑩,则受而献诸舅姑。舅姑受之则喜,如新受赐⑪;若反赐之,则辞;不得命,如更受赐,藏以待乏。⑫妇若有私亲兄弟⑬,将与之⑭,则必复请其故,赐而后与之⑮。

[注释]

①舅没则姑老:谓公公去世,婆婆就要把家政的管理传给冢妇(嫡长子之妻)。礼,男子70岁,将家政传于冢子,其妻则将分管之家政传于冢子之妇。若男子未及70而没,其妻亦传家政于冢子之妇。这是因为祭祀时必须夫妻同时主持。②宾客:此谓接待宾客。③每事必请于姑:郑玄注:"妇虽受传,犹不敢专行也。"请,请示。④介妇请于冢妇:众妇向冢妇请示。因为冢妇代姑管理家政。介妇,嫡长子以外的众子之妇。⑤舅姑使冢妇二句:宋项安世《项氏家说》卷六:"言舅姑若任使冢妇,冢妇毋得以尊自怠而陵辱众妇,令其代己也。不友,谓烦虐之。无礼,谓麾叱之。"⑥敌耦:攀比。⑦不敢并行三句:不敢与冢妇并肩而行,不敢像冢妇那样发号施令,不敢与冢妇并肩而坐。⑧凡妇三句:郑玄注:"妇,侍舅姑者也。"凡妇,谓冢妇及众妇。私室,孙希旦说:"私室,妇所居室也。"⑨子妇无私货五句:子妇不能有属于自己的财物,不能有属于自己的积蓄,不能有属于自己的器物,不敢私自借出东西,不敢私自给人东西。⑩妇或赐之句:这是指妇的娘家亲人赐给妇的东西。茝(zhǐ)兰,两种香草,可以制作容臭。⑪如新受赐:如同自己刚刚接受了亲友的馈赠一样。⑫若反赐之五句:如果舅姑把东西又转赐给自己,那就要推辞;实在推辞不掉,就要像重新得到舅姑赏赐那样地接受下来,收藏起来,以备舅姑缺乏时再献。⑬私亲兄弟:谓娘家兄弟。⑭将与之:即"将以物与之"。⑮则必复请其故二句:就必须先向公婆禀明原因,舅姑答应赐予,然后再送给

他们。

[译文]

公公去世，婆婆就要把主持家务的事传给冢妇。每逢祭祀或招待宾客，虽然婆婆此时已经放权，但冢妇每事还要请示婆婆，不敢专断。而介妇遇事则要向冢妇请示，不可直接请示婆婆。公婆使唤冢妇，冢妇不可懈怠，也不可自恃地位特殊而对介妇不友爱和无礼。公婆如果使唤介妇，介妇也不可忘乎所以，不敢和冢妇攀比，不敢和冢妇并肩而行、并肩而坐，不敢像冢妇那样有权发号施令。不管是冢妇、介妇，如果公婆没有发话让她们回自己的住室，她们就得一直在左右侍候，不敢告退。媳妇们有事想办，不论大事小事都一定要先请示公婆。当儿子当媳妇的，不能有属于自己的财货、牲畜、器物，不敢私自借出东西，不敢私自给人东西。媳妇如果得到娘家亲友馈赠的饮食、衣服、布帛、佩巾、茝兰，在接受了以后要献给公婆；公婆接受了，媳妇就感到高兴，如同自己刚接受了亲友的馈赠一样；如果公婆把东西又转赐给自己，那就要推辞；实在推辞不了，就要像重新受到公婆赏赐那样地接受下来，收藏好，以备公婆缺乏时再献。媳妇如果要向娘家亲友赠送什么东西，就要先向公婆禀明原因。公婆拿出东西来赏赐自己，然后自己才可以送人。

適子庶子①，祇事宗子宗妇②，虽贵富，不敢以贵富入宗子之家③；虽众车徒，舍于外，以寡约入。④子弟犹归器、衣服、裘衾、车马，则必献其上，而后敢服用其次也。⑤若非所献⑥，则不敢以入于宗子之门，不敢以贵富加于父兄宗族⑦。若富，则具二牲，献其贤者于宗子，夫妇皆齐而宗敬焉，终事而后敢私祭。⑧

[注释]

①適子：即嫡子。適，通"嫡"。此指一家一户的嫡长子，宗法上叫做小

宗。庶子：嫡子之弟。②祗（zhī）事：敬事。如何敬事，详下。宗子：指全族人的嫡系长子。换言之，也就是全族之人的始祖的嫡长子系统，宗法上叫做大宗。宗妇：宗子之妻。③不敢句：因为那样做有炫耀之嫌。④虽众车徒三句：即令是车辆随从众多，也必须把他们留在宗子家的大门外，自己只带少量的随从进入。⑤子弟犹归（kuì）器三句：小宗之家的子弟如果得到他人馈赠的器物、衣服、裘衾和车马，要从中挑出上等的献给宗子，然后自己才敢享用次等的。犹，若。归，通"馈"，馈赠。裘衾，皮衣和被子。⑥若非所献：如果所献之物不是宗子之爵位所当享用（超过了宗子的爵位级别）。⑦加于：凌驾于。父兄宗族：谓宗子。⑧若富五句：小宗之家如果富裕，可以准备两头牺牲，其中比较好的一头献给宗子，在宗子祭祖时，小宗夫妇都斋戒助祭于宗子之家。祭毕之后，小宗才敢祭祀自己的祖宗。贤者，指比较好的。宗敬，敬事大宗。

[译文]

一家的嫡子、庶子应该敬重全族的宗子、宗妇。即令嫡子、庶子地位高贵富有钱财，也不敢以此进入宗子之家去炫耀。即令是车马随从众多，也必须把他们安顿在宗子家的大门之外，自己只带少量的随从进入。自己的子弟如果被赐予器物、衣服、裘衾、车马，那就要从中挑选上等的献给宗子，然后自己才敢享用那些次等的。如果所献之物超过了宗子的爵位级别，宗子不得享用，那就不敢把这类物品带进宗子之门，否则，岂不成了以自己的富贵凌驾于宗子之上了吗？如果自己富裕，可以准备两只牺牲，挑选好的一只献给宗子，在宗子祭祖时，小宗夫妇都斋戒助祭于宗子之家，等到宗子祭祖完毕，然后才敢回家祭祀自己的父祖。

子能食食①，教以右手。能言，男"唯"女"俞"②。男鞶革③，女鞶丝。六年④，教之数与方名⑤。七年，男女不同席，不共食⑥。八年，出入门户及即席饮食，必后长者，始教之让。九年，教之数日⑦。十年，出就外傅⑧，居宿于外，学书计⑨。衣不帛襦袴⑩，礼帅初⑪，朝夕学幼仪⑫，请肄简谅⑬。十有三年，学乐，诵《诗》，舞《勺》⑭成童⑮，舞《象》⑯，学射御⑰。二十而冠，始学礼⑱，可以衣裘帛⑲，舞《大夏》⑳，惇行孝弟㉑，博学不教㉒，内而不出㉓。三十而有室㉔，始理男事㉕，博学无方㉖，孙友视志㉗。四十始仕，方物出谋发虑㉘，道合则服从，不可则去。五十命为大夫，服官政。七十致事㉙。凡男拜，尚左手㉚。

[注释]

①子：谓幼儿。能食食：会自己吃饭了。②男"唯"女"俞"：教男孩儿回答"是"用"唯"，教女孩儿回答"是"用"俞"。③男鞶（pán）革：男孩的大带是用革做的。鞶，束腰之大带。④六年：六岁。⑤数：识数。数谓一十百千万。方名：东南西北、上下前后的名称。⑥七年三句：这是为了从小培养他们知道男女有别。⑦数日：计算日子。郑玄注："数日，朔望与六甲也。"六甲，古人用天干地支相配计算时日，从"甲子"起，到"癸亥"止，叫做六十甲子。六十甲子中有甲子、甲戌、甲申、甲午、甲辰、甲寅，故称。假如初一为甲子，初二则为乙丑，依此类推。⑧出就外傅：离开家门到外傅那里去学习。外傅，郑玄注："教学之师也。"⑨书计：识字和算书。书，谓六书，即象形、指事、会意、形声、转注、假借，古人认为是造字之法。计，谓九数，即九种计算方法：方田、粟米、差分、少广、商功、均输、方程、赢不足、旁要。详《周礼·地官·保氏》注。⑩衣不帛襦袴：孙希旦说："襦，内衣。袴，下衣。二者皆不以帛为之，防奢侈也。"袴，今作"裤"。⑪礼帅初：孙希旦说："谓初所教长幼之礼，帅（遵循）而行之，而不敢忘也。"⑫幼仪：盖幼儿行为准则之类。⑬请肄简谅：孙希旦说："肄，习也。谅，信也。请肄简谅，谓所请肄习者，贵乎简要而诚实也。"⑭十有三年四句：乐，谓琴瑟之乐。诗，谓乐章。《勺》（zhuó），一种文舞之名。舞者执籥而舞。⑮成童：郑玄注："十五以上。"⑯《象》：一种武舞之名。舞者执干戈而舞。⑰射御：射箭和驾车。⑱礼：谓吉、凶、宾、军、嘉五礼。⑲衣裘帛：穿皮衣和帛制之衣。⑳《大夏》：夏禹乐名。孙希旦说："《大夏》，禹乐，文舞之大者也。《大司乐》：'以乐舞教国子，舞《云门》、《大卷》、《大咸》、《大韶》、《大夏》、

《大濩》、《大武》。'此言'舞《大夏》',则六舞皆学可知。"㉑笃行孝弟：笃行孝悌。弟，通"悌"。㉒博学不教：广泛地学习各种知识，但尚不足以教育他人。㉓内而不出：陈澔云："蕴蓄德美于中，而不自出以见其能。"㉔有室：谓娶妻。江永说："按三十而有室，二十而嫁，言其极，不是过耳。早嫁娶者，礼固不禁。"㉕男事：谓接受国家分给的田地，供给征役。㉖博学无方：谓学无常师。郑玄注："方，犹常也。"㉗孙友视志：江永说："孙友者，谦孙不敢自矜。然已有志尚，视之于友，则友可与切磋，或有失，则救正之。"孙，通"逊"。视，通"示"。㉘方物：犹言根据具体情况。出谋发虑：出谋划策。㉙致事：郑玄注："致其事于君而告老。"㉚尚左手：尚者，上也。左手在上，右手在下。换言之，拜时，左手抱住右手。

[译文]

　　幼儿会自己吃饭了，就要教他使用右手。幼儿会说话了，就要教他们学习答话，男孩用"唯"，女孩用"俞"。身上带的荷包，男孩的以皮革制成，表示长大将从事勇武之事；女孩的以丝帛制成，表示长大将从事女红之事。到了6岁，要教他识数和辨认东南西北。到了7岁，开始教以男女有别，男孩和女孩，坐不同席，吃饭也不同席。到了8岁，出门进门，坐桌吃饭，一定要让长者在前，开始让他们懂得敬让长者的道理。到了9岁，要教他们知道朔望和会用干支记日。到了10岁，女孩就要留在家里，而男孩则要离开家跟着外边的老师学习，在外边的小学里住宿，学习识字和算术。这时候穿的衣裤都不用帛来做，以防止奢侈之心产生。此前所教的规矩，还要遵循勿息。早晚学习洒扫进退的礼节，勤习简策，学习以诚待人。到了13岁，开始学习乐器，诵读诗歌，学习舞《勺》。到了15岁，要学习舞《象》，学习射箭和驾车。到了20岁，举行加冠礼，表示已是成人了，就要开始学习五礼。这时候可以穿皮衣，穿帛制之衣，舞《大夏》之舞。要笃行孝悌，广泛地学习各种知识，但尚不足以为人师表。到了30岁，娶妻成家，开始受田服役，要广泛讨教，学无常师，对朋友谦逊，其志尚远大者始与之交往。到了40岁，开始做官，出谋划策都要斟酌再三，如果君臣道合则就职任事，否则就离开。到了50岁，受命为大夫，参与邦国大事。到了70岁，年老体衰，就该告老退休。凡男子行拜礼，左手在上，右手在下。

女子十年不出①，姆教婉娩听从②，执麻枲③，治丝茧，织纴、组、紃④，学女事⑤，以共⑥衣服。观于祭祀，纳酒、浆、笾、豆、菹、醢⑦，礼相助奠⑧。十有五年而笄，二十而嫁；有故⑨，二十三年而嫁。聘⑩则为妻，奔⑪则为妾。凡女拜，尚右手⑫。

[注释]

①不出：郑玄注："恒居内也。"②姆：古代以妇道教女子的女师。婉：说话柔婉。即所谓"妇言"。娩（wǎn）：谓容貌贞静。即所谓"妇容"。"妇言"、"妇容"，详《昏义》注。③枲（xǐ）：大麻的雄株。④纴、组、紃（xún）：纴是缯帛。组是带子。紃是绦子，用以镶边。⑤女事：妇女之事，女工。⑥共：通"供"，供给。⑦观于祭祀二句：孔颖达疏："谓于祭祀之时观看，须于庙外纳此酒、浆、笾、豆、菹、醢之等，置于神坐。一'纳'之文，包此六事言之也。"⑧礼相助奠：孙希旦说："谓以礼相（辅助）长者，而助其奠置祭馔也。"祭馔，即祭品。⑨故：谓父母之丧。⑩聘：通过媒人沟通。⑪奔：私奔。女子不通过媒人而私自投奔所爱之人。⑫尚右手：行拜礼时，右手在上，左手在下。

[译文]

女孩子长到10岁就不能像男孩子那样外出，必须呆在家里由女师教她们如何说话才算柔婉，如何打扮才算贞静，如何举动才算听从，还要教她们绩麻缫丝、织布织缯、编织丝带等女红之事，以供制作衣服。还要让她们观摩祭祀活动，传递酒浆、笾豆、菹醢等祭品祭器，按照礼节规定帮助长者安放祭品。到了15岁，举行笄礼，表示已进入成年。到了20岁，可以出嫁；如有特殊原因，可推迟到 23 岁才嫁。如果是明媒正娶，六礼齐备，那就是与丈夫平等的正妻；如果是无媒自通，六礼不备，那就是贱妾。凡是女子行拜礼，右手在上，左手在下。

玉藻第十三

[题解]

玉藻即旒，它是天子的冕前沿下垂的玉串。藻是五彩丝绳。以藻贯玉，以玉饰藻，故曰玉藻。清孙希旦《礼记集解》说："此篇首记天子诸侯衣服、饮食、居处之法，中间专记服饰之制，其前后又杂记礼节、容貌、称谓之法。《礼记》中可以考见古人之名物制度者，此篇为最详。"

君无故①不杀牛，大夫无故不杀羊，士无故不杀犬、豕。君子远庖厨②，凡有血气之类，弗身践③也。至于八月不雨，君不举④。年不顺成，君衣布搢本⑤，关梁不租，山泽列⑥而不赋，土功不兴，大夫不得造车马。

[注释]

①故：指祭祀、宴享宾客之事。②庖厨：宰杀烹割禽兽之处。③践："翦"字之误。翦，犹杀也。④举：本义为举肺脊而祭。国君每日杀牲以食，食前要举肺脊而祭。引申为杀牲。⑤本：指士所用的竹笏。国君应用象笏。详本篇下文。⑥列：通"迣"，遮拦。

[译文]

没有特殊的原因，诸侯不得杀牛，大夫不得杀羊，士不得杀狗和猪。凡有仁爱之心的君子，都离庖厨远远的，以免耳闻目睹禽兽之被宰杀。对于一切有生命的动物，君子是不会亲自动手宰杀的。

如果连续八个月不下雨，形成旱灾，国君的膳食就不得杀牲。如果年成不好，国君要自我贬损，穿麻布之衣，插柱制之笏，在关口和过桥之处不收租税，不到节令不准进入山泽采伐渔猎，到了节令则不加禁止任其采伐渔猎也不征税，不兴土木工程。大夫也不许造新车。

父命呼，"唯"而不"诺"，手执业则投之，食在口则吐之，走而不趋。亲老，出不易方，复不过时。亲瘠①色容不盛，此孝子之疏节也。父没而不能读父之书，手泽存焉尔；母没而杯圈②不能饮焉，口泽之气存焉尔。

[注释]

①瘠（jí）：病。②圈：同"棬"，盘子。

[译文]

父亲呼喊儿子的时候，儿子要答应"唯"而不可答应"诺"，因为"唯"敬于"诺"，手中拿有东西要赶快放下，嘴里含有食物要立即吐出，要跑着前往而不可稍有磨蹭。双亲年老了，做儿子的出门不可随意改变去处，说什么时候回来就要按时回来，以免双亲悬念。如果双亲病了，或者气色不好，这就是做儿子的有疏忽之处了。父亲去世以后，做儿子的不忍翻阅父亲读过的书，那是因为上面有他手汗沾润的痕迹。母亲去世以后，做儿子的不忍心使用母亲用过的杯盘，那是因为上面有她口液沾润的痕迹。

明堂位第十四

[题解]

明堂，古代帝王宣明政教的地方。此篇首记周公摄政，诸侯相率来朝，朝周公于明堂，各就其位。次记成王以周公有功，赐鲁以天子之礼乐。

昔者周公朝诸侯于明堂①之位：天子负斧依②南乡而立。三公，中阶之前，北面东上。诸侯之位，阼阶之东，西面北上。诸伯之国，西阶之西，东面北上。诸子之国，门东③，北面东上。诸男之国，门西，北面东上。九夷④之国，东门之外，西面北上。八蛮之国，南门之外，北面东上。六戎之国，西门之外，东面南上。五狄之国，北门之外，南面东上。九采⑤之国，应门之外，北面东上。四塞⑥，世告至⑦。此周公明堂之位也。明堂也者，明诸侯之尊卑也。

[注释]

①明堂：明堂的作用，明堂的构造，明堂的位置，自汉魏以来，学者争论不休，莫衷一是。今姑以王夫之《礼记章句》略为说之。明堂乃太庙之堂，堂基去地高九尺，东西的长度是九筵（一筵合九尺），南北长七筵。其东、西、北三侧各有两个台阶，唯独南侧有三个台阶：阼阶、中阶、宾阶，即东、中、西三阶。王氏盖亦据《考工记·匠人》为说。然则本篇所称之"明堂"，

与阴阳五行家所称之明堂迥然不同。五行家所称之明堂，详《月令》。②斧依：也作"斧扆"。天子朝堂上画有斧形图案的屏风，高八尺，以绛帛为质，置于堂上的户牖之间，有壮威的作用。③门东：太庙大门之内的东面。大门，即下文的"应门"。④九夷：古代东方的夷族之国。"九"与下文的"八"、"六"、"五"等数字乃泛指，不必死扣。⑤九采：谓九州之牧。因采取九州美物贡献天子而得名。九采在应门外，负责纠察秩序。⑥四塞：谓九州之外的羁縻之国。⑦世告至：一辈子只来朝见一次。即在旧君去世、新君即位之时来朝见一次。

[译文]

过去，周公在明堂接受诸侯朝见，其位置是：周公代表天子，背后是斧依，面朝南而立。三公在中阶之前站成一排，面向北，以靠东边者为尊。侯爵的诸侯，在阼阶东面站成一排，面向西，以靠北边者为尊。伯爵的诸侯，在西阶之西站成一排，面向东，以靠北边者为尊。子爵的诸侯，在门内的东边站成一排，面向北，以靠东边者为尊。男爵的诸侯，在门内的西边站成一排，面向北，以靠东边者为尊。东方夷族诸国国君在东门之外站成一排，面向西，以靠北边者为尊。南方的蛮族诸国国君在南门之外站成一排，面向北，以靠东边者为尊。西方的戎族诸国国君在西门之外站成一排，面向东，以靠南边者为尊。北方的狄族诸国国君在北门之外站成一排，面向南，以靠东边者为尊。九州之牧在应门之外站成一排，面向北，以靠东边者为尊。遥远的四塞之国国君，只在新君即位时来朝一次就可以了。这就是周公在明堂接受诸侯朝见时的位置安排。从这个意义上来说明堂是表明诸侯的尊卑的。

昔殷纣乱天下，脯鬼侯①以飨诸侯。是以周公相武王以伐纣。武王崩，成王幼弱，周公践天子之位以治天下；六年，朝诸侯于明堂，制礼作乐，颁度量，而天下大服；七年，致政于成王;成王以周公为有勋劳②于天下,是以封周公于曲阜,地方七百里,革车千乘,命鲁公世世祀周公以天子之礼乐。

[注释]

①鬼侯:《史记·殷本纪》作"九侯"。"鬼"、"九",古音双声。②勋劳:《史记·高祖功臣侯者年表》曰:"以德立宗庙定社稷曰勋,以言曰劳。"

[译文]

从前,殷纣王暴虐无道,搅得天下不宁,竟然把鬼国国君杀死以后制成肉干,用以宴请其他诸侯。所以周公辅佐武王以伐纣。武王驾崩,嗣君成王年龄尚小,于是由周公摄政,代行天子职务,以治理天下。摄政的第六年,天下诸侯都来明堂朝见,制定了各种礼仪和乐章,颁布了统一天下度量衡的法律,天下无不心悦诚服。摄政的第七年,就把政权归还给成王。成王认为周公为天下建立了勋劳,所以封周公于鲁,建都曲阜,拥有国土七百里见方,兵车千辆,还命令鲁国国君世世代代用天子的礼仪和乐章祭祀周公。

丧服小记第十五

[题解]

吴澄《礼记纂言》云:"《丧服》者,《仪礼》正经之篇名。正经之后有记,□以补经文之所不备。此篇内所记《丧服》一章,又以补《丧服经》后记之所未备者也。其事琐碎,故名《小记》,以别于经后之记。"

亲亲,以三为五,以五为九。①上杀②,下杀,旁杀③,而亲毕矣。

[注释]

①亲亲三句:亲爱自己的直系亲属,以自己本身为出发点,上亲父,下亲子,这就构成了三代三辈。再往上推,由亲父而亲祖;往下推,由亲子而亲孙,这就构成了直系亲属的五代五辈。然后再从祖往上推,亲及自己的曾祖、高祖;再从孙往下推,亲及自己的重孙、玄孙。这就构成了直系亲属的九代九辈。②上杀(shài):在直系亲属中,从自己本身往上推,和自己的辈分愈远,亲情愈疏,丧服也愈轻。"下杀"仿此。③旁杀:指旁氏亲属中,和自己血缘关系愈远,亲情愈薄。如由亲兄弟推而至于从兄弟,再推而至于再从、三从兄弟。

[译文]

凡人之亲其所亲,首先是上亲父,下亲子,形成三辈相亲。然后由父而亲祖,由亲子而亲孙,扩展为五辈相亲。在五辈相亲的基础上，再往上推，亲及曾祖、高祖；再往下推，亲及曾孙、玄孙，这样就扩展为九辈相亲。由父亲往上，血缘关系愈远，亲情愈薄，丧服愈轻；由儿子往下，血缘关系愈远，亲情愈薄，丧服愈轻；在旁系亲属中，和自己血缘关系愈远，亲情愈薄，丧服愈轻。这样向上逐代减损，向下逐代减损，向旁逐代减损，亲情关系就完结了。

再期之丧①，三年也；期之丧②，二年也。九月七月之丧③，三时也；五月之丧④，二时也；三月之丧⑤，一时也。故期而祭，礼也；期而除丧，道也。祭不为除丧也。三年而后葬者必再祭⑥，其祭之间不同时而除丧。大功者主人之丧，有三年者，则必为之再祭。朋友，虞、祔而已⑦。士妾有子，而为之缌，无子则已。⑧

[注释]

①再期（jī）之丧：指斩衰丧服。斩衰丧服，说是三年，实际上只有二十五个月，即只过了两个周年。期，周年。②期之丧：指齐衰之丧中的有杖期和不杖期之丧，二者的丧期都是一年。③九月七月之丧：九月之丧指大功之丧。七月之丧，指大功殇服，即对于成人应服期丧者，其长、中殇皆降为大功，长殇九月，中殇七个月。④五月之丧：指小功之丧。⑤三月之丧：指缌麻之丧。⑥再祭：指小祥祭和大祥祭。也就是人死后的一周年祭和二周年祭。⑦虞：安置神主的丧祭。下葬后当天的中午在殡宫举行第一次虞祭，以后隔日举行一次。士三虞而止，大夫五虞，诸侯七虞，天子九虞。祔：将死者神主按昭穆顺序移入祖庙时的祭祀。最后一次虞祭结束后的次日举行卒哭之祭，卒哭之次日即举行祔祭。祔者，付也，将新死者神主付于祖庙。⑧士妾有子三句：这是因为士的地位卑贱，所以"无子则已"。而大夫则不然，大夫之妾虽无子，犹为之服缌。

[译文]

服丧两周年，就算三年。服丧一周年，就算两年。服丧九个月或七个月，就算三个季节。服丧五个月，就算两个季节。服丧三个月，就是经历了一个季节。这是说服丧的长短与岁时之气是相应的。死后一周年举行小祥之祭，二周年举行大祥之祭，这表示对于已故亲人的思念，礼数应当如此；在小祥之祭以后男子可以除去首绖，妇人可以除去腰绖；在大祥之祭以后就可以完全除去丧服；这表示活着的人也要节制悲哀，顺乎天道。祭祀与除服二者虽然同时并举，但各有各的道理，切莫误会为举行二祥之祭就是为了除去丧服。如果孝子未能及时葬亲，是在停柩三年以后才举行埋葬，那也要按规矩举行小祥、大祥之祭，而且小祥、大祥之祭要隔开，不可放在同一个月，然后才除去丧服。如果自己与死者是大功之亲而为之主持丧事，而死者尚留有遗孀及幼子这些服三年丧的亲属，那就要在为死者举行了二祥之祭以后才除去丧服。如果为朋友主持丧事，因为朋友不是亲属，只有同道的情谊，所以可以在虞祭、祔祭之后就除去丧服。对于士来说，如果妾为其生有儿子，就为她服缌麻之丧，不然的话就不为她服丧。

大传第十六

[题解]

郑玄《三礼目录》说:"名曰《大传》者,以其记祖宗人亲之大义。"本篇主要讲丧服制度和宗法制度。

礼,不王不禘①。王者禘其祖之所自出,以其祖配之。②诸侯及其大祖。③大夫、士有大事省于其君,干祫及其高祖。④

[注释]

①不王不禘(dì):不是天子不能举行禘祭。禘,天子宗庙之大祭,用以祭祀其始祖所自出之帝。详下注。②王者禘其祖之所自出二句:以周代为例。周代的始祖是后稷,稷之母姜嫄,为帝喾元妃。姜嫄出郊,见巨人迹,践之而生稷。帝喾者,始祖稷之所自出,故周人在始祖后稷之庙禘喾,而以稷配之也。二句中的"祖",皆谓始祖。祖之所自出,实际上就是始祖的父亲。陆淳曰:"禘者,帝王立始祖之庙,犹谓未尽其追远尊先之义,故又推寻始祖所出之帝而追祀之。以其祖配之者,谓于始祖庙祭之,而便以始祖配祭也。此祭不兼群庙之主,为其疏远,不敢亵狎故也。"禘祭的时间,据秦蕙田《五礼通考》卷九七的考证,每年孟夏举行。③诸侯及其大祖:诸侯最多只能祭祀其始祖。大祖,即太祖,也就是始祖。本句的动词用个"及"字,不用"禘"字,因为诸侯没有资格举行禘祭。④大夫、士有大事省于其君二句:叶梦得曰:"古者诸侯有祫而无禘,大夫有时祭而无祫。禘,天子之事也。祫,诸侯

之事也。大夫既不得祫，然有大功见察于天子，则视（按：比照也）诸侯，上达而祫其毁主。"祫，一种宗庙之祭。祫有时祫，有大祫。时祫，仅仅未毁庙之主合食于太祖庙。大祫，则合毁庙、未毁庙之主，皆合食于太祖庙。举行祫祭的时间是每岁孟冬。此亦秦蕙田说。

[译文]

按照礼的规定，不是天子就不能举行禘祭。天子举行禘祭，是祭祀诞生其始祖天帝的，并且以其始祖配享。诸侯合祭祖先时，可以上及其太祖。而大夫、士的合祭祖先，要比诸侯简省得多，最多可以及其高祖。

牧之野①，武王之大事也。既事②而退，柴于上帝，祈于社，设奠于牧室③。遂率天下诸侯，执豆笾，逡奔走，追王大王亶父、王季历、文王昌，不以卑临尊也。④

[注释]

①牧之野：谓武王伐纣时的牧野之战。牧野，地名，在商都朝歌南七十里，今河南卫辉市北。②既事：谓战胜之后。③柴于上帝三句：柴，焚柴祭告上天。祈于社，祭告土神。设奠于牧室，在牧野的馆舍内祭告祖先的行主。④遂率天下诸侯五句：据《尚书·武成》，此句以下之事乃行之于丰（西周国都，在今陕西户县）之祖庙。所谓凯旋敬告祖庙也。逡奔走，郑玄注："逡，疾也。疾奔走，言劝事也。"所谓劝事，犹言自觉地干活也。追王，给死者追加王号。大王亶父，周的祖先，被看做是周代王业的奠基人。王季历，大王亶父之子，文王之父，被看做是对周代王业卓有建树的人。文王昌，武王之父，被看做是周代王业的实际完成者。参看《史记·周本纪》。以卑临尊，武王是天子，大王亶父等若不追王，则是诸侯，这就是以卑临尊。

[译文]

牧野之战，是武王伐纣的关键战役。当这场战役取得胜利以后，周武王就将胜利的喜讯焚柴祭告上天，祭告土神，祭告随军而行的祖先神主。接着又率领天下诸侯回到周都，在周人的祖庙里，手捧祭品，忙而不乱地各行其是，追尊亶父、季历、西伯昌为王，以避免后辈的爵位高于上述祖先。

上治祖祢，尊尊也；①下治子孙，亲亲也；②旁治昆弟，合族以食，序以昭缪；③别之以礼义④。人道竭矣。⑤

[注释]

①上治祖祢（nǐ）二句：孙希旦说："治，谓立为法制以别其亲疏厚薄之宜也。尊尊自上而杀，所以上治也。"按：此所谓"上"，以及下文之"下"、"旁"，都是以"己"为出发点而言。祖祢，祖与父。此谓高祖、曾祖、祖、父，己对他们都尊，但尊的程度，自近而远（自父至高祖），呈递衰之势。尊尊，以其应有之尊而尊之。②下治子孙二句："治"字之解同上。子孙，此谓子、孙、曾孙、玄孙。亲亲，以其应有之亲而亲之。己对于上述子孙虽然都亲，但亲的程度，自近而远（自子至玄孙），亦呈递衰之势，所谓"亲亲由下而杀"也。③旁治昆弟三句："治"字之解同上。昆弟，即兄弟。按照血缘关系的远近，兄弟有亲兄弟、从兄弟、再从兄弟、三从兄弟之分。己对上述兄弟也有亲疏厚薄之分。合族以食，谓聚合族人共餐以联络感情。序以昭缪，按照血缘关系的远近排好顺序。昭缪，即昭穆，缪通"穆"。④别之以礼义：孙希旦说："谓以礼义治男女，而使之有别也。"按：此节之"旁治昆弟"即下文之"长长"，此节之"别之以礼义"即下文之"男女有别"。⑤人道竭矣：谓人际关系也就是上面四个方面。

[译文]

排列好上代祖祢的顺序，是为了尊其所当尊；排列好下代子孙的顺序，是为了亲其所当亲；排列好兄弟等旁系亲属的关系，集合同族的人在祖庙中聚餐，以父昭子穆的次序排列座次；以礼义区别男女。做人的道理，也就是这么多了。

圣人南面而听①天下，所且先者②五，民不与焉③。一曰治亲④，二曰报功⑤，三曰举贤⑥，四曰使能⑦，五曰存爱⑧。五者一得⑨于天下，民无不足、无不赡者。五者一物纰缪⑩，民莫得其死⑪。圣人南面而治天下，必自人道⑫始矣。立权度量，考文章，改正朔，易服色，殊徽号，异器械，别衣服⑬，此其所得与民变革者也。其不可得变革者则有矣：亲亲也，尊尊也，长长也，男女有别⑭，此其不可得与民变革者也。

[注释]

①听：治理。②且先者：孙希旦说：言未暇顾及其他，而且以此为先也。③民不与焉：治民之事还不包括在内。与，在其中。④治亲：处理好亲属关系。这个"亲"包括上一节的祖祢、子孙、昆弟、男女四个方面。尊祖祢，亲子孙，序兄弟，别男女，都属于治亲之事。此孙希旦说。⑤报功：报答有功之臣。对功臣论功行赏。⑥举贤：选拔贤者。贤者，德高望重者。⑦使能：使用能者。能者，才能出众者。⑧存爱：方苞曰："凡古先圣王及其辅佐有功德于民者，皆建置后裔，兴灭继绝，所以存其遗爱也。"⑨一得：尽得。句意谓以上五件事全部做到。⑩一物纰缪：一件事做错。纰缪，即纰谬。⑪莫得其死：不得寿终。极言造成损害之大。⑫人道：人际关系。⑬立权度量七句：这是讲有七个方面是随着朝代的更换而变革的。立权度量，统一度量衡。郑玄注："权，称也。度，丈尺也。量，斗斛也。"考文章，考校礼乐制度。改正朔，改变前朝的历法。正是岁首，朔是月初。例如夏以建寅之月（正月）为岁首，殷以建丑之月（十二月）为岁首，周以建子之月（十一月）为岁首。易服色，谓改变车马所崇尚的颜色。《礼记·檀弓上》所谓"夏后氏尚黑。戎事乘骊。殷人尚白，戎事乘翰。周人尚赤，戎事乘騵"是也。徽号，郑玄注："旌旗之名也。"按：夏代的旌旗叫大麾，殷代的旌旗叫大白，周代的旌旗叫大赤，见《明堂位》。器械，谓礼乐之器和兵甲。例如，祭祀盛放黍稷的器具，夏代叫琏，殷代叫瑚，周代叫簋。见《明堂位》。别衣服，孙希旦说："若冠则夏毋追，殷章甫，周委貌；养老之衣，则虞深衣，夏燕衣，殷缟衣，周玄衣之类是也。"详《王制》。⑭亲亲也四句：此四句即上文"上治祖祢"至"人道竭矣"一节所谈的四个方面的人际关系。

[译文]

圣人一旦坐上天子宝座，有五件事情是当务之急，老百姓的事还不包括在内。第一件是排列好所有亲属的顺序，第二件是报答有功之臣，第三件是选拔排列德行出众的人，第四件是任用有才能的人，第五件是体恤有仁爱之心的人。这五件事如果统统做到了，那么，百姓就不会有不满意的，没有不富足的。这五件事如果有一件做得糟糕，老百姓就要大吃苦头了。所以，圣人一旦坐上天子宝座而治理天下，一定要从治亲开始抓起。统一度量衡，治礼作乐，改变历法，改变服色，改变徽号，改换器械，改变衣服，以上这些事情，都是可以随着朝代的更迭而让百姓也跟着改变。但是，也有不能随着朝代的更迭而随意改变的，那就是同族相亲，尊祖敬宗，幼而敬长，男女有别，这四条可不能因为朝代变了就让百姓也跟着变。

同姓从宗，合族属；①异姓主名，治际会。②名著，而男女有别。其夫属乎父道者，妻皆母道也；其夫属乎子道者，妻皆妇道也。谓弟之妻"妇"者，是嫂亦可谓之"母"乎？名者，人治之大者也，可无慎乎？③

[注释]

①同姓从宗二句：孙希旦曰："同姓从宗，合族属者，若'宗子祭则族人皆侍（都来帮忙）'是也。"②异姓主名二句：孙希旦曰："异姓主名，治际会者，异姓之女，于己本无亲属，故系其夫而定母、妇之名，以治际会之事也。际会，谓于吉凶之事相交际而会合也。"③其夫属乎父道者九句：这九句话出自《仪礼·丧服》"大功"章。意谓异姓女子嫁到己族，其名分完全取决于其丈夫。其丈夫属于父辈，她就属于母辈；其丈夫属于子辈，她就属于妇（媳妇）辈。如果把弟弟的妻子称做"妇"（等于说把弟弟看做儿子），这岂不意味着嫂子也可以称做"母"了吗？所以说，名分，这是人伦中的重大问题，可以不慎重吗？

[译文]

凡是同姓的男子，都有一个共同的祖宗，组合为一个昭穆分明的族属。从外族嫁过来的女子,以其丈夫的昭穆为昭穆,从而确定其名分称呼,以便于参加族内的交际和聚会。其名分称呼明确了,男女之别才可以做到。对于嫁到本族的异姓女子来说,如果她的丈夫属于父辈,那么她就属于母辈;如果她的丈夫属于儿子一辈,那么她就属于儿媳一辈。如果把弟弟的妻子称为儿媳,而称呼嫂嫂为母亲,这不是乱套了吗?所以说,名分称呼,是人伦中的大事,可以不慎重吗?

四世而缌,服之穷也。① 五世袒免,杀同姓也。② 六世,亲属竭矣。③ 其庶姓别于上,而戚单于下,昏姻可以通乎?④ 系之以姓而弗别,缀之以食而弗殊,虽百世而昏姻不通者,周道然也。⑤

[注释]

①四世而缌二句:四世,谓同一高祖的第四代,《丧服》称做"族昆弟"。族昆弟之间的丧服是缌麻。服之穷也,丧服的最后一等了。②五世袒免(wèn)二句:五世,谓同一高祖之父的第五代,已经出了五服。袒免,出了五服者的吊丧打扮。袒是袒露左臂。免是一条宽一寸的布带,在去冠以后用以缠头。杀(shài)同姓也,谓虽然同姓也要降低丧服规格。③六世,亲属竭矣:谓同一高祖之祖的第六代,已经没有任何亲属关系了,连袒免也不需要。④其庶姓别于上三句:陈澔曰:"上,指高祖以上。姓为正姓,氏为庶姓,故鲁姬姓,而三家各自为氏。是庶姓别异于上世也。戚,亲也。单(通'殚'),尽也。四从兄弟,恩亲已尽,各自为宗,是戚单于下也。殷人五世以后则相与通昏,故记者设问云:今虽周世,昏姻可以通乎?"⑤系(jì)之以姓而弗别四句:陈澔曰:"周礼,大宗百世不迁。庶姓虽别,而有本姓世系以联系之,不可分别也。又连缀族人以饮食之礼,不殊异也。虽百世之远,无通昏之事。此周道所以为至,而人始异于禽兽者也。"此是答上文设问之辞。

[译文]

同一高祖的子孙,彼此相互只穿缌麻丧服,这已经是五服的最后一等了。同一高祖之父的子孙,已经出了五服,彼此相为,只须袒露左臂，戴免示哀即可。这是因为虽然同姓而血缘已远，所以减少其情谊。同一高祖之祖的子孙，彼此同姓而已，亲属关系已经没有了。这些同姓的人，从高祖以上已经姓氏有别，从玄孙以下已经出了五服，他们之间可以通婚吗？回答是：这些人都是系在一个老祖宗的正姓之下，在这一点可以说没有分别；在合族聚餐的时候，大家还是按辈分入席。因此，周代制定的办法是，只要是同姓的人，即使离老祖宗已经百代也不可彼此通婚。

服术①有六：一曰亲亲②，二曰尊尊③，三曰名④，四曰出入⑤，五曰长幼⑥，六曰从服⑦。

[注释]

①服术：丧服制定的依据。②亲亲：谓血缘关系的远近。郑玄注："父母为首。"③尊尊：谓社会地位的尊卑。郑玄注："君为首。"④名：异姓女子嫁来以后所取得的名分。例如，《丧服》规定，为伯父、叔父服齐衰期，为伯母、叔母亦服齐衰期。对此，《丧服传》解释说："世母、叔母何以亦期也？以名服也。"就因为她们嫁给了伯父、叔父而取得了母之名。⑤出入：这一条是对本族的女子而言。女子出嫁叫做出，女子未嫁或者虽然已嫁而被休回娘家叫做入，这两种情况的丧服有差别。⑥长幼：长，成年人之丧。幼，未成年之丧，术语叫殇。这两种情况的丧服也有差别。⑦从服：本人与死者没有任何关系，用不着服丧。但由于自己的亲属与死者有亲属关系，自己才跟随着服丧。例如，夫为妻之父母、妻为夫之父母。

[译文]

制定丧服的依据有六条，第一条是根据血缘关系的远近，第二条是根据社会地位的尊卑，第三条是根据异姓女子嫁来以后所取得的名分，第四条是根据本族女子的出嫁与否，第五条是根据死者是成年人与否，第六条是从服。

从服有六：有属从①，有徒从②，有从有服而无服③，有从无服而有服④，有从重而轻⑤，有从轻而重⑥。

[注释]

①属从：属，谓亲属。由于亲属与死者有关系而跟着服丧。例如，妻为夫之亲属，夫为妻之亲属。②徒从：徒，空也。与死者无亲属关系而空为之服丧。例如，臣为国君的亲属，妾子为嫡母之亲属。③有从有服而无服：对于死者本应服从服，但由于厌降的原因而不得服从服。郑玄举例说："公子为其妻之母。"公子，即国君之庶子。孔颖达疏云："公子为其妻之父母，其妻为本生父母期，而公子为君所厌（yā，公子为国君之尊所压抑），不得服从，是妻有服而公子无服，是从有服而无服。"④有从无服而有服：对于死者本来没有从服而变为有从服。郑玄举例说："公子之妻为公子之外兄弟。"外兄弟，指远房兄弟。公子厌于国君之尊，于远房兄弟无服，而公子之妻要为远房兄弟服从服。⑤有从重而轻：本应跟着服重服而实际上却服轻服。例如，妻为其娘家父母服齐衰期，为重；而丈夫为其岳父母仅服缌麻，是轻。⑥有从轻而重：本应跟着服轻服而实际上却服重服。例如，国君之庶子为其生母仅仅头戴练冠，葬后即除，是轻；而庶子之妻却要为庶子之生母服齐衰期，是重。按：孙希旦说："'从服有六'，实不外乎属从、徒从而已。其下四者，皆属从之别者也。"

[译文]

从服又可分为六种：第一种是属从，即因亲属关系而为死者服丧，如儿子跟从母亲，为母亲的娘家人服丧；第二种是徒从，即非亲属而空为之服丧，例如臣子为国君的家属服丧；第三种是本来有从服而变为无服，例如国君的庶子，本来是应跟从其妻为其岳父服丧，但因怕触犯国君禁忌，就不服丧了；第四种是本来没有从服而变为有服，例如国君的庶子不为其母的娘家人服丧，而庶子之妻却要为之服丧；第五种是本应跟着服重服而变为服轻服，例如妻为其娘家父母服齐衰期，为重，而丈夫为其岳父母仅服缌麻，是轻；第六种是本应跟着服轻服而变为服重服，例如国君的庶子为其生母仅仅头戴练冠，葬后即除，而庶子之妻却要为之服齐衰期。

自仁率亲，等而上之至于祖，名曰轻。①自义率祖，顺而下之至于祢，名曰重。②一轻一重，其义然也③。君有合族之道④，族人不得以其戚戚君⑤，位也⑥。

[注释]

　　①自仁率亲三句：从恩情的角度来说，沿着父亲逐代往上推，以至于高祖，丧服越来越轻。仁，谓仁爱、亲情。率，循。亲，指父亲。名曰轻，为父斩衰三年，为祖齐衰一年，为曾祖小功五月，为高祖缌麻三月，是距离自己越远丧服越轻。②自义率祖三句：从道义的角度上来说，沿着高祖逐代往下推，以至于父，丧服越来越重。③其义然也：就应该是这样。义者，宜也。④君：国君。合族：设宴招待族人，以联络情谊。道：此作"义务"解。国君之所以有此义务，是因为国君身兼宗子。⑤以其戚戚君：第一个"戚"谓血缘关系。第二个"戚"是动词，指带来麻烦。⑥位也：这是国君所处的地位决定的。

[译文]

　　从恩情这个角度上讲，沿着父亲逐代上推以至于远祖，那是愈远愈轻；从道义这个角度上讲，沿着远祖逐代下推以至于父庙，那是愈远愈重。这样，远祖在恩情上虽轻，在道义上却重；父亲在恩情上虽重，在道义上却轻。这样的有轻有重，从人情道理上讲也就应该这样。国君身兼宗子，有义务聚合族人宴饮，敦睦族谊，但族人却不可因与国君有血缘关系而以家人之礼对待他，这是国君所处的地位所决定的。

　　庶子不祭①，明其宗②也。庶子不得为长子三年，不继祖也。③别子为祖④，继别为宗⑤，继祢者为小宗⑥。有百世不迁之宗⑦，有五世则迁之宗⑧。百世不迁者，别子之后⑨也。宗其继别子之所自出者⑩，百世不迁者也。宗其继高祖者⑪，五世则迁者也⑫。尊祖故敬宗，敬宗，尊祖之义也。⑬

[注释]

①庶子不祭：谓庶子不祭祖祢（祖庙、父庙）。祭祖祢是嫡长子之事。②明其宗：尊重其嫡长子。③庶子不得为长子三年二句：此二句出自《仪礼·丧服》"斩衰"章。按照《丧服》的规定，父亲为长子三年，但有个条件，父亲必须是嫡长子才可。本句的"庶子"，是指父为庶子。父既为庶子，就不是继承先祖的正体，其长子自然也不是继承先祖的正体，所以，父为庶子不得为其长子服三年之丧。④别子为祖：何谓别子？晋杜预《宗谱》曰："别子者，君之嫡妻之子，长子之母弟也。君命为祖，其则为大宗，常有一主，审昭穆之序，辨亲疎之别，是故百代不迁。别子之弟，子孙无贵贱，皆宜宗别子之子孙。"因为别子不是嫡长子，不能继承君位。但别子亦自有其后裔，其后裔即尊别子为祖。例如，周公是周武王的弟弟，是别子，被封于鲁，即为鲁之始祖。⑤继别为宗：孔颖达云："继别为宗者，谓别子之世世（即世世代代）长子，恒继别子，与族人为百世不迁之大宗。"⑥继祢者为小宗：每一代的大宗之家，除了嫡长子世袭大宗外，还有庶子（嫡长子之弟弟）。这个庶子，对于庶子的继承人来说，就是祢。祢的继承人也是嫡长子，对其后裔来说就是小宗。之所以谓之小宗，是因为相对于百世不迁的大宗来说，五世则迁。⑦有百世不迁之宗：谓大宗。迁，变更。⑧有五世则迁之宗：谓小宗。⑨别子之后：即别子之嫡长子。⑩宗其继别子之所自出者：朱熹认为"之所自出"四字是衍字，是。然则"宗其继别子者"，即以别子之嫡长子为宗也。⑪宗其继高祖者：即以继高祖者为宗。小宗有四：一、继祢之宗，亲兄弟宗之；二、继祖之宗，同堂兄弟宗之；三、继曾祖之宗，再从兄弟宗之；四、继高祖之宗，三从兄弟宗之。《大传》曰："继祢者为小宗。"又曰："宗其继高祖者，五世则迁者也。""继祢"言其初，"继高祖"言其终，举初、终而四宗备。自此而上，则亲尽服绝而宗迁矣。⑫五世则迁：从己身算起，由己而父，由父而祖，由祖而曾祖，由曾祖而高祖，凡四世。在往上追溯，则五世亲尽服绝，宗亦迁移。⑬尊祖故敬宗三句：为了尊祖，所以敬宗。敬宗的意义，也正在于尊祖。祖，谓始祖。宗，谓大宗。大宗是始祖的正体。

[译文]

庶子不祭祖祢，这表明祭祖祢的事情应该由宗子来做。做父亲的是庶子，就不能为其长子服丧三年，因为庶子不是祖祢的继承人。别人为其后裔之始祖，继承别子的嫡长子是大宗，继承别子之庶子是小宗。有百世不迁之宗，即大宗；有五世则迁之宗，即小宗。百世不迁的大宗，就是别子的嫡长子那一支。继承别子的嫡长子那一支，就是百世不迁的大宗。只能继承高祖的宗，是五世则迁的小宗。因为尊祖，所以才尊敬嫡长子，而尊敬嫡长子，也就是等于尊祖。

有小宗而无大宗者，有大宗而无小宗者，有无宗亦莫之宗者①，公子是也②。

[注释]

①有小宗而无大宗者三句：朱熹曰："谓如人君有三子，一嫡而二庶，则庶宗其嫡，是谓'有大宗而无小宗'；皆庶，则宗其庶长，是谓'有小宗而无大宗'；止有一人，则无人宗之，己亦无人宗焉，是谓'无宗亦莫之宗'也。"（《朱子语类》卷八七）②公子是也：谓公子才有以上三种情况。公子，郑玄注："谓先君之子，今君昆弟。"

[译文]

诸侯公子的宗法，第一种是只有小宗而无大宗，第二种是只有大宗而无小宗，第三种是无人可为己宗，也无人以己为宗，这就是诸公子宗法的情况。

公子有宗道①：公子之公，为其士大夫之庶者，宗其士大夫之适者②，公子之宗道也。

[注释]

①公子有宗道：公子有这样的宗法。②公子之公三句：意谓由国君为其异母兄弟之为士大夫者立一个宗子，这个宗子就是国君的同母弟。公子之公，即公子之国君。其士大夫之庶者，即国君的异母兄弟之为士大夫者。其士大夫之适者，即国君的同母弟之为士大夫者。这实际上是在进一步解释上一节的

"有大宗而无小宗者"一句。

[译文]

诸侯的公子有这样的宗法，即由国君立一个同母弟作为其余被封为士大夫的异母弟的宗子，这就是公子的宗法。

绝族无移服，亲者属也。①

[注释]

①绝族无移服二句：出自《仪礼·丧服传》，但意思变了。在《丧服传》中，是出妻（即被休回娘家的妻）之子可以为母服齐衰期，但为外祖母就无服了。原因就是和外祖母家的恩义已经断绝，而和母亲的天生的联系却是无法分离的。这里的意思是，本族之内，出了五服的族人，恩义已绝，就不再互相为服了。至于没有出五服的族人（即亲者），则按照其所属亲疏等级，该穿什么丧服就穿什么丧服。移，延及。

[译文]

出了五服的族人，恩义已经断绝，就不能再彼此互相挂孝。至于五服以内的亲属，该咋服丧还咋服丧。

自仁率亲，等而上之至于祖；自义率祖，顺而下之至于祢。①是故人道亲亲也。②亲亲故尊祖③，尊祖故敬宗④，敬宗故收族⑤，收族故宗庙严⑥，宗庙严故重社稷⑦，重社稷故爱百姓⑧，爱百姓故刑罚中⑨，刑罚中故庶民⑩安，庶民安故财用足，财用足故百志成⑪，百志成故礼俗刑⑫，礼俗刑然后乐⑬。《诗》云："不显不承，无斁于人斯。"⑭此之谓也。

[注释]

①自仁率亲四句：注见上文。②是故人道亲亲也：所以人际关系以亲亲为出发点。亲亲，热爱自己的亲属。③祖：谓始祖。亲亲故尊祖，有饮水思源之义。④宗：谓大宗。因为大宗是始祖的正体。⑤收族：谓以上下尊卑、亲疏远近之序团结族人。《仪礼·丧服》："大宗者，收族者也。"郑玄注："收族

者,谓别亲疏,序昭穆。"⑥宗庙严:宗庙让人感到尊严。此"宗庙",谓大宗之宗庙。⑦重:重视。社稷:此谓国家。⑧百姓:百官。⑨中(zhòng):公正。⑩庶民:黎民,万民。⑪百志成:万事如意。⑫刑:通"型",典范,楷模。引申为美好之义。⑬乐:谓举国同乐。⑭《诗》云二句:见《诗经·周颂·清庙》,小序说是"祀文王"之诗。不,通"丕",大也。承,王引之《经义述闻》:"承者,美大之辞,当读为'武王烝哉'之烝。"斁(yì),厌烦。斯,句尾助词。二句大意谓,文王的功德,光耀天下,令人赞美,人们永远怀念他。

[译文]

从恩情上讲,从父亲开始逐代上推以至于远祖,那是愈远愈轻;从道义上讲,沿着远祖逐代下推以至于父庙,那是愈远愈重。由此看来,爱其父母乃是人的天性。爱其父母就必然会尊敬祖先,尊敬祖先就必然会尊敬宗子,尊敬宗子就必然会团结族人,团结族人就必然会宗庙尊严,宗庙尊严就必然会重视社稷,重视社稷就必然会爱护百官,爱护百官就必然会刑罚公正,刑罚公正就必然会百姓安宁,百姓安宁就必然会财用充足,财用充足就必然会万事如意,万事如意就必然会礼俗美好,礼俗美好就必然会导致普天同乐。《诗经》上说:"文王的功德,伟大而令人叹美,人们永远怀念他。"说的就是这个意思。

少仪第十七

[题解]

朱熹《仪礼经传通解》曰:"此篇言少者事长之节。"即卑幼者如何礼貌地对待尊长。

侍坐于君子,君子欠伸,运笏,泽剑首①,还屦②,问日之蚤莫③,虽请退可也。

[注释]

①泽剑首:抚摩剑柄。抚摩时间长了,剑柄上会有汗泽。②还(xuán)屦:尊者脱屦于户内,屦在席侧,所以可旋转屦的方向。③蚤莫:即"早暮"。

[译文]

陪侍君子坐着说话,如果看到君子打哈欠,伸懒腰,转动笏板,抚摩剑柄,旋转鞋头的朝向,讯问时间的早晚,这都是君子困倦的表示,看到这种情形,主动请退是完全可以的。

事君者量而后入,不入而后量;凡乞假于人,为人从事者亦然。然,故上无怨,而下远罪也。

[译文]

向国君提建议,应该在考虑成熟以后再提,不要在提出以后才进行考虑。凡是向人借东西，或者替别人办事，也要这样。唯其这样，才可以既不招致国君怪罪，自己也不至于得罪。

言语之美，穆穆皇皇；朝廷之美，济济①翔翔；祭祀之美，齐齐皇皇②；车马之美，匪匪翼翼③；鸾和④之美，肃肃雍雍。

[注释]

①济济（qí qí）：端重貌。②皇皇：读为"往往"。谓孝子祭祀，心有所系住。③匪匪：读为"腓腓"。马行走不止貌。翼翼：整齐貌。④鸾和：都是车铃。鸾在车衡，和在车轼。

[译文]

言语之美，在于语气平和，言简意深。朝廷之美，在于端庄整齐，举动合礼。祭祀之美，在于谨慎诚恳，心系鬼神。车马之美，在于行进整齐。鸾和之美，在于铃声的清脆和谐。

学记第十八

[题解]

《学记》主要记两个方面：学者应该怎样学，教者应该怎样教。它对我国先秦时期的教育和教学第一次从理论上做了全面、系统的总结，可资后世借鉴者甚多。

发虑宪①，求善良②，足以谀闻③，不足以动众④；就贤体远⑤，足以动众，未足以化民。君子如欲化民成俗，其必由学⑥乎！

[注释]

①发虑宪：犹言开动脑筋。俞樾《古书疑义举例》认为"虑"与"宪"是同义词，都是思虑之义。虑之思义易知，而宪之思义难晓。孔子弟子原宪，字子思，其名与字相应，可证宪亦思也。②求善良：招致善良之士。③足以谀（xiǎo）闻：足以使自己小有声誉。④动众：动员大众。⑤就贤体远：礼贤下士，体恤远人。⑥学：此谓学校。

[译文]

开动脑筋，招致善良之人，这样做虽然能够使自己小有声誉，但还不足以感动群众。礼贤下士，体恤远人，这样做虽然能够感动群众，但还不足以改造民心。统治者如果想要改造民心，移风易俗，恐怕一定要从教育入手吧！

玉不琢，不成器；人不学，不知道。是故古之王者，建国君民，教学为先。《兑命》曰："念终始典于学。"①其此之谓乎！

[注释]

①《兑（yuè）命》：即《说命》，《尚书》篇名。念终始典于学：意谓人君应自始至终经常地考虑学校问题。

[译文]

玉不经过雕琢，就不会成为有用之器；人不经过学习，就不明白道理。因此，古代帝王建立国家，统治人民，都把办学校放在第一位。《尚书·说命》篇上讲："要自始至终经常地考虑学习问题。"说的就是这个意思吧！

虽有嘉肴，弗食，不知其旨①也；虽有至道②，弗学，不知其善也。是故学然后知不足，教然后知困。知不足，然后能自反③也；知困，然后能自强也。故曰：教学相长④也。《兑命》曰："学学半。⑤"其此之谓乎！

[注释]

①旨：味美。②至道：最好的道理。③自反：郑玄注："求诸己也。"谓努力上进。④教学相长：教与学是互相促进的。⑤学学半：今《尚书·说命下》作"敩（xiào）学半"，意谓教别人，其中有一半等于是自己学习。敩，教也。

[译文]

虽有美味佳肴，不吃，也就不会知道它的滋味。虽有再好不过的道理，不学，也就不会知道它的好处。所以，只有通过学习，然后才能发现自己的不足；只有通过教别人，然后才能发现自己还有哪些地方尚未弄懂。知道了自己的不足，然后才能努力上进；知道了自己还有哪些地方尚未弄懂，然后才能发愤自强。所以有句话说：教和学是互相促进的。《说命》上说："教别人，其中有一半等于是自己学习。"说的就是这个意思吧！

古之教者，家有塾①，党有庠②，术③有序，国④有学。比年入学⑤，中年考校⑥。一年，视离经辨志。⑦三年，视敬业乐群⑧。五年，视博习亲师⑨。七年，视论学取友⑩，谓之小成⑪。九年，知类通达⑫，强立而不反⑬，谓之大成。夫然后足以化民易俗，近者说⑭服，而远者怀之。此大学之道⑮也。《记》曰："蛾子时术之。"⑯其此之谓乎！

[注释]

①塾：最基层学校名。孔颖达说："《周礼》百里之内，二十五家为闾，同共一巷，巷首有门，门边有塾。"同闾之民，就学于塾。②庠：党的学校名。《周礼》，500家为一党。③术（suì）：通"遂"。《周礼》，12 500家为一遂。遂的学校叫做序。④国：国都。⑤比年入学：每年都有新生入学。⑥中年：间岁，每隔一年。考校（jiào）：考核。⑦一年，视离经辨志：一年，谓第一学年结束时。视，考查。离经，把经文句子断开的能力。辨志，辨别其志向所趋。⑧敬业乐（yào）群：专心于学业和向优秀的同学学习。⑨博习亲师：广博学习，亲近师长。⑩论学：在学习上有没有自己的见解。取友：和什么样的人交友。⑪小成：通过七年考核的名称。⑫知类通达：触类旁通。⑬强立而不反：临事不惑，不违背师训。⑭说：古"悦"字。⑮大学之道：此谓大学施教的步骤。⑯《记》曰句：这是《学记》作者所引的旧记。蛾（yǐ）子时术之：小蚂蚁时时向大蚂蚁学习衔泥，时间长了，也能积土成堆。蛾，古"蚁"字。术，学习。

[译文]

古时教学的地方，25家有一塾，一党有一庠，一遂有一序，国都则有学。每年都有新生入学，每隔一年进行一次考核。第一学年结束，考核学生的经文句读能力，辨别其志向所趋。第三学年考核学生是否专心学业和能否向优秀学生看齐。第五学年考核学生是否广博学习，亲近师长。第七学年考核学生能否在学术上有自己的见解，以及能否选择好人与之为友；如果考核通过，就叫做"小成"。第九学年考核学生能否触类旁通，临事不惑，不违背师训；如果考核通过，就叫做"大成"。到了这个时候，才能够改造民心，移风易俗，使近处的人心悦诚服而远处的人愿意归服。这就是大学教育的步骤。古书上说："小蚂蚁时时向大蚂蚁学习衔泥，时间长了，也能积成土堆。"大概说的就是这个意思吧！

大学始教①，皮弁祭菜②，示敬道也③；《宵雅》肄三④，官其始也；入学鼓箧⑤，孙其业也⑥；夏、楚二物⑦，收其威也；未卜禘不视学⑧，游其志也⑨；时观而弗语⑩，存其心也⑪；幼者听而弗问⑫，学不躐等⑬也。此七者，教之大伦⑭也。《记》曰："凡学，官先事，士先志。⑮"其此之谓乎！

[注释]

①大学始教：大学开学时。②皮弁祭菜：（学生们）穿上皮弁服，用芹藻等物祭祀先圣先师。皮弁，冠名，用白鹿皮制成。这里是指配合皮弁穿的整套礼服，即上身素衣、下身素积，外加缁带、素韠。③示敬道也：表示对先圣先师的崇敬。④《宵雅》肄三：让学生习唱《诗经·小雅》中的《鹿鸣》、《四牡》、《皇皇者华》三篇。宵，通"小"。肄，练习。孙希旦说："此三篇皆君之所以燕乐其臣，而臣之所以服事其君者，故以入官之道示之于入学之始，使知学之当为用于国家也。"⑤入学鼓箧：入学时，首先击鼓警众，然后再让学生从书箧中取出要讲的书。⑥孙其业也：这是为了让学生恭顺地对待学业。孙，通"逊"，恭顺。⑦夏（jiǎ）：通"榎"，木名，即楸树，可制教鞭，用以体罚学生。楚：荆条，亦用以体罚学生。⑧未卜禘不视学：没有按照占卜的吉日举行大祭之前，领导人不到学校视察考校。⑨游其志也：孔颖达说："欲优游纵闲学者之志。"大意是让学生在宽松的气氛中随意读书。⑩时观而弗语：教师要经常观察学生，但不要动辄就叮咛告语。⑪存其心也：郑玄注："使之悱悱愤愤，然后启发也。"换言之，让学生自己发现问题来问，然后予以启

发。⑫幼者听而弗问：学生有问题，应该推选年龄大的来问，年龄小的不要来问，只管听老师的解答就行了。⑬学（xiào）不躐等：教育学生要循序而进，不可逾越等级。郑玄注："学，教也。"⑭大伦：重要的道理。⑮凡学三句：凡是教学，对于当官的先教以事，对于学子先教以志。

[译文]

大学开学之时，学生们要穿上皮弁服，用芹藻等物祭祀先圣先师，以表示对先圣先师的崇敬。当祭祀时，让学生们习唱《小雅》中的《鹿鸣》、《四牡》和《皇皇者华》三篇，以使他们从一开始就明白读书要为国家服务的道理。入学以后，由有关官员击鼓把学生召集在一起，然后才打开书箱发放书籍，这是为了让学生恭顺地对待学业。用榎、楚制作的两种教鞭，是为了让偷懒和违纪的学生知所畏惧。在没有举行禘祭之前，领导者不考校学生的学业，以便学生能安下心来。教师要对学生经常辅导，但不要动辄叮咛告语，以培养学生独立思考的能力。年幼的学生应该只管听讲，不要乱问，因为老师知道因年龄而施教的道理。以上七条，就是教学的大道理。古书上说："凡学习，若学为官，则先教以居官之事。若学为士，则先教以士应有的志尚。"大概说的就是这个意思吧！

大学之教也，时①。教必有正业②，退息必有居③。学，不学操缦④，不能安弦⑤；不学博依⑥，不能安《诗》；不学杂服⑦，不能安礼；不兴其艺⑧，不能乐学。故君子之于学也，藏焉，修焉，息焉，游焉⑨。夫然，故安其学而亲其师，乐其友而信其道，是以虽离师辅而不反也⑩。《兑命》曰："敬孙务时敏，厥脩乃来。"⑪其此之谓乎！

[注释]

①时：指按照时序来安排课程。《王制》："春秋教以《礼》《乐》，冬夏教以《诗》《书》。"②教必有正业：教的课程都是先王留下的经典。言外之

意,诸子百家就不够格。③有居:有固定的居处。④操缦:郑玄注:"杂弄。"盖谓先用一些小调来做指法练习。⑤安弦:善于琴弦。引申为弹奏得好。安,善于。⑥博依:郑玄注:"博依,广譬喻也。"《诗》有六义:风、雅、颂、赋、比、兴。其中的比、兴两种创作手法,都和譬喻有关。⑦杂服:郑玄注:"冕服、皮弁之属。"盖谓各种场合所穿的服装。⑧不兴其艺:不高兴这门课程。⑨藏焉,修焉,息焉,游焉:孔颖达说:"为学之法,恒使业不离身。藏,谓心常怀抱学业也。修,谓修习不废也。息,谓作事倦息之时而亦有学也。游,谓闲暇无事游行之时亦在于学。言君子于学无时暂替也。"⑩师辅:老师和朋友。不反:不违背正道。⑪《兑命》曰二句:见今《尚书·说命下》,文字小异。大意谓:学者不仅恭敬谦逊,而且务及时而敏疾,他所修的学业就会成功。

[译文]

大学的教育,是按照时序来安排课程的。教授的内容都是先王遗留的经典,学生在课后休息时一定要常常温习。学习的方法:如果不先拿一些小调来练习指法,也就不能学好弹奏瑟琴;如果不广泛地学习譬喻,也就不能学好《诗经》;如果不从洒扫应对这类琐碎小事学起,也就不能学好礼仪;如果对所学课程缺乏兴趣,也就不会高高兴兴地去学。所以,君子在对待学习这个问题上,到学校来就认真学习,放学以后也不丢到脑后。做到了这一步,就能够学好功课,尊敬老师,团结同学,信奉真理。因此,即令是离开了师友而一人独处,也不会有任何违背师训的行为。《尚书·说命》上讲:"恭敬谦逊,敏疾从事,其所修学业就一定能成功。"大概就是说的这个意思吧!

今之教者,呻其佔毕①,多其讯言②,及于数进而不顾其安③,使人不由其诚,教人不尽其材④。其施之也悖,其求之也佛。⑤夫然,故隐其学⑥而疾其师,苦其难而不知其益也,虽终其业,其去之必速⑦。教之不刑⑧,其此之由乎!

[注释]

①呻其佔（shān）毕：犹言照本宣科。呻，呻吟，拉长声调地读。王引之《经义述闻》云：佔，通"笘"，竹简。毕，也是竹简。②多其讯言：王引之说："讯，通'谇'，告知。多其讯言，犹云多其告语，谓不待学者之自悟而强语之。"然则犹今日所谓填鸭式教学也。③及于数进而不顾其安：汲汲于追求快速的进度而不顾学生是否能够接受。及，通"汲"，汲汲也。数，通"速"，快速。此王引之说。④使人不由其诚二句：教学生是信不由衷，也不是把全部知识都传授。⑤其施之也悖二句：做教师的施教方法违背科学，做学生的求知也难于达到目的。佛（fú），通"拂"，违背。⑥隐其学：厌恶其学习。此王引之说。⑦虽终其业二句：虽然勉强把学业学到了头，但所学的东西很快就忘掉了。⑧刑：成功。

[译文]

今天的教师，只知拉长声调地照本宣科，不等学生发问，一味填鸭式地灌输，贪求进度，而不管学生是否能够接受，教人时也缺乏诚意，不能考虑因材施教。教师的教法既然违反科学，学生的求学也就难于达到目的。这样的结果，就造成了学生厌恶学习，怨恨老师，只感到学习的困难枯燥，而不知究竟能从中得到什么好处，虽然勉勉强强地毕了业，但所学的知识容易忘得一干二净。教育之所以不成功，大概就是这个原因吧！

大学之法，禁于未发之谓豫①，当其可之谓时②，不陵节而施之谓孙③，相观而善之谓摩④。此四者，教之所由兴也。发然后禁，则扞格而不胜⑤；时过然后学，则勤苦而难成；杂施而不孙，则坏乱而不脩；⑥独学而无友，则孤陋而寡闻；燕朋逆其师⑦；燕辟⑧废其学。此六者，教之所由废也。

[注释]

①禁于未发之谓豫：在错误思想尚未露头时就予以禁止叫做防患于未然。②当其可之谓时：在学生适当可告之时予以教育叫做正当其时。朱熹说："当

其可,谓适当其可告之时。"③不陵节而施之谓孙(xùn):对年长的学生和对年幼的学生施以不同的教育叫做因材施教。郑玄注:"不陵节,谓不教长者才者以小,教幼者钝者以大也。施犹教也。"孙,同"逊",顺也。④相观而善之谓摩:让学生互相观摩取长补短叫做切磋琢磨。用朱熹说。⑤扞(hàn)格而不胜:遇到抵触而不起作用。⑥杂施而不孙二句:把对年长学生的教育施于年幼者,或把对年幼学生的教育施于年长者,就会导致混乱的效果而不可收拾。⑦燕朋逆其师:学生结交匪类就会蔑弃师训。朱熹说:"此燕朋是私亵之友,所谓'损者三友'之类。"⑧燕辟:闲逛漫游,染上不良习气。陈澔集说:"燕游邪僻,必惑外诱,得不废其业乎?"

[译文]

大学的教育方法:在学生的错误想法还没有露出苗头时就能够加以禁止,这叫防患于未然。当学生正好处于可以教导的年龄而给予教导,这叫合乎时宜。按部就班地施教,这叫做循序渐进。使学生互相观摩取长补短,这叫切磋琢磨。这四条,是使教育成功的方法。错误想法已经露出苗头才想法禁止,就会很被动,作用也不大。适于教导的年龄已经错过这才加以教导,就会导致工夫虽然下得很大但也难以见效。杂乱无章地施教而不循序渐进,就会破坏教学而无法收拾。单独学习而没有朋友来切磋,就会孤陋寡闻。结交不好的朋友就会蔑弃师训。染上不良的嗜好,就会荒废学业。这六条,是使教育失败的原因。

君子既知教之所由兴,又知教之所由废,然后可以为人师也。故君子之教喻①也,道而弗牵②,强而弗抑③,开而弗达④。道而弗牵则和⑤,强而弗抑则易⑥,开而弗达则思⑦。和易以思,可谓善喻⑧矣。

[注释]

①教喻:教育诱导。②道而弗牵:引导而不强迫。道,通"导"。③强而弗抑:鼓励而不压抑。④开而弗达:启发而不说透。⑤和:谓师生关系和谐。

⑥易：谓学习起来容易。⑦思：谓学生用心思考。⑧善喻：善于诱导。

[译文]

君子既然知道教育之所以成功的方法，又知道教育之所以失败的原因，然后才可以做他人的老师。所以，君子对学生的教育和诱导，引导而不强迫，鼓励而不压抑，启发而不说透。引导而不强迫，就能使师生关系和谐；鼓励而不压抑，学生在学校时就感到比较容易；启发而不说透，学生就能够用心思考。能做到师生关系和谐、使学生感到易学以及学生能用心思考，可以称得上是善于教育诱导了。

学者有四失，教者必知之。人之学也，或失则多①，或失则寡②，或失则易③，或失则止④。此四者，心之莫同也。⑤知其心，然后能救其失也。教也者，长善⑥而救其失者也。

[注释]

①或失则多：有的失于才具浅薄而一味贪多。②寡：才具宏大而浅尝辄止。③易：孔颖达说："此是'学而不思则罔'。"④止：孔颖达说："此是'思而不学则殆'。"⑤此四者二句：之所以有此四种过失，是由于人的个性不同的缘故。心，个性。⑥长（zhǎng）善：使学生的优点增加。长，动词的使动用法。

[译文]

学生有四种过失，当老师的不可不知。他们在学习的时候，有的失于才识浅少而一味贪多，有的失于才识宏大而浅尝辄止，有的失于学而不思，有的失于思而不学。之所以有此四种过失，是由于人的个性不同的缘故。了解了每个人的个性，然后才能对症下药帮助其改正。作为老师，其责任本来就是培养学生身上的优点而帮助其改正缺点。

善歌者使人继其声，善教者使人继其志。其言也约而达①，微而臧②，罕譬而喻③，可谓继志矣。

[注释]

①其言也约而达：教师的语言辞简而意明。②微而臧：道理深奥而解说精妙。臧，善。③罕譬而喻：少用比喻而能使人明白。

[译文]

打个比方来说，善于唱歌的人，能使人听了他唱后深受感动，以至于情不自禁地跟着他唱。同样道理，善于教学的人，能使人深受启发，以至于使人自然而然地接受其观点。他的讲解，辞简而意明，道理深奥而解释精妙，比喻虽少而使人易懂，做到这一地步，可以说是善于引导学生接受其观点了。

君子知至学之难易①，而知其美恶②，然后能博喻③，能博喻然后能为师，能为师然后能为长④，能为长然后能为君。故师也者，所以学为君也。是故择师不可不慎也。《记》曰："三王、四代唯其师。⑤"此之谓乎！

[注释]

①君子：此谓教师。至学之难易：孙希旦说："谓学者入道之深浅次第。"②知其美恶：知道学生资质的高低。③博喻：多方设法使人晓喻。④为长：做官。⑤三王、四代唯其师：三王四代无不以择师为重。孔颖达说："三王，谓夏、商、周；四代，则加虞也。"

[译文]

君子知道学生求学的深浅次第，又知道学生资质的高低，然后才能多方设法晓喻，能多方设法晓喻然后才能做老师，能做老师然后才能做官，能做官然后才能做国君。由此看来，所谓老师，就是跟着他学做国君的人。因此，选择老师不可不慎。古书上说："虞、夏、商、周四代无不慎重择师。"说的就是这个意思吧！

凡学之道，严①师为难。师严然后道尊，道尊然后民知敬学。是故君之所不臣于其臣②者二：当其为尸③则弗臣也，当其为师则弗臣也。大学之礼，虽诏④于天子，无北面⑤，所以尊师也。

[注释]

①严：郑玄注："尊敬也。"②不臣于其臣：不以其臣为臣。③尸：古代祭祖时，代替已故先人接受祭祀的人。④诏：告也。谓给天子讲课时。⑤北面：面向北。古代臣子见君，臣北面，君南面。此处"无北面"，意味着不行臣子之礼。

[译文]

人们在学习的过程中，尊师这一条最难做到。只有师尊，然后才能重道。只有重道，然后人民才会恭敬地学习。所以，国君不以对待臣下的礼节来对待其臣下的情况有两种：一种是当其为尸之时，国君不以臣礼对待；一种是当其为师之时，国君不以臣礼对待。大学中的礼节，即令是给天子讲课，也不面北而立，就是为了表示尊敬老师。

善学者，师逸而功倍，又从而庸之①；不善学者，师勤而功半，又从而怨之。善问者如攻坚木②，先其易者，后其节目③，及其久也，相说以解④；不善问者反此⑤。善待问者如撞钟⑥，叩之以小者则小鸣，叩之以大者则大鸣，待其从容，然后尽其声；⑦不善答问者反此。此皆进学⑧之道也。

[注释]

①庸之：谓归功于师。庸，功劳。②攻坚木：治理（劈砍）坚硬的木料。③后其节目：然后劈砍那些疙里疙瘩部分。节目，此处比喻难懂的问题。④相说（tuō）以解：孙希旦说："谓彼此相离脱而解也。"意谓那些疙里疙瘩部分也被劈掉了。⑤反此：与此相反。⑥善待问者：善于等待学生发问的教师。如

撞钟：好比撞钟。这是隐喻。老师是钟，学生是撞者。⑦叩之以小者则小鸣四句：意谓你轻轻地撞，我就小声地鸣；你用力地撞，我就大声地鸣；等到你从容不迫地撞，我就一五一十原原本本地予以回答，就像余韵悠扬的钟声。⑧进学：增进学问。

[译文]

善于学习的人，老师虽然安闲而学生学到的东西却是加倍，学生还把功劳归于老师。不善于学习的人，老师尽管勤苦而学生学到的还不及所教的一半，学生还都怨恨老师。善于提出问题的人就好比砍劈坚硬的木头，先砍劈容易砍劈的地方，而把难于砍劈的疙疙瘩瘩部分放在后面砍，时间长了，那些疙疙瘩瘩也就砍开了。不善于提出问题的人则与此相反。善于回答问题的人就好比撞钟一样，你轻轻地撞，我就小声地鸣；你用劲地撞，我就大声地鸣；你从容不迫地撞，我的回答娓娓道来也就像钟声的余韵一样悠扬。不善于回答问题的人则与此相反。这些都是增进学问的方法。

记问之学①，不足以为人师，必也其听语乎②！力不能问，然后语之；③语之而不知，虽舍之可也。④

[注释]

①记问之学：郑玄说："记问，谓豫诵杂难杂说，至讲时为学者论之。此或时师不心解，或学者所未能问也。"意谓先东拼西凑地读一些连自己也并非真懂、学生也无法发问的杂学。②必也其听语乎：配当老师的一定是那些对学生提出的各种疑问能够随意做出回答的人。孙希旦说："听语，谓听学者之问，而因而语之，所谓'小叩小鸣，大叩大鸣'是也。"③力不能问二句：如果学生的水平还提不出疑问，老师就应该讲给他听。④语之而不知二句：如果讲给他听，他还不懂，那就暂时把他丢开，以后再说。郑玄注："舍之，须后。"

[译文]

东拼西凑地记住一些连自己也没有弄懂的学问，这样的人是不配做教师的。做教师的一定要能根据学生提出的疑问随意做出回答。如果学生的才力还提不出疑问,这时候老师应该讲给他听。讲给他听,他还不懂,那就只好暂时把他丢开,以待将来。

良冶之子,必学为裘;①良弓之子,必学为箕。②始驾马者反之,车在马前。③君子察于此三者④,可以有志于学矣。

[注释]

①良冶之子二句:世世代代以铁匠为业之家,其子弟一定会学好制裘的本领。为什么?孔颖达解释说:"冶,谓铸冶。积习善冶之家,其子弟见其父兄世业陶铸金铁,使之柔合,以补治破器,皆令全好,故此子弟仍能学为袍裘,补续兽皮,片片相合,以至完全也。"②良弓之子二句:世世代代制弓之家,其子弟一定会学好编织畚箕的本领。箕,柳条。制弓须要将弓身弯曲,编织畚箕须要将柳条弯曲,二者也有相似之处。③始驾马者反之二句:刚开始学习驾车的小马,一定要把它系在车后,让它跟在驾车的老马后面观察学习一段时间。④此三者:指上文的三个比喻。孔颖达说:"三事皆须积习,非一日所成。君子察此三事之由,则可有志于学矣。"

[译文]

世世代代以铁匠为业之家,其子弟一定会学好缀皮为裘的本领。世世代代制弓之家,其子弟一定会学好编畚箕的本领。刚开始学驾车的小马,一定要先把它系在车的后面,让它跟在老马后面观察学习一段时间。君子如果能够认真观察这三件事,就可以树立起学习的信心。

古之学者,比物醜类①。鼓无当于五声,五声弗得不和。②水无当于五色,五色弗得不章。③学无当于五官,五官弗得不治。④师无当于五服,五服弗得不亲。⑤

[注释]

①比物醜类:谓连系同类事物,进行排比归纳。郑玄注:"醜犹比也。"

朱熹说："今详大意，此句合属上章，仍有阙文。"②鼓无当于五声二句：鼓声不属于五声中的任何一声，但五声里面没有鼓声的调节就不会和谐。五声，宫、商、角、徵、羽。③水无当于五色二句：水不属于五种颜色中的任何一种，但五色没有水的调和就不会鲜明。五色，青、赤、黄、白、黑。④学无当于五官二句：学问不属于五官中的任何一官，但五官没有学问就不会把事办好。五官，《礼记·曲礼下》："天子之五官：曰司徒、司马、司空、司士、司寇。"⑤师无当于五服二句：老师不属于五服亲属中的任何一服，但没有老师的教导，五服中的人们就不会知道谁与谁亲。五服，斩衰、齐衰、大功、小功、缌麻，是按照血缘关系远近制定的五种丧服。

[译文]

古代的学者，通过对事物的比较而将其归并为一类。例如，鼓声不属于五声中的任何一种，但是没有鼓声的调节五声就不会和谐；水不属于五色之中的任何一色，但是没有水的调和五色就不会鲜明；有学问并不等于有了什么官，但无论做什么官没有学问就办不好事；老师不属于五服亲属中的任何一种，但是如果没有老师讲明道理，恐怕人们还不知道谁与谁亲。

君子曰："大德不官①，大道不器②，大信不约③，大时不齐④。"察于此四者，可以有志于本矣。⑤三王之祭川也，皆先河而后海，或源也，或委也，此之谓务本。⑥

[注释]

①大德不官：具有最高道德的人，不局限于只胜任某一具体官职。②大道不器：放之四海而皆准的真理不局限于只说明某一具体问题。③大信不约：最大的诚信，不须要用任何发誓赌咒来约束。④大时不齐：孙希旦说："谓天之四时，寒暑错行，未尝齐一，而卒未尝有所违也。"⑤察于此四者二句：孔颖达疏云："若能察此四者，谓不官为群官之本，不器为群器之本，不约为群约之本，不齐为群齐之本。言四者莫不有本，人亦以学为本也。"⑥三王之祭川也五句：夏商周三代的天子在祭川的时候，都是先祭河，后祭海，因为河是

海之源，海是河之委，这就叫做务本。

[译文]

古代的君子说："具有最高道德的人，不局限于只胜任某一具体的官职。放之四海而皆准的道理，不局限于只说明某一具体问题。最大的诚信，不需要用任何发誓赌咒来约束。天时运行，四季交替，并非说冷都冷，说热都热。"考察了这四种情况，也就可以坚定以学为本的志向了。夏、商、周三代的天子在祭川的时候，都是先祭河而后祭海，河是海水之源，海是河的末尾，这就叫做务本。

乐记第十九

[题解]

乐的概念，古今有异。本篇所谓之乐，包括诗歌、音乐、舞蹈在内。本篇记乐的产生原因，乐的社会功能，乐与礼的相辅相成关系，乐与和的关系，等等，都具有重要的理论意义，并产生了深远的影响。

凡音之起①，由人心②生也。人心之动，物③使之然也。感于物而动，故形于声④。声相应，故生变⑤。变成方，谓之音⑥。比音而乐之，及干戚、羽旄，谓之乐。⑦

[注释]

①起：产生。②心：思想感情。古人以为心是思考的器官。③物：外物。④故形于声：郑玄注："宫、商、角、徵、羽，杂比曰音，单出曰声。形犹见也。"按：宫、商、角、徵、羽，古称五声，略等于现代音乐简谱上的 1（do） 2（re） 3（mi） 5（sol） 6（la）。所谓"杂比"，即将宫、商、角、徵、羽混杂排列。"形犹见也"之"见"，是古"现"字，表现。⑤声相应二句：郑玄注："乐之器，弹其宫则众宫应，然不足乐，是以变之使杂也。"然则句意盖谓仅仅同声相应还不足以构成音乐，所以要产生变化。这个"变"，就是杂比。⑥变成方二句：杂比的结果，成了动听的曲子，就叫做音。孔颖达疏："音则今之歌曲也。"⑦比音而乐之三句：郑玄注："干，盾也；戚，斧也，武舞所执也。羽，翟羽也；旄，旄牛尾也，文舞所执。《周礼》舞师、乐师掌教

舞,有兵舞,有干舞,有羽舞,有旄舞。"此三句意谓将这些歌曲排比起来,配以乐器的演奏,再加上手执干戚、羽旄的舞蹈动作,这就叫做乐。

[译文]

大凡音的产生,都是出于人类有能够产生思想感情的心。人类思想感情的变动,是外界事物影响的结果。受外界事物的影响,人的思想感情产生了变动,就会用"声"表现出来。声非一种,其中有同有异。同声相应,异声相杂,于是产生错综变化。把这种错综变化的声按照一定的规律表现出来,就叫做歌曲。把这些歌曲按照顺序加以演奏,再加上武舞和文舞,这就叫做乐。

乐者,音之所由生也,①其本在人心之感于物也②。是故其哀心感者,其声噍以杀;③其乐心感者,其声啴以缓④;其喜心感者,其声发以散⑤;其怒心感者,其声粗以厉⑥;其敬心感者,其声直以廉⑦;其爱心感者,其声和以柔⑧。六者,非性也,⑨感于物而后动。是故先王慎所以感之者。⑩故礼以道⑪其志,乐以和其声⑫,政以一其行⑬,刑以防其奸。礼、乐、刑、政,其极⑭一也,所以同民心而出治道⑮也。凡音者⑯,生人心者也。情动于中,故形于声。⑰声成文⑱,谓之音。是故治世之音安以乐⑲,其政和⑳;乱世之音怨以怒㉑,其政乖㉒;亡国之音哀以思㉓,其民困。声音之道,与政通矣。㉔

[注释]

①乐者二句:孔颖达疏:"合音乃成乐,是乐由此音而生,故云'乐者,音之所由生也'。"②本:本源。物:外物。③是故其哀心感者二句:所以人的悲哀之心受到了外物的感动,发出的声就急促而衰减。其声,谓人口发出之声。噍(jiāo),急促。以,而。杀(shài),衰减。以下五句句型同此。④啴(chǎn)以缓:宽裕而舒缓。⑤发以散(sǎn):开朗而轻快。⑥粗以厉:粗犷而严厉。⑦直以廉:正直而端方。⑧和以柔:温和而婉柔。⑨六者二句:以上

六种声的发生,并非人心所固有。⑩是故先王慎所以感之者:所以先王十分注意能够影响人心的外物。⑪道:引导。⑫乐以和其声:"声",《说苑·修文》作"性",是。和其性,调和人的性情。⑬一其行:统一人的行动。⑭极:所要达到的目的。⑮出治道:产生治平之道。或曰实现天下大治。⑯凡音者:本节此以下诸"音"字,即孙希旦说:"所谓音,谓民俗歌谣之类,而犹未及乎乐也。"⑰情动于中二句:按《毛诗·大序》:"情动于中,而形于言。"彼言诗,故形于言;此言乐,故形于声。"情动于中"之"中",谓心。⑱文:谓动听的曲子。⑲治世:太平盛世。安以乐:安详而快乐。⑳政和:政治和谐,政通人和。㉑怨以怒:怨恨而愤怒。㉒政乖:政治紊乱。㉓哀以思:悲伤而哀思。㉔声音之道二句:有什么样的政治,就有什么样的声音,故云。

[译文]

从以上可知,所谓"乐",是由音所构成的,而其本源乃在于人心对于外界事物的感受。所以,人心有了悲哀的感受,发出的声音就焦急而短促;人心有了快乐的感受,发出的声音就宽裕而舒缓;人心有了喜悦的感受,发出的声音就开朗而轻快;人心有了愤怒的感受,发出的声音就粗犷而严厉;人心有了崇敬的感受,发出的声音就正直而端方;人心有了爱慕的感受,发出的声音就温和而柔顺。这六种声音并非人们的内心原来就有,而是人们的内心受到外界事物影响才产生的。所以古代圣王十分注意能够影响人心的外界事物:用礼来引导人们的意志,用乐来调和人们的性情,用政令来统一人们的行动,用刑法来防止人们做坏事。用礼、用乐、用政令、用刑罚,手段虽然不同,但其目的是一样的,就是要统一民心而实现天下大治。凡音,皆出于人心。感情激动于心,所以就表现为声。把声组成动听的曲调,就叫做音。所以太平盛世的音,其曲调安详而欢乐,反映了当时政治的和谐;混乱世道的音,其曲调怨恨而愤怒,反映了当时政治的紊乱;亡国之音,其曲调哀伤而深沉,反映了当时人民的困苦。由此看来,声音和政治是相通的:有什么样的政治就有什么样的声音。

宫为君，商为臣，角为民，徵为事，羽为物。①五者不乱，则无怗懘之音矣。②宫乱则荒，其君骄。商乱则陂，其官坏。角乱则忧，其民怨。徵乱则哀，其事勤。羽乱则危，其财匮。③五者皆乱，迭相陵，谓之慢。④如此，则国之灭亡无日矣。

[注释]

①宫为君五句：陈澔《礼记集说》引刘氏曰："五声之本，生于黄钟之律，其长九寸，每寸九分，九九八十一，是为宫声之数。三分损一以下生徵，则去二十七，得五十四也。徵三分益一以上生商，则加十八，得七十二也。商三分损一以下生羽，则去二十四，得四十八也。羽三分益一以上生角，则加十六，得六十四也。角声之数，三分之不尽一算，其数不行，故声止于五。此其相生之次也。宫属土，弦用八十一丝，为最多，而声至浊，于五声独尊，故为君象。商属金，弦用七十二丝，声次浊，故次于君而为臣象。角属木，弦用六十四丝，声半清半浊，居五声之中，故次于臣，而为民象。徵属火，弦用五十四丝，其声清，有民而后有事，故为事象。羽属水，弦用四十八丝，为最少，而声至清，有事而后用物，故为物象。此其大小之次也。"②五者不乱二句：所谓"不乱"，谓其相生之次序和大小之次序不乱。怗懘（zhān chì），败坏，不和谐。③宫乱则荒十句：孔颖达疏云："五音之敝败，则政乱，各有所由也。若宫音乱，则其声放散，由其君骄溢故也。若商音乱，则其声欹斜而不正，由其臣不治于官，官坏故也。若角音乱，则其声忧愁，由政虐，其民怨故也。若徵音乱，则其声哀苦，由繇役不休，其事勤劳故也。若羽音乱，则其声倾危，由君赋重，其民贫乏故也。"荒，放散。陂（bì），倾斜。④五者皆乱三句：如果宫、商、角、徵、羽五者都乱了套，彼此互相凌驾，这时候的音就叫做慢。慢，乱到无以复加之音。

[译文]

宫声代表君，商声代表臣，角声代表民，徵声代表事，羽声代表物。如果这五声不乱，就不会出现不和谐的曲调。如果宫声混乱则其音散漫，象征着国君的骄恣；商声混乱则其音不正，象征着官员的腐败；角声混乱则其音忧伤，象征着百姓的不满；徵声混乱则其音悲哀，象征着百姓的徭役太重；羽声混乱则其音危急，象征着物资匮乏。如果五声皆乱，秩序荡然，那就会奏出所谓的慢音。到了这一地步，国家的灭亡也就不剩几天了。

郑、卫之音，乱世之音也，比于慢矣。①桑间濮上之音②，亡国之音也，其政散③，其民流④，诬上行私而不可止也⑤。

[注释]

①郑、卫之音三句：郑、卫之音是春秋时期郑、卫两国的民间音乐，由于其曲调及表演不同于正统的雅乐，所以被斥为乱世之音，被斥为等同于乱到无以复加之音。比，等同于。②桑间濮上之音：据郑注孔疏，桑间是地名，在濮水之旁。传说殷纣王命师延制作了一套靡靡之乐，不久国亡，师延也在桑间的濮水上投河自杀。后来，卫灵公和师涓去晋国，途经桑间。夜半之时，听到濮水上飘着鼓琴之声，师涓就将其曲谱默记于心。到了晋国，师涓为晋平公演奏这一曲子，师旷不等他奏完，就说："这是亡国之音呀！你一定是从桑间濮上听来的吧！"后世多用为靡靡之音的代称。③政散：政治混乱。④流：流离失所。⑤诬上行私而不可止也：孔颖达疏："君既失政，在下则诬罔于上，行其私意，违背公道，不可禁止也。"

[译文]

郑、卫之音，属于乱世之音，接近于慢音了。桑间濮上之音，属于亡国之音，它反映了国家政治的极端混乱，老百姓的流离失所，统治者的欺上瞒下自私自利而不可救药。

凡音者，生于人心者也。乐者，通伦理者也。是故知声而不知音者，禽兽是也；知音而不知乐者，众庶是也。唯君子为能知乐。①是故审声以知音，审音以知乐，审乐以知政，而治道备矣。是故不知声者不可与言音，不知音者不可与言乐。知乐则几于礼矣。②礼乐皆得，谓之有德。③德者，得也。是故乐之隆，非极音也。食飨之礼,非致味也。④《清庙》之瑟⑤,朱弦而疏越⑥,壹倡而三叹⑦,有遗音者矣⑧。大飨之礼⑨,尚玄酒而俎腥鱼⑩,大羹不和⑪,有遗味者矣⑫。是故先王之制礼乐也,非以极口腹耳目之欲也,将以教民平好恶而反人道之正也。⑬

[注释]

①乐者七句:方愨曰:"伦,言人伦。理,言物理。若君臣上下同听之则莫不和敬,长幼同听之则莫不和顺,父子兄弟同听之则莫不和亲,所谓通人伦也。若草木茂,区萌达,羽翼奋,角骼生,所谓通物理也。君子则通于道者也,故唯君子为能知乐焉。若瓠巴鼓瑟,游鱼出听;伯牙鼓琴,六马仰秣。此禽兽之知音者也。魏文侯好郑、卫之音,齐宣王好世俗之乐,此众庶之知音者也。若孔子在齐之所闻,季札聘鲁之所观,此君子之知乐者也。"②是故审声以知音七句:方愨曰:"声杂而为音,故审声以知音。音比而为乐,故审音以知乐。声音之道与政通,故审乐以知政。此皆由粗以致精,故每言审焉。审声以知音,故不知声者不可与言音;审音以知乐,故不知音者不可与言乐。夫以天地之形言之,则乐隆于礼;以阴阳之理言之,则礼深于乐。所谓知音者,知其礼而已,故言知乐则几于礼也。"几,接近。③礼乐皆得二句:既懂得礼,又懂得乐,那才叫做真懂。④是故乐之隆四句:所以,无论多么隆重的乐,并不是为了极尽听觉上的享受;食飨之礼的供品无论多么丰富,并不是为了达到味觉上的享受。按:食(sì)飨之礼,也就是下文的"大飨之礼",这是在太庙中合祭先王之礼,供品极其丰富。⑤《清庙》之瑟:演奏《清庙》乐章所用的瑟。《清庙》,《诗经·周颂》篇名,是周人祭祀文王时的乐歌。⑥朱弦:用煮过的朱丝做成的弦。煮过以后,弦声就浊。疏越(huó):越是瑟底部的小孔。疏通瑟底之孔则发声迟缓。孔颖达疏:"弦声既浊,瑟音又迟,是质素之声,非要妙之响。"⑦壹倡而三叹:郑玄注:"倡,发歌句也。三叹,三人从叹之耳。"⑧有遗音者矣:这才是先王留传下来的真正的音乐呀!⑨大飨之礼:见本页注④。⑩尚玄酒:尽管祭神的酒类品种很多,而以玄酒为上。玄酒,即水。水色玄,故名。俎腥鱼:以生鱼为俎实。腥者,生也。意谓尽管有牛羊猪可以做俎实而弃之不用。⑪大(tài)羹:煮肉的清汤。汤中既无盐菜,也无佐料,故云"不和"。⑫有遗味者矣:这才是先王留传下来的真正的滋味

呀!⑬是故先王之制礼乐也三句：孔颖达疏云："玄酒、腥鱼、大羹，是非极口腹也。朱弦、疏越，是非极耳目也。教民均平好恶，好者行之，恶者避之，反归人道之正也。"按《礼记·礼器》云："礼也者，反本循古，不忘其初者也。"此节所记，颇有"反本循古，不忘其初"之义。

[译文]

凡音，都是出于人心。而比音高级的乐，则是与社会伦理相通的。所以懂得声而不懂得音为何物的，那就是禽兽；懂得音而不懂得乐为何物的，那是普通百姓。只有君子才懂得乐。所以君子才能从辨别声而进而懂得音，从辨别音而进而懂得乐，从辨别乐而进而懂得政事，于是就有了一整套的治国方法。所以，对于不懂得声的人，就没法和他再进一步谈音；对于不懂得音的人，就没法和他再进一步谈乐。懂得乐的人也就近乎懂得礼了。礼乐都能够懂得，那就叫做有德。德，就是得到的意思。所以，无论多么隆重的乐，并不是为了极尽听觉上的享受；无论多么盛大的食飨之礼，并不是为了极尽味觉上的享受。举例来说，演奏《清庙》乐章所用的瑟，上面是朱色丝弦，下面是稀疏的孔，奏出的声音并不是多么悦耳，一个人领头唱，只有三个人应和，其目的显然不在于追求动听。又如大飨之礼，以水代酒而且放在前列，盘子里放的是生肉生鱼，肉汁也不加任何调料，其目的显然也不在于追求好吃。由此看来，古先圣王制礼作乐，其目的并不是要满足人们口腹耳目的享受，而是要教育人民辨别好坏，回到做人的正道上来。

人生而静，天之性也。感于物而动，性之欲也。①物至知知，然后好恶形焉。②好恶无节于内，知诱于外③，不能反躬④，天理⑤灭矣。夫物之感人无穷，而人之好恶无节，则是物至而人化物⑥也。人化物也者，灭天理而穷人欲者也⑦。于是有悖逆诈伪⑧之心，有淫泆作乱⑨之事。是故强者胁弱，众者暴寡，知者⑩诈愚,勇者苦怯⑪,疾病不养,老幼孤独不得其所。此大乱之道也。

[注释]

①感于物而动二句:郑玄注:"言性不见物则无欲。"孔颖达疏:"感于物而动,性之欲也者,其心本虽静,感于外物而心遂动,是性之所贪欲也。"②物至知知二句:外物之来,人的认识与之交接,就会表现出喜好或厌恶两种态度。至,来。第一个"知"作心智解,第二个"知"作交接解。③知诱于外:心智诱于外物。④反躬:反躬自省。躬,自身。⑤天理:天性。⑥人化物:人性被外物所征服。⑦灭天理:灭掉了天生清净之性。穷人欲:无限制地追求欲望的实现,欲壑难填。⑧悖逆诈伪:犯上作乱,欺诈虚伪。⑨淫泆(yì)作乱:纵欲放荡,胡作非为。⑩知者:即智者。⑪勇者苦怯:勇猛者折磨怯懦者。

[译文]

人生下来是好静的,这是先天赋予的本性。受到外界的影响而变为好动,这是本性受到了引诱。人的认识和外界事物相交接,就会表现为两种态度:喜好或厌恶。喜好或厌恶的态度如果从人的自身得不到节制,再加上对于外界事物的引诱不能自我反省和正确对待,那么人的天性就会完全丧失。本来外界事物就在不断地影响着人,如果再加上人在主观上对自己的好恶反应不加限制,那就等于外界事物和人一接触就把人完全征服了。人被外界事物完全征服,就等于人的天性完全丧失,放纵人欲。人到了这一地步,就会产生犯上作乱、欺诈虚伪之心,就会干出纵欲放荡、胡作非为之事。以至于强者压迫弱者,人多的欺负人少的,聪明人欺负老实人,勇猛者折磨怯懦者,有病的人得不到照顾,老幼孤独者也得不到关怀。这是天下大乱的办法,行不通的。

是故先王之制礼乐①,人为之节②。衰麻哭泣③,所以节丧纪也;钟鼓干戚④,所以和安乐⑤也;昏姻冠笄⑥,所以别男女也;

射乡食飨⑦，所以正交接也。礼节民心，乐和民声，政以行之，刑以防之。⑧礼乐刑政，四达而不悖⑨，则王道备矣。

[注释]

①制礼乐：制礼作乐。②人为之节：为人们制定出节制欲望的办法。③衰（cuī）麻哭泣：有关丧服、哭泣的规定。这方面，可以参看《仪礼·丧服》和《礼记》的《间传》、《三年问》。④钟鼓干戚：钟鼓是乐器，干戚是舞具。⑤和安乐（lè）：孙希旦说："言导之于和，而使之发于声者皆安乐也。"⑥冠笄：古代男子20岁则行冠礼，女子15岁则行笄礼。冠礼、笄礼是男子、女子的成年礼。⑦射：谓乡射礼。详《仪礼·乡射礼》。乡：乡饮酒礼。详《仪礼·乡饮酒礼》和《礼记·乡饮酒义》。食飨：此谓设宴招待宾客。⑧礼节民心四句：用礼来节制民心，用乐来调节民声至于和谐，用政令加以推行，用刑罚加以防范。民声，人民的声音。⑨四达而不悖：礼、乐、刑、政这四个方面的作用都得到发挥而没有梗阻。

[译文]

有鉴于此，古代圣王就制礼作乐，为人们制定出节制的办法：有关丧服、哭泣的规定，这是用来节制丧事的；钟鼓干戚等乐器舞具，这是用来调节安乐的；男大当婚，女大当嫁，这是用来区别男女的；射乡食飨，这是用来规范人们交往的。用礼来节制民心，用乐来调和民性，用政令加以推行，用刑罚加以防范。礼、乐、刑、政，如果这四个方面都得到贯彻而不发生梗阻，也就具备王道政治了。

杂记上第二十

[题解]

郑玄《三礼目录》云："名曰《杂记》者，以其杂记诸侯以下至士之丧事。"本篇所记，有可补《仪礼》之《士丧礼》、《丧服》两篇之未备者。

诸侯行而死于馆，则其复①如于其国。如于道，则升其乘车之左毂②，以其绥③复。其輤有裧④，缁布裳帷，素锦以为屋⑤，而行。至于庙门，不毁墙⑥，遂入，适所殡⑦，唯輤为说⑧于庙门外。

[注释]

①复：招魂。②升其乘车之左毂：象征死于家时的"升屋东荣"。详《丧大记》。③绥（ruí）：通"緌"，旗杆顶端的飘带，以牦牛尾为之。④輤（qiàn）：载尸车的布制棚盖。裧（chān）：棚盖四周下垂的缘边。⑤屋（wò）：古"幄"字。此幄在輤之下，裳帷之内，是覆盖棺材的小帐子。⑥墙：指上文的"裳帷"。⑦适所殡：停殡之处在堂上两楹之间。⑧说：通"脱"。

[译文]

诸侯出访他国而死于宾馆，则其招魂仪式和死在本国一模一样。如果死于半道，则从者就登上国君所乘车的左轮轴头，用车上旗杆顶端的飘带来招魂。其载尸车上方有一棚盖，棚盖的四周有下垂的缘边。载尸车的四周是用黑布围成的帷幕，整个棺材还要用素锦覆盖起来。如此安排停当，才往家走。来到自家的庙门，不须撤掉柩车四周的围布就可以进去，径直把灵柩停放在堂上两楹之间。但柩车上的棚盖要卸下来，放在庙门外。

大夫、士死于道，则升其乘车之左毂，以其绥①复。如于馆死，则其复如于家。大夫以布为輤而行，至于家而说輤，载以輲车②，入自门，至于阼阶下而说车，举自阼阶③，升适所殡。士輤，苇席以为屋，蒲席以为裳帷。

[注释]

①绥：通"緌"。见上节注。②輲（chuán）车：一种用于载尸或载柩的车。有四个轮子，轮子很小，用全木而无辐，迫地而行，承载极稳。③举自阼阶：据郑玄注，尸体举自阼阶，灵柩则举自西阶。

[译文]

大夫、士出行，死在路上，就登上他们所乘车的左轮轴头，用其车上旗杆顶端的飘带来招魂。如果死在国外的宾馆里，则其招魂仪式和死在自己家里一样。大夫死，载尸的车子用布拉起棚顶后再上路。到达自家门口，卸下棚顶，把尸体移到輲车上从大门进去，来到东阶下，把尸体从輲车上搬下，从东阶抬上去，一直抬到停尸之处。士死，载尸的车子也有顶棚，但用苇席覆盖棺木，用蒲席作柩车的布围。

凡讣于其君，曰："君之臣某死。"父母、妻、长子，曰："君之臣某之某死。"①君，讣于他国之君，曰："寡君不禄②，敢告于执事③。"夫人，曰："寡小君不禄。"④大子之丧，曰："寡君之适子某死。"大夫，讣于同国適者，曰："某不禄。"讣于士，亦曰："某不禄。"讣于他国之君，曰："君之外臣寡大夫某死⁵。"讣于適者,曰:"吾子之外私寡大夫某不禄,使某实。"讣于士,亦曰:"吾子之外私⁶寡大夫某不禄,使某实⁷。"士,讣于同国大夫,曰:"某死。"讣于士,亦曰:"某死。"讣于他国之君,曰:"君之外臣某死。"讣于大夫,曰:"吾子之外私某死。"讣于士,亦曰:"吾子之外私某死。"

[注释]

①君之臣某之某死:上"某"指臣名,下"某"指"臣某"之何种亲属。②不禄:按照礼的规定,士死曰不禄,国君死应称薨。今称国君死为不禄,是因为讣告他国之君,表谦。夫人死亦曰不禄,义同此。③执事:犹言左右。实际上就是"您"的敬称。④寡小君不禄:此下也当云"敢告于执事",不言者,略也。⑤外臣:因为没有直接统属关系,故曰外臣。寡:谓寡德。⑥外私:外国的私人朋友。⑦实:通"至",谓来告也。句中的"某"为使者之名。

[译文]

凡向本国国君报丧,如果是臣子本人死,则使者要说:"君的臣子某某死了。"如果是臣子的父亲、母亲、妻室、长子死,报丧者要说:"君的臣子某某的什么亲属死了。"国君死,向他国之君报丧,使者要说:"寡君不禄,敢向您的左右禀告。"国君的夫人死,向他国之君报丧,使者要说:"寡小君不禄,特来禀告左右。"太子死,则说:"寡君之嫡子某某死,特来禀告左右。"大夫死了,如果是向同国爵位相等的人报丧,使者要说:"某某不禄。"如果是向士报丧,也要说:"某某不禄。"如果是向他国之君报丧,使者要说:"君之外臣寡大夫某某死了。"向他国爵位相等的人报丧,使者要说:"您的外国朋友寡大夫某某不禄,特派我来禀告。"向他国的士报丧,也要说:"您的外国朋友寡大夫某某不禄,特派我来禀告。"士死了,如果是向本国大夫报丧,使者要说:"某某死了。"向本国的士报丧,也要说:"某某死了。"如果是向他国之君报丧,使者要说:"君之外臣某某死了。"向他国大夫报丧,使者要说:"您的外国朋友某某死了。"向他国的士报丧,也要说:"您的外国朋友某某死了。"

大夫次于公馆①以终丧,士练②而归。士次于公馆③,大夫居庐④,士居垩室⑤。

[注释]

①公馆:国家设立的招待所。②练:即满一周年的小祥之祭。小祥以后,孝子除去首绖,改戴练冠,故称。③士次于公馆:这一句不好解释。俞樾认为"士"是衍文,今从之。④庐:又叫"倚庐",孝子居丧时居住的简易草棚。即在中门外的东墙下,东面靠着墙,南面、西面支起木棍,北面开口当门。上面盖上草苫,即成。葬后,可以稍加修饰,例如,可以将草苫剪齐,可以在壁上涂泥,等等。⑤垩室:也是居丧者居住的简易草屋。其居住条件略好于倚庐。因四壁用白泥粉刷,故称。按常规,垩室是孝子在练祭以后居住之处。

[译文]

国君死了,大夫要在公馆中居丧三年才能回家。士受恩浅,可以在练祭以后回家。在公馆的住处,大夫住在倚庐中,士住在垩室中。

大夫为其父母兄弟之未为大夫者之丧,服如士服。士为其父母兄弟之为大夫者之丧,服如士服。大夫之嫡子,服大夫之服。大夫之庶子为大夫,则为其父母服大夫服;其位,与未为大夫者齿。士之子为大夫,则其父母弗能主也,使其子主之。无子,则为之置后。

[译文]

身为大夫,为其父母兄弟之未为大夫者服丧,其丧服按照士礼服丧。身为士,为其父母兄弟之为大夫者服丧,其丧服也按照士礼服丧。大夫死，其嫡子纵然不是大夫，也可按照大夫之礼服丧。大夫死，其庶子为大夫，也可按照大夫之礼为父母服丧，但哭泣的位置只能与不是大夫的人同列。士的儿子，官为大夫，如果儿子死了，他的父母因为身份是士，而没有资格为他主持丧事，就应由儿子的儿子来主持；如果儿子没有儿子，就应为儿子立一个过继的儿子。

杂记下第二十一

[题解]

内容同于《杂记上》。由于卷帙繁重,所以分为上下两篇。

子贡问丧,子曰:"敬为上,哀次之,瘠为下。颜色称其情;戚容称其服。"请问兄弟之丧,子曰:"兄弟之丧,则存乎书策矣。"君子不夺人之丧,亦不可夺丧也。①孔子曰:"少连、大连善居丧,三日不怠,三月不解②,期悲哀,三年忧。东夷③之子也。"

[注释]

①君子不夺人之丧二句:《曾子问》末节有此二句,意思一致,只是"丧"作"亲"。②解:通"懈"。③东夷:古代对我国中原以东各族的统称。

[译文]

子贡问应当怎样居父母之丧,孔子答道:"敬是最重要的,哀痛还在其次,形容憔悴甚至闹出病来最使不得。脸色要和哀情相称,悲容要和孝服相称。"子贡又问如何居兄弟之丧,孔子答道:"你提的这个问题,书本上都有记载了。"作为君子,既不可强迫他人抛开丧亲之悲痛,也不可忘掉自己丧亲的哀痛。孔子说:"少连、大连这两个人都很懂得为父母居丧的礼节。父母去世后的头三天,一味哭泣，不进饮食；三个月内，哭泣祭奠没有懈怠；到了一周年以后，还常常悲从中来，时时落泪；到了三年头上还满面愁容。他们还是东夷地方的人呀！"

三年之丧，言而不语，对而不问。庐、垩室之中①，不与人坐焉；在垩室之中，非时见乎母也，不入门。疏衰②皆居垩室，不庐。庐，严者也。

［注释］

①庐、垩室：即倚庐和垩室。倚庐是穿斩衰孝服者居丧时的简陋住所。垩室，是穿齐衰孝服者居丧时的简陋住所。比较而言，倚庐的居住条件更差。②疏衰：齐衰丧服的代称。疏，粗也。

［译文］

在为父母守丧期间，和别人说话只说自己的丧事而不论及他事，只回答问话而不主动提问。住在倚庐或垩室之中，不和别人坐在一起。周年以后，由倚庐搬到垩室去住，如果不是为了按时向母亲问安，不进中门。穿齐衰丧服的人住垩室，不住倚庐。倚庐是哀敬之处，没有那份哀敬就不去住。

丧食虽恶，必充饥，饥而废事，非礼也；饱而忘哀，亦非礼也。视不明，听不聪，行不正，不知哀，君子病之。故有疾饮酒食肉，五十不致毁，六十不毁，七十饮酒食肉，皆为疑死。有服，人召之食，不往。大功以下，既葬，适人，人食之，其党也食之，非其党弗食也。功衰食菜果，饮水浆，无盐酪。不能食食，盐酪可也。孔子曰："身有疡则浴，首有创则沐，病则饮酒食肉。毁瘠为病，君子弗为也。毁而死，君子谓之无子。"

［译文］

居丧者的食品虽然粗恶，也必须用以充饥。如果因为饥饿而耽误了办事,那不合乎礼的要求;如果因为饱食而忘掉了悲哀,那也不合乎礼的要求。如果由于悲痛过度而造成眼睛看不清楚,耳朵听不明白,走路摇摇晃晃,精神麻木不知哀伤,就不好了,君子对此表示担忧。所以礼文上又规定,居丧者如果有病可以饮酒吃肉,50岁以上的人不能无限度地悲伤,60岁以上的人不能过于哀伤,70岁以上的人可以饮酒吃肉。其目的就在于担心孝子因悲伤过度而致死。身上正穿着孝服,有人邀请他去吃饭,不应该去。如果是为大功以下的亲属穿孝服,下葬以后,可以走访亲友。人家请吃饭,如果是亲属,可以接受;如果不是亲属,就不可接受。三年之丧,过了练祭以后,可以吃蔬菜水果,可以喝水浆,但没有盐和醋;如果缺少盐醋就不能下饭,那么吃点盐醋也可以。孔子说:"孝子的身上生了疮就应该洗澡,头上生了疮就应该洗头,有了病就可以饮酒吃肉。哀伤过度形容憔悴以至于有病,君子是不这样干的。倘因哀毁而死,君子就会说他的父母白养活了这个儿子。"

君子有三患:未之闻,患弗得闻也;既闻之,患弗得学也;既学之,患弗能行也。君子有五耻:居其位,无其言,君子耻之;有其言,无其行,君子耻之;既得之而又失之,君子耻之;地有余而民不足,君子耻之;众寡均而倍焉,君子耻之。

[译文]

君子有三种忧虑:没有听说过的东西,忧虑不能够听说;已经听说到的东西,忧虑不能够学会;已经学会的东西,忧虑不能够实行。君子还有五种自感羞耻的事:身居其位而不谋其政,君子引以为耻;谋其政而不能付诸实行,君子引以为耻;已经付诸实行了而又半途而废,君子引以为耻;地广而民稀,君子引以为耻;与别国人口一样多而人家的财富比自己多一倍,君子引以为耻。

丧大记第二十二

[题解]

郑玄《三礼目录》云："名曰《丧大记》者，以其记人君以下始死、小敛、大敛、殡葬之事。"王夫之《礼记章句》说："大，备也。自始死至葬，自诸侯至士，皆备记之，所以补《丧礼》之未悉者也。"

疾病，外内皆扫。君、大夫彻县①，士去琴瑟。寝东首于北墉②下。废床③，彻亵衣，加新衣，体一人④。男女改服⑤。属纩以俟绝气。男子不死于妇人之手，妇人不死于男子之手。君、夫人卒于路寝，大夫、世妇卒于适寝。内子未命，则死于下室，迁尸于寝。士、士之妻皆死于寝。⑥

[注释]

①县（xuán）：指悬挂在乐器架上的钟磬之类乐器。②墉：据郑注和《仪礼·既夕礼》，"墉"，当作"墉"，墙也。③废床：据郑玄注，是把病危者从床上挪到地面上，以便得到地的生气。④体一人：《既夕礼》作"御者四人皆坐持体"，文意比较明白。体，指四肢。⑤男女改服：即《问丧》所谓"亲始死，笄缁徒跣，扱上衽"。详彼注。⑥君、夫人卒于路寝六句：郑玄说："言死者必皆于正处也。"今成语有"寿终正寝"，本此。路寝：正寝。古代天子有六寝，正寝一，燕寝五；诸侯有三寝，正寝一，燕寝二。正寝又叫大寝，是处理政事的地方，也是斋戒和疾病时的住所。燕寝又叫小寝，是平常燕居休息

的地方。世妇：大夫的正妻。适：通"嫡"。士、士之妻：原脱一"士"字，据阮元校补。

[译文]

病人病危时，要把寝室内外都打扫干净。病人是国君、大夫，就要撤去乐悬；是士，也要把琴瑟收藏起来。让病人头朝东躺在室内北墙下。废床，为病人脱下脏衣，换上新衣，由四个人分别按住病人的四肢。男女改换服装。在病人的口鼻上放点丝绵，以观察和等待断气。临终时，男人不用女人侍候，女人也不用男人侍候。国君及其夫人都应死在正寝，大夫及其正妻都应死于正寝。卿的妻子如果未得任命，就要死在她自己的住处，然后迁尸于正寝。士和士的妻也都应死于正寝。

祭法第二十三

[题解]

《汉书》中称引此篇又叫做《祀典》。本篇备记天神、地祇、人鬼之大中小祀典,并论述其所以能够被列入祀典的原因。

王为群姓立七祀:曰司命①,曰中霤②,曰国门③,曰国行④,曰泰厉⑤,曰户,曰灶。王自为立七祀。诸侯为国立五祀:曰司命,曰中霤,曰国门,曰国行,曰公厉⑥。诸侯自为立五祀。大夫立三祀:曰族厉⑦,曰门,曰行。适士⑧立二祀:曰门,曰行。庶士、庶人立一祀,或立户,或立灶。

[注释]

①司命:宫中小神。②中霤:掌管堂室之神。③国门:掌管城门之神。④国行:掌管国内道路的神。⑤泰厉:死后没有后代的古代帝王。因其无所归依,好为民作祸,故祀之。⑥公厉:死后没有后代的古代诸侯。⑦族厉:死后没有后代的古代大夫。⑧适(dí)士:指天子的上士、中士、下士和诸侯的上士。适,通"嫡"。

[译文]

天子为天下百姓祭祀七个与人们日常生活密切相关的神,即司命之神、中霤之神、国门之神、国行之神、泰厉之神、户神、灶神。天子也为自己祭祀上述七神。诸侯为国内百姓祭祀五个与人们日常生活密切相关的神，即司命之神、中霤之神、国门之神、国行之神、公厉之神。诸侯也为自己祭祀上述五神。大夫祭祀三个与人们日常生活密切相关的神，即族厉之神、门神、路神。嫡士祭祀二神，即门神、路神。普通的士和普通百姓只祭一个与生活密切相关的神，或祭户神，或祭灶神。

夫圣王之制祭祀也：法施于民则祀之，以死勤事则祀之，以劳定国则祀之，能御大菑①则祀之，能捍大患则祀之。是故厉山氏②之有天下也，其子曰农，能殖百谷；夏之衰也，周弃继之，故祀以为稷。共工氏之霸九州也，其子曰后土，能平九州，故祀以为社。帝喾能序星辰以著众，尧能赏均刑法以义终③，舜勤众事而野死④，鲧⑤鄣鸿水而殛死，禹能修鲧之功，黄帝正名百物以明民共财，颛顼能修之，契为司徒⑥而民成，冥⑦勤其官而水死，汤以宽治民而除其虐，文王以文治，武王以武功，去民之菑。此皆有功烈于民者也。及夫日月星辰，民所瞻仰也；山林、川谷、丘陵，民所取财用也。非此族⑧也，不在祀典。

[注释]

①菑：同"灾"。②厉山氏：《国语》作"烈山氏"，韦昭注云："炎帝之号也，起于烈山。"③赏：王引之说是"亶"字之误。亶与单通。单，通"殚"，尽也。义终：即仪众。义，通"仪"。终，通"众"。④舜勤众事句：按《檀弓上》："舜葬于苍梧之野。"⑤鲧：禹之父，虽治水未成，被尧处死于羽山，但究竟是勤事而死，故祀之。⑥司徒：国家负责教化民众之主官。⑦冥：《国语》韦注云："冥，契六世孙，为夏水官，勤于其职而死于水也。"⑧族：犹类也。

[译文]

圣王制定祭祀的原则：凡是被百姓树立为榜样的就祭祀，凡是因公殉职的就祭祀,凡是为安邦定国建有功劳的就祭祀,凡是能为大众抵御灾祸的就祭祀,凡是能救民于水火的就祭祀。所以当厉山氏统治天下的时候,他有一个儿子叫农,能够指导人民种植百谷;到了夏代衰亡之时,周人的始祖弃能够继承农的未竟之业,所以被后人奉为稷神来祭祀。当共工氏称霸九州的时候,他有一个儿子叫后土,能够区划九州的风土,使人民各得其所,所以被人当做社神来祭祀。帝喾能根据星辰的运行划定四时,使人民的劳动与休息各有定时;帝尧能尽量使刑法公正,为民表率;帝舜为操劳国事而死于他乡;鲧治理洪水,大功未成而被杀死;夏禹能完成父亲未竟之业;黄帝能给各种事物都取个合适的名称,使人民贵贱有别,都可取用山泽的物产;颛顼能进一步完善黄帝的事业;契作为司徒在教化人民方面成绩卓著;冥恪尽职守,死在他的工作岗位上;商汤能对待人民宽厚,除暴安良;文王以其文治,武王以其武功,为人民除去纣这个祸害。上述诸人,都是为人民建功立业的人,所以被人们当做神来祭祀。此外还有日、月、星辰之神,人民赖以区分四时,安排农事;还有山林、川谷、丘陵之神,人民赖以取得各种生产生活资料。不属于此类情况的,就不会被人们当做神灵来祭祀了。

祭义第二十四

[题解]

郑玄《三礼目录》云:"名曰《祭义》者,以其记祭祀、斋戒、荐羞(进献供品)之义也。"本篇意在通过祭祀活动以揭示孝悌之义。

祭不欲数①,数则烦,烦则不敬。祭不欲疏②,疏则怠③,怠则忘④。是故君子合诸天道⑤,春禘秋尝⑥。秋⑦,霜露既降,君子履之⑧,必有凄怆⑨之心,非其寒之谓也⑩。春,雨露既濡⑪,君子履之,必有怵惕⑫之心,如将见之⑬。

[注释]

①欲:须要。数(shuò):频繁。谓过多。②疏:稀疏。谓过少。③怠:懈怠。④忘:遗忘。谓忘掉死去的亲人。⑤合诸天道:合之于天意。换言之,按照天意行事。郑玄注:"合于天道,因四时之变化。孝子感时念亲,则以此祭之也。"⑥春禘秋尝:孙希旦说:"禘,当作'礿(yuè)'。"《礼记·王制》:"天子、诸侯宗庙之祭,春曰礿,夏曰禘,秋曰尝,冬曰烝。"这里只说了春礿、秋尝,没有说夏禘、冬烝,是省文。人们习惯以春秋指代四季。⑦秋:此字原脱,据郑玄注补。秋,谓秋季到了。⑧履之:谓脚踏霜露。⑨凄怆:凄凉悲伤。⑩非其寒之谓也:这倒不是说感受到了秋天的寒意,而是触景生情,想起了死去的亲人。⑪濡:谓湿润大地。⑫怵惕:怵然心动。⑬如:而,连词。将(qiāng):希望。见之:见到死去的亲人。如将见之:谓希望能像

春回大地那样见到死去的亲人。

[译文]

祭祀的次数不能太频繁，太频繁就会使人感到厌烦，有厌烦之心就是对神不敬。祭祀的次数也不能太稀少，太稀少就会使人怠惰，有怠惰之心就会导致忘掉祖先。所以君子按照天的运行规律，春天举行礿祭，秋天举行尝祭。秋天来了，霜露覆盖大地，君子脚踏霜露，一定会有凄凉之感，这倒不是由于天气的寒冷，而是由于触景生情，想起了死去的亲人。春天来了，雨露滋润大地，君子脚踏雨露，一定会怦然动心，希望能像春回大地那样重见死去的亲人。

致齐于内①，散齐于外②。齐之日③，思其居处，思其笑语，思其志意，思其所乐，思其所嗜。④齐三日，乃见其所为齐者⑤。

[注释]

①致齐：即致斋。齐，通"斋"。就大的祭祀来说，致斋是祭祀前三天的一个准备步骤。致斋期间，停止一切工作，目的是严格地净化心灵。致斋期间，必须昼夜居于斋宫，故云"于内"。②散齐：即散斋。就大的祭祀来说，散斋是致斋前七天的一个准备步骤。散斋期间，白天可以照常工作，但是不得举乐，不得吊丧问疾，不得预秽恶之事。散斋是在斋宫外进行，故云"于外"。③齐之日：这个"齐"指的是致斋。齐之日，就是致斋期间。④思其居处五句：这五句中的"其"都是指死去的亲人。⑤乃：于是。见其所为齐者：见到致斋的对象。换言之，致斋三日，由于专心致志地想念死去的亲人（即所为斋者），到了最后就仿佛真的见到了将要祭祀的亲人。

[译文]

致斋三天，必须在斋宫内进行；散斋七天，可以在斋宫外进行。在致斋的日子里，要思念死者生前的居处，思念死者生前的笑语，思念死者生前的志向，思念死者生前喜欢做什么、喜欢吃什么。这样专心致志地致斋三天，就会好像真正见到了将要祭祀的亲人。

君子生则敬养①,死则敬享②,思终身弗辱也③。君子有终身之丧④,忌日⑤之谓也。忌日不用,非不祥也,⑥言夫日⑦,志有所至,而不敢尽其私⑧也。

[注释]

①君子生则敬养:这句话有省略。它实际要表达的意思是"君子在双亲健在时则敬养"。敬养,尽心供养。②敬享:虔诚祭飨。③思终身弗辱也:思索终身不做玷辱父母之事。④终身之丧:终身之丧是相对"三年之丧"而言。三年之丧是礼法规定的为父母服丧的期限,不能多,也不能少。而终身之丧是指终孝子一生都要在忌日那天举行的追思活动,是孝子的自觉行为。⑤忌日:主要指父母亲去世的纪念日。⑥忌日不用二句:每逢忌日,什么事情也不干,并不是说这一天不吉利。⑦言夫日:是说到了那一天。夫,指示代词,这,那。⑧不敢尽其私:不敢尽情于个人的私事。

[译文]

君子对于父母,在他们活着时要尽心奉养,在他们去世后要虔诚祭享,终身牢记不做有辱父母的事。君子有一辈子的丧事,这句话是指忌日来讲的。每逢忌日这一天,什么事也不做,这并不是说这一天做事不吉利,而是说这一天全部心思都在想念父母,根本就谈不上做其他事。

曾子曰:"孝有三①:大孝尊亲②,其次弗辱③,其下能养。"公明仪④问于曾子曰:"夫子可以为孝乎⑤?"曾子曰:"是何言与⑥!是何言与!君子之所谓孝者,先意承志⑦,谕父母于道⑧。参直养者也⑨,安能为⑩孝乎?"

[注释]

①三:谓三等。详下。②大孝:第一等的孝。尊亲:以自己的高尚道德和优秀才能赢得社会尊敬,从而使双亲引以为豪。《礼记集说》引黄裳曰:

"谓人子能立身行道，有大功于国，大德及民，俾人称美其先而尊重之为上也。"③弗辱：不玷辱父母的令名。④公明仪：曾子弟子。⑤夫子可以为孝乎：老师您的作为可以称得上"孝"字了吧？曾子以孝闻名，这个"孝"当谓大孝。为，通"谓"。⑥是何言与：你这是说的什么话！⑦先意承志：在父母还没有表达自己的愿望之前就把父母想办的事办好了。⑧谕父母于道：此句难解。孙希旦说："善承父母之意，能谕之于道，盖非大舜的得亲顺亲不足以当此。"⑨参：曾子名参。此谓自称己名。直：但，仅仅。⑩为：通"谓"，称作。

[译文]

曾子说："孝有三等：第一等的孝是能光父耀母，第二等的孝是不玷辱父母的令名，第三等的孝是能够赡养父母。"曾子的学生公明仪向曾子问道："老师您可以说是做到了'孝'字吧？"曾子答道："这是哪儿的话！这是哪儿的话！君子所谓的孝，是不等父母有所表示就把父母想办的事办了，同时又能使父母放心自己的所作所为都是合乎正道的。我只不过是能赡养父母罢了，怎能说是做到了'孝'字呢！"

曾子曰："身也者，父母之遗体也。①行②父母之遗体，敢不敬乎？居处③不庄，非孝也；事君不忠，非孝也；莅官④不敬，非孝也；朋友不信，非孝也；战陈⑤无勇，非孝也。五者不遂⑥，灾及于亲，敢不敬乎？亨孰膻芗⑦，尝而荐之⑧，非孝也，养也。君子之所谓孝也者，国人称愿然曰⑨：'幸哉有子如此⑩！'所谓孝也已。"

[注释]

①身也者二句：自己的身体乃是父母身体的延续。②行：使用。③居处：指平日的仪容举止。《论语·子路》："居处恭，执事敬。"④莅官：居官。⑤战陈：即战阵。陈，"阵"的古字。⑥五者不遂：应当理解作"五者之一不遂"。遂，成，做到。⑦亨孰膻芗：亨，"烹"的古字。孰，"熟"的古字。

膻，陈戍国校改作"馨"是也。芗，通"香"。整句的意思是加工制作一些美味的食物。⑧尝而荐之：品尝过后再进献给父母。按：儿子先尝尝咸淡热凉然后进献给父母，是孝敬的表现。⑨称愿：称美喝彩。然：转折连词，而。⑩幸哉有子如此：有这样的儿子真是有福气呀！

[译文]

曾子说："自己的身体，乃是父母的遗体。以父母的遗体来做事，敢不小心翼翼吗？日常起居不端重，就是不孝；为君主做事不忠诚，就是不孝；面对工作而儿儿戏戏，就是不孝；对朋友说话不算数，就是不孝；临阵作战不勇敢，就是不孝。这五个方面做不到，表面上看是自身受到惩罚，实际上是殃及父母的遗体，由此看来，敢不小心翼翼吗？用佳肴美味，岁时祭祀，这不能算作是孝，只能算作是养。君子所谓的孝，是全国的人都称羡喝彩地说：'有这样儿子的爹娘真是有福气呀！'这才是所谓的孝啊。"

曾子曰："夫①孝，置之②而塞乎天地，溥之而横乎四海③，施诸后世而无朝夕④，推而放诸东海而准⑤，推而放诸西海而准，推而放诸南海而准，推而放诸北海而准。《诗》云：'自西自东，自南自北，无思不服。⑥'此之谓也。"

[注释]

①夫：发语词，无义。②置之：把孝竖立起来。置，通"植"。③溥之：把孝平放起来。溥，本亦作"敷"，散布。横：充满，遮盖。四海：《尔雅·释地》："九夷、八狄、七戎、六蛮，谓之四海。"孙诒让《周礼正义·布宪》说："四海，谓夷、镇、蕃三服在九州之外者也。"约略言之，谓周边少数民族地区。下文的"东海"、"西海"、"南海"、"北海"即指各方的少数民族。④无朝夕：谓永远遵循奉行。⑤推而放诸东海而准：推而至于东海而平。放诸，至于。⑥《诗》云三句：见《诗经·大雅·文王有声》。原是赞美周武王的话，此处是断章取义。思，助词，无义。

[译文]

曾子说:"孝作为一种美德,竖起来可以顶天立地,平着放可以覆盖四海,传到后代也被人们永远奉行,也不受地域的限制,推广到东海是准则,推广到西海是准则,推广到南海是准则,推广到北海是准则。《诗经》上说:'从东到西,从南到北,没有人不遵从。'说的就是这种情况。"

乐正子春①下堂而伤其足,数月不出,犹有忧色②。门弟子③曰:"夫子之足瘳矣④,数月不出,犹有忧色,何也?"乐正子春曰:"善如尔之问也⑤!善如尔之问也!吾闻诸曾子,曾子闻诸夫子⑥曰:'天之所生,地之所养,无人为大⑦。父母全而生之⑧,子全而归之⑨,可谓孝矣。不亏⑩其体,不辱⑪其身,可谓全矣。'故君子顷步⑫而弗敢忘孝也。今予忘孝之道,予是以有忧色也。壹⑬举足而不敢忘父母,壹出言而不敢忘父母。壹举足而不敢忘父母,是故道而不径⑭,舟而不游⑮,不敢以先父母之遗体行殆⑯。壹出言而不敢忘父母,是故恶言不出于口,忿言不反于身⑰。不辱其身,不羞其亲,可谓孝矣。"

[注释]

①乐正子春:曾子弟子。②忧色:愁容。③门弟子:谓及门弟子。④夫子:此谓乐正子春。瘳(chōu):病愈。⑤善如:犹言"善乎"。本句是倒装句。意谓你问得真好啊!⑥夫子:此谓孔子。⑦无人为大:没有比人更高贵的了。⑧全:完整无缺。生之:谓生下儿子。⑨归之:归还父母。⑩亏:损伤。⑪辱:玷辱。⑫顷(kuǐ)步:即跬步,半步。顷,通"跬"。古代称一举足曰跬,再举足曰步。所以,古代的跬等于今天的一步,古代的步则等于今天的两步。⑬壹:凡也。下同。⑭道而不径:走大道而不走小路。这是说的走陆路。⑮舟而不游:乘船而渡而不游泳而渡。这是说的走水路。⑯行殆:谓做冒险之事。⑰忿言:此谓他人的辱骂。不反于身:王引之说当作"不及于身",是。

身，谓自身。

[译文]

乐正子春下堂时，不小心扭伤了脚，好几个月不出门，还面带忧色。他的弟子对此不解，就问道："老师的脚伤已经好了，好几个月不出门，还面带忧色，这是为什么呢？"乐正子春说："你问得太好了！你问得太好了！我听曾子说过，而曾子也是从孔子那儿听到：'天之所生，地之所养，没有比人更高贵的。父母完整地把自己生下来，做儿子的也要把身体完整地还给父母，这才叫做孝。不使身体受到损伤，不使名声受到污辱，这才叫做完整。'所以君子抬腿动脚都不敢忘掉孝道。现在我扭伤了脚，是忘掉了孝道的表现，所以我才面带忧色啊。每抬一次脚都不敢忘掉父母，每说一句话都不敢忘掉父母。因为每抬一次脚都不敢忘掉父母，所以走路的时候光走大道而不走邪径，过河的时候要乘船而渡而不游泳而渡，不敢拿已故父母的遗体冒险。因为每说一句话都不敢忘掉父母，所以伤害他人的话不出于口，别人的辱骂也绝不会摊到自己身上。不让自己的身体受辱，也就等于不让自己的父母受辱，做到这一点，可以称得上孝了。"

祭统第二十五

[题解]

郑玄《三礼目录》云："名曰《祭统》者，以其记祭祀之本也。统，犹本也。"说得更明白点，这个"本"就是一片孝心。祭祀先祖，并不是迷信鬼神，而是出于饮水思源的孝心。就是祭祀过程中的种种仪节，也无不贯穿着孝心。

凡治人之道，莫急于礼。礼有五经①，莫重于祭。夫祭者，非物自外至者也，自中出，生于心也。心怵②而奉之以礼。是故唯贤者能尽祭之义。

[注释]

①五经：指吉礼、凶礼、宾礼、军礼、嘉礼等五礼。欲知五礼之详，可参《周礼·大宗伯》。其中的吉礼，又叫祭礼。因为祭礼的本义在于祈神求福，故名吉礼。②心怵：即《祭义》首节所说的"怵惕之心"和"凄怆之心"。

[译文]

在管理百姓的种种方法之中，没有比礼更重要的了。礼有吉、凶、宾、军、嘉五种，其中最重要的便是祭礼。祭礼，并不是外界有什么东西强迫你这么办，而是发自内心深处的自觉行动。春夏秋冬，时序推移，人们感物伤时，触景生情，不由得就会想起死去的亲人，这种感情的表达就是祭之以礼。所以只有贤者才能完全理解祭礼的意义。

贤者之祭也，必受其福，非世所谓福也①。福者，备也；②备者，百顺之名也。无所不顺者之谓备。言：内尽于己，而外顺于道也。忠臣以事其君，孝子以事其亲，其本一也。上则顺于鬼神，外则顺于君长，内则以孝于亲，如此之谓备。唯贤者能备，能备然后能祭。是故贤者之祭也，致其诚信与其忠敬，奉之以物，道之以礼，安之以乐，参之以时，明荐之而已矣，不求其为。此孝子之心也。祭者，所以追养继孝也。孝者，畜也。③顺于道，不逆于伦，是之谓畜。是故孝子之事亲也有三道焉：生则养，没则丧，丧毕则祭。养则观其顺也，丧则观其哀也，祭则观其敬而时也。尽此三道者，孝子之行也。

[注释]

①非世所谓福也：世俗的所谓福，是求神保佑，赐以寿考吉祥等。贤者所说的福，是内求于己，即一切事情都顺着理办，这样做的结果，不是求福而福自至。详下文。②福者，备也：以"备"释"福"，这是所谓声训。古音"福"与"备"相近。③孝者，畜也：这也是声训。古音"孝"、"畜"二字音近。

[译文]

贤者的祭祀，一定会得到鬼神所赐的福，但这个福，不是世俗所说的福。贤者的福，是备的意思。而备字咋讲呢？是一切事情都顺着理办的意思。无所不顺，这就叫备。其意思是说，对自己，按着良知行事；对外界，按着道理行事。忠臣的侍奉国君，孝子的侍奉双亲，其忠其孝都来源于一个"顺"字。对上则顺着鬼神，对外则顺着君长，对内则顺着双亲，这样做了才叫做备。只有贤者才能做到备，能做到备然后才能做到必然得到鬼神赐福的祭。所以贤者的祭祀，不过是竭尽自己的诚信与忠敬，奉献祭品，行其典礼，和之以音乐，稽之以季节，洁净地荐献而已，并不存心要神保佑赐福，这才是孝子举行祭祀时的心情。孝子的祭祀，是用来完成对父母生前应尽而未尽的供养和孝道。所谓孝，就是这种供养和孝道的积蓄。一个"顺"字贯穿于父母的生前和身后，这才叫做孝的积蓄。所以孝子侍奉父母不外乎三件事：头一件是生前好好供养，第二件是身后依礼服丧，第三件是服丧期满要按时祭祀。在供养这件事上可以看出做儿子的是否孝顺，在服丧这件事上可以看出他是否哀伤，在祭祀这件事上可以看出他是否虔敬和按时。这三件事都做得很好，才配称作孝子的行为。

经解第二十六

[题解]

《经解》之"经",即儒家的六经:《诗》、《书》、《易》、《礼》、《春秋》、《乐》。孙希旦《礼记集解》说:"此篇凡为三段:首论《六经》教人之得失,次言天子之德,终言礼之正国。"

孔子曰:"入其国,其教可知也。① 其为人也,温柔敦厚,《诗》教也;② 疏通知远③,《书》教也;广博易良④,《乐》教也;絜静精微⑤,《易》教也;恭俭庄敬⑥,《礼》教也;属辞比事⑦,《春秋》教也。故《诗》之失愚,《书》之失诬,《乐》之失奢,《易》之失贼,《礼》之失烦,《春秋》之失乱。⑧ 其为人也,温柔敦厚而不愚,则深⑨于《诗》者也;疏通知远而不诬,则深于《书》者也;广博易良而不奢,则深于《乐》者也;絜静精微而不贼,则深于《易》者也;恭俭庄敬而不烦,则深于《礼》者也;属辞比事而不乱,则深于《春秋》者也。

[注释]

① 入其国二句:郑玄注:"观其风俗,则知其所以教。" ② 其为人也三句:他们的为人,如果显得温柔厚道,那就是《诗经》教化的结果。以下仿此。孔颖达疏:"《诗》依违讽谏,不指切事情,故云'温柔敦厚,是《诗》教

也'。"③疏通知远：通达人情世故，知道久远的历史。因为《尚书》是讲虞、夏、商、周的历史的。④广博易良：多才多艺，心地平易善良。因为乐所包甚广，略等于今天的文艺界，而乐的主要功能是和同。⑤絜静精微：孙希旦说："洗心藏密，故絜静；探赜索隐，故精微。"按：洗心藏密，探赜索隐，语皆出《周易·系辞上》。絜，通"洁"。⑥恭俭庄敬：刘彝说："卑己以尊人，恭也；厚人而薄己，俭也；着诚而去伪，庄也；正心以修身，敬也。"⑦属辞比事：孙希旦说："属辞者，连属其辞，以月系年，以日系月，以事系日也。比事者，比次列国之事而书之也。"此盖谓善于辞令、铺叙事情。⑧故《诗》之失愚六句：所以，《诗》学过了头，就会变得愚蠢；《书》学过了头，就会变得言过其实；《乐》学过了头，就会变得铺张奢侈；《易》学过了头，就会变得有作乱之心；《礼》学过了头，就会变得烦琐；《春秋》学过了头，就会变得没有是非。《钦定礼记义疏·经解》：案《诗》以理情性，《书》以道政事，《乐》以养德性，《易》以道阴阳，《礼》以谨节文，《春秋》以辨是非，皆足以为教。学者过而失中，皆不能无弊。习于淳厚，而不察人之情伪，则失之愚。博于传闻，而不能知人论世，则失之诬。好乐而杂以郑卫，则淫心荡志，而入于奢。穷幽极渺，而惑于术数，则违叛正道，而入于贼。迂拘曲谨，而不知礼之用，和为贵，则烦。抑扬予夺，而是非颇谬于圣人，则乱。后世经学，如书传谓文王称王九年，周公践天子位七年，皆是诬。李寻、京房之说《易》，穿凿破碎，亦是贼。说《春秋》者，谓孔子许祭仲之废君，大卫辄之拒父，直是乱。⑨深：孙希旦说："深，谓学之而能深知其义也。深知其义，则有得而无失矣。"以下五"深"字同。

[译文]

孔子说："进入一个国家，只要看看那里的风俗，就可以知道该国的教化如何了。那里的人们如果是温和柔顺、朴实忠厚，那就是《诗》教的结果；如果是通晓远古之事，那就是《书》教的结果；如果是心胸广阔坦荡，那就是《乐》教的结果；如果是清洁沉静、洞察细微，那就是《易》教的结果；如果是端庄恭敬，那就是《礼》教的结果；如果是善于辞令和排比事情，那就是《春秋》教的结果。学者如果学《诗》学过了头，就会陷入愚蠢；如果学

《书》学过了头，就会陷入瞎说；如果学《乐》学过了头，就会陷入随便；如果学《易》学过了头，就会陷入迷信；如果学《礼》学过了头，就会陷入烦琐；如果学《春秋》学过了头，就会陷入作乱犯上。作为一个国民，如果温和柔顺、朴实忠厚而不陷入愚蠢，那就是真正把《诗》学好了；如果通晓远古之事而不陷入瞎说，那就是真正把《书》学好了；如果心胸广阔坦荡而不陷入随便，那就是真正把《乐》学好了；如果清洁沉静、洞察细微而不陷入迷信，那就是真正把《易》学好了；如果端庄恭敬而不陷入烦琐，那就是真正把《礼》学好了；如果善于辞令和排比事情而不作乱犯上，那就是真正把《春秋》学好了。

"天子者，与天地参①。故德配天地，兼利万物，与日月并明，明照四海而不遗微小。其在朝廷，则道仁圣礼义之序②；燕处，则听《雅》、《颂》之音；③行步，则有环佩④之声；升车，则有鸾和⑤之音。居处有礼，进退有度⑥，百官得其宜，万事得其序。《诗》云：'淑人君子，其仪不忒。其仪不忒，正是四国。'⑦此之谓也。发号出令而民说⑧，谓之和；上下相亲，谓之仁；民不求其所欲而得之，谓之信；⑨除去天地之害，谓之义⑩。义与信，和与仁，霸王⑪之器也。有治民之意而无其器，则不成。

[注释]

①与天地参：天是老大，地是老二，天子是老三。参，通"三"。②道：言也。序：通"绪"，谓事业。③燕处：闲居。《雅》、《颂》之音：这是《诗经》中的两类乐曲。雅乐为朝廷的乐曲，颂为宗庙祭祀的乐曲。后借指为高雅的音乐。《礼记·乐记》："故听其《雅》、《颂》之声，志意得广焉。"孔颖达疏："《雅》以施正道，《颂》以赞成功，若听其声，则淫邪不入，故志意得广焉。"④环佩：郑玄注："环佩，佩环、佩玉也。所以为行节也。《玉藻》曰：'进则揖之，退则扬之，然后玉锵鸣也。'环取其无穷止，玉则比德焉。"

⑤鸾和：两种车铃。鸾在车衡，和在车轼。⑥度：规矩。⑦《诗》云四句：孔颖达疏："此《诗·曹风·鸤鸠》之篇，刺上下不均平之诗。言善人君子，用心均平，其威仪不有差忒（忒，tè。差忒，偏差），以其不差，故能正此四方之国（即能为四方之国效法）。"⑧说："悦"的古字。⑨民不求其所欲而得之二句：孔颖达疏："谓明君在上，赒赡于下，民不须营求，所欲之物自然得之。是在上信实，恩能覆养故也。"⑩义：宜也。孔颖达疏："天地无害，于物有宜，故为义。"⑪霸王：称霸称王。

[译文]

"所谓天子，就是天是老大，地是老二，他就是老三。所以他的道德可以与天地匹配，他的恩惠普及万物，他的明亮如同日月，普照天下而不遗漏任何一个角落。在朝廷上，他开言必讲仁圣礼义之事；退朝之后，必听中正和平之乐；走路之时，身上的佩玉发出有节奏的声响；登车之时，车上的鸾和发出悦耳的声响。升朝与退朝，都按礼行事；走路与登车，都有一定规矩；百官各得其所，万事井然有序。《诗经》上说：'我们的国君是个善人君子，他的言行从不走样。因为他的言行从不走样，所以是四方各国的好榜样。'说的就是这种情况。天子发号施令而百姓衷心拥护，这叫做'和'；上下相亲相爱，这叫做'仁'；百姓想要的东西不用开口就能得到，这叫做'信'；为百姓消除天灾人祸，这叫做"义"。义与信，和与仁，是称霸称王的工具。有称霸称王的志愿，而无称霸称王的工具，是达不到目的的。

"礼之于正国①也，犹衡②之于轻重也，绳墨③之于曲直也，规矩④之于方圜也。故衡诚县⑤，不可欺以轻重；绳墨诚陈，不可欺以曲直；规矩诚设，不可欺以方圜；君子审礼，不可诬以奸诈。是故，隆礼由礼⑥，谓之有方⑦之士；不隆礼、不由礼，谓之无方之民。敬让之道也⑧。故以奉宗庙则敬，以入朝廷则贵贱有位,以处室家则父子亲、兄弟和,以处乡里则长幼有序。"孔子曰:"安上治民,莫善于礼。"⑨此之谓也。

[注释]

①正国:治国。②衡:秤。称量轻重之器。③绳墨:木工用来画线的工具。④规矩:规和矩。匠人用来校正圆形和方形的两种工具。⑤衡诚县:如果真正地把秤使用起来。诚,真正地。县,"悬"的古字。⑥隆礼:谓尊重礼。由礼:谓实行礼。⑦有方:有道。⑧敬让之道也:这句话是为下面四句话而发。例如下文"故以奉宗庙则敬",应当理解作"故以敬让之道奉宗庙则敬"。余可类推。又《钦定礼记义疏》曰:"'敬让之道'句上当有'礼者'二字,阙文。"⑨孔子曰二句:按《孝经·广要道章》:"孔子曰:'安上治民,莫善于礼。'"唐玄宗注:"礼所以正君臣、父子之别,明男女长幼之序,故可以安上化下也。"

[译文]

"用礼来治国,就好比用秤来称轻重,用绳墨来画曲线直线,用规矩来画方形圆形。所以,如果把秤认真地使用起来,是轻是重就骗不了人了;把绳墨认真地陈设那里,是曲线是直线就骗不了人了;把规矩认真地陈设那里,是方形是圆形就骗不了人了;如果君子深明于礼,那么任何奸诈伎俩也就骗不了人了。所以,重视礼、遵循礼的人,叫做有道之士;不重视礼、不遵循礼的人,叫做无道之民。礼的运用以敬让为贵,把礼运用到宗庙之内,就会人人恭敬;把礼运用到朝廷之上,就会贵贱有别;把礼运用到家庭之内,就会父子相亲、兄弟和睦;把礼运用到乡里之中,就会形成尊老爱幼的风气。"孔子说:"安上治民,莫善于礼。"就是说的这个意思。

故朝觐之礼①,所以明君臣之义也;聘问之礼②,所以使诸侯相尊敬也;丧祭之礼③,所以明臣子之恩也;乡饮酒之礼④,所以明长幼之序也;昏姻⑤之礼,所以明男女之别也。夫礼,禁乱之所由生，犹坊止水之所自来⑥也。故以旧坊为无所用而坏之者，必有水败⑦；以旧礼为无所用而去之者，必有乱患。故昏姻之礼废，则夫妇之道苦⑧，而淫辟⑨之罪多矣。乡饮酒之礼废，则长幼之序失，而争斗之狱⑩繁矣。丧祭之礼废，则臣子之恩薄，而倍死忘生⑪者众矣。聘、觐之礼⑫废，则君臣之位失，诸侯之行恶，而倍畔、侵陵之败起矣。

[注释]

①朝觐之礼：诸侯按时朝见天子之礼。《周礼·春官·大宗伯》："春见曰朝，秋见曰觐。"《礼记·乐记》："朝觐，然后诸侯知所以臣。"②聘问之礼：诸侯之间互派使臣访问之礼。《周礼·秋官·大行人》："凡诸侯之邦交，岁相问也，殷（谓隔上几年）相聘也。"问则派大夫，聘则派卿。③丧祭之礼：方悫曰："三年之丧，四时之祭，臣子之所以报君父者尽于此，故丧祭之礼，所以明臣子之恩。"④乡饮酒之礼：周代诸侯之乡大夫三年大比，献贤者能者于其君，以礼宾之，与之饮酒，谓之乡饮酒礼。乡饮酒礼除了贡献贤能外，还要教民尊老，有正齿位之礼。《礼记·乡饮酒义》："乡饮酒之礼，六十者坐，五十者立侍，所以明尊长也。"就表现了年龄小的对年龄大的的礼让。⑤昏姻：嫁娶。⑥坊：堤防。止水之所自来：防止水的泛滥。⑦水败：水患。⑧苦：方悫曰："夫妇之道苦者，言不和也。"⑨淫辟：亦作"淫僻"，伤风败俗。⑩狱：官司，诉讼。⑪倍死忘生：王引之《经义述闻》引其父王念孙曰："丧祭非所以事生，则丧祭之礼废亦不得言'忘生'。'生'，当为'先'字之误也。丧礼废则民倍死，祭礼废则民忘先。《汉书·礼乐志》曰：'丧祭之礼废则骨肉之恩薄，而背死忘先者众。'师古曰：'先者，先人，谓祖考。'《论衡·薄葬》曰：'故曰丧祭礼废则臣子恩薄，臣子恩薄则倍死忘先。'二书皆用《经解》文也。"按：王说是。倍：通"背"。下同。⑫聘、觐之礼：即上文"朝觐之礼"。

[译文]

所以制定了朝觐之礼，是用来表明君臣之间的名分；制定了聘问之礼，是用来让诸侯互相尊敬；制定了丧祭之礼，是用来表明臣子不应忘记君亲之恩；制定了乡饮酒之礼，是用来表明尊老尊长的道理；制定了男婚女嫁之礼，是用来表明男女有所区别。礼，可以用来消除祸乱的根源，就好比堤防可以防止河水的泛滥那样。所以，如果认为早先的堤防没有用处而加以破坏，一定会酿成水灾；认为老辈子的礼没有用处而废弃不用，一定会导致天下大乱。所以说，如果废弃男婚女嫁之礼，夫妇之间的关系就会遭到破坏，而淫乱苟合、伤风败俗的坏事就多了；废弃乡饮酒之礼，就会导致人们没老没少，而互相争斗的官司就多了；废弃丧祭之礼，就会导致做臣子的忘掉君亲之恩，而背叛死者、忘记祖先的人就多了；废弃朝觐、聘问之礼，就会导致君臣之间的名分丧失，诸侯的行为恶劣，而背叛君主、互相侵凌的祸乱就会产生了。

故礼之教化也微①，其止邪也于未形②，使人日徙善远罪③而不自知也，是以先王隆之也。《易》曰："君子慎始。差若豪氂，缪以千里。"④此之谓也。

[注释]

①礼之教化也微：礼的教化作用从事物的微小阶段就开始了。②止邪：消除邪恶。未形：萌芽状态。③日：每日。徙善远罪：弃恶扬善。④《易》曰三句：见《易纬·通卦验》。不见于今天的《易经》。汉代人往往把《易纬》上的话也称之为"《易》曰"。豪氂（lí）：即毫厘。豪，通"毫"。氂，"厘"的古字。缪：通"谬"，谬误。

[译文]

所以，礼的教化作用是从看不见的地方开始，它的禁止邪恶是在邪恶处于萌芽状态的时候，它使人们在不知不觉之中日积月累地弃恶扬善，所以先王对它非常重视。《易》上说："君子非常重视事情的开始。开始的时候尽管只是一点不起眼的差错，结果却会导致极大的祸害。"说的就是这个道理。

哀公问第二十七

[题解]

本篇开头一句是"哀公问于孔子曰",即以篇首三字名篇。哀公,鲁哀公。哀公所问,一是问礼,二是问政。通篇采取哀公问、孔子答的形式。《大戴礼》有《哀公问于孔子》篇,除个别文句外,与本篇文字相同。

哀公问于孔子曰:"大礼何如?君子之言礼,何其尊也?"孔子曰:"丘也小人,不足以知礼。"①君曰:"否。吾子言之也!"孔子曰:"丘闻之:民之所由生,礼为大。非礼无以节事天地之神也,非礼无以辩君臣、上下、长幼之位也,非礼无以别男女、父子、兄弟之亲,昏姻疏数②之交也。君子以此之为尊敬然。然后以其所能教百姓,不废其会节。有成事,然后治其雕镂、文章、黼黻以嗣③。其顺之,然后言其丧算④,备其鼎俎,设其豕腊⑤,修其宗庙,岁时以敬祭祀,以序宗族。即安其居节⑥,醜其衣服⑦,卑其宫室,车不雕几⑧,器不刻镂,食不贰味,以与民同利。昔之君子之行礼者如此。"

[注释]

①孔子曰二句:这是孔子的谦让之语。《曲礼上》:"长者问,不辞让而对,非礼也。"②疏数(shuò):稀疏和稠密。也指亲疏。③以嗣:据《孔子

家语·问礼》，此二字当做"以别尊卑上下之等"，文意方通。④算：指有关丧礼的各种制度，尤其是五服年月制度。⑤腊（xī）：干肉。⑥节：《大戴礼》作"处"，是。⑦醜：类也。什么人穿什么衣服，故曰"醜其衣服"。⑧几（qí）：装饰性的凸凹花纹。

[译文]

哀公问于孔子说："大礼究竟是怎么一回事？君子在谈到礼的时候，为什么态度是那样的尊敬？"孔子回答说："我孔丘只是一个普通百姓，没有资格来谈论礼。"哀公说："不要客气。请您一定讲一讲。"孔子说："本人听说：人活这一辈子，最要紧的就是礼。没有礼，就无法按照一定的规矩敬奉天地之间的鬼神；没有礼，就无法辨明君臣、上下、长幼的地位；没有礼，就无法区别男女、父子、兄弟之间的亲属关系，以及姻亲、朋友之间交情的厚薄。因此，君子在谈到礼的时候，态度就十分尊敬。然后才尽其所能来教导百姓，使他们不失时节地按礼行事。有了成效，然后再讲究什么样的人使用什么样的宫室雕刻、用什么样的旌旗、穿什么样的礼服，以区别尊卑上下等级的不同。百姓既都顺从君子的教导，然后给他们讲解丧葬之礼，使他们准备好鼎俎之类的祭器，准备好猪肉干肉之类的祭品，修建宗庙，逢年过节，虔敬地按时祭祀，并借以排好族人的辈分。此后，就教导他们在合适的地方安居，穿合乎自己身份的衣服，住的房子不要太高大，乘的车子不要雕饰什么图案，用的器物不要雕饰什么花纹，吃饭也不要太讲究，不但教导百姓如此，君子自己也不能奢侈，以与民同利。从前的君子就是这样行礼的。"

公曰："今之君子胡莫之行也？"孔子曰："今之君子，好实①无厌，淫德不倦，荒怠敖②慢，固③民是尽，午④其众以伐有道，求得当欲不以其所。昔之用民者由前，今之用民者由后，今之君子莫为礼也。"

[注释]

①实：郑玄、孔颖达解释作"财货"，与下文的"固民是尽"意思重复。而《大戴礼》作"色"，是，今从之。②敖：通"傲"。③固：陈皓说是"固获"之固，意思是取之用力。④午：通"忤"，违背。

[译文]

哀公听了这话就问道："现在的君子为什么不这样做呢？"孔子说："现在的君子，好色之心满足不了，品行恶劣而不知自律，荒淫怠惰傲慢，搜刮民财而没有限制，强奸民意而征伐有道之国，为了满足自己的欲望而不择手段。从前的君子对百姓是按照前一段话去做，现在的君子却是按照后一段话去做，所以说，现在的君子是不讲究礼的呀！"

孔子侍坐于哀公。哀公曰："敢问人道谁为大？"孔子愀然①作色而对曰："君之及此言也，百姓之德也。固②臣敢无辞而对：人道政③为大。"

[注释]

①愀（qiǎo）然：动容的样子。②固：固陋。③政：为政，从事政务。

[译文]

孔子陪坐在哀公身边。哀公问道："请问，在做人的所有道理之中，哪一条最重要？"孔子听了以后肃然动容地回答道："您问到这句话，真是百姓的福气。所以虽然我知道得很少也敢于不加谦让地回答：在做人的道理中，'政'这一条最重要。"

公曰："敢问何谓为政？"孔子对曰："政者，正也。君为正，则百姓从政矣。君之所为，百姓之所从也。君所不为，百姓何从？"公曰："敢问为政如之何？"孔子对曰："夫妇别，父子亲，君臣严，三者正，则庶物①从之矣。"公曰："寡人虽无似也，愿闻所以行三言之道，可得闻乎？"孔子对曰："古之为政，爱人为大。所以治爱人，礼为大。所以治礼，敬为大。敬之至矣，大昏②为大。大昏至矣！大昏既至，冕而亲迎，亲之也。亲之也者，亲之也③。是故君子兴敬为亲，舍敬是遗亲也。弗爱不亲，弗敬不正。爱与敬，其政之本与！"

[注释]

①庶物：众事，万事。②大昏：国君的结婚典礼。③亲之也：于鬯说当作"敬之也"，于上下文方顺。今从之。

[译文]

哀公问道："请问什么叫做'为政'？"孔子回答说："所谓政，就是'正'的意思。国君自身正，那么老百姓也就跟着正了。国君的所作所为，就是老百姓的榜样。国君所不做的事，老百姓自然也不会去做。"哀公又问："请问应该怎样去为政呢？"孔子回答道："夫妇有别，父子相亲，君臣相敬，这三件事做好了，所有的其他事情也就跟着做好了。"哀公说："寡人虽然不肖，却很愿意听一听做好这三件事的办法，可以讲一讲吗？"孔子回答说："古人的为政，把爱护他人看得最重要。要做到爱护他人，礼最重要。要做到礼，敬最重要。要做到不折不扣的敬，大婚最重要。大婚是最最重要的了！大婚的日子来到，要戴着礼帽穿着礼服亲自去迎娶，这是表示亲她的意思。所谓亲她，实质上就是尊敬她。所以君子以尊敬为亲，抛开尊敬也就抛开了亲。没有爱也就没有亲，没有敬也就没有正。爱与敬，大概就是为政的根本吧！"

公曰："寡人愿有言然。冕而亲迎，不已重①乎？"孔子愀然作色而对曰："合二姓之好②，以继先圣之后，以为天地、宗庙、社稷之主，君何谓已重乎？"公曰："寡人固。不固，焉得闻此言也？寡人欲问，不得其辞，请少进。"孔子曰："天地不合，万物不生。大昏，万世之嗣也，君何谓已重焉？"孔子遂言曰："内以治宗庙之礼，足以配天地之神明。出以治直言之礼③，足以立上下之敬。物耻足以振之，国耻足以兴之。为政先礼，礼其政之本与！"孔子遂言曰："昔三代④明王之政，必敬其妻子也，有道。妻也者，亲之主也，敢不敬与？子也者，亲之后也，敢不敬与？君子无不敬也，敬身为大。身也者，亲之枝也，敢不敬与？不能敬其身，是伤其亲。伤其亲，是伤其本。伤其本，枝从而亡。三者，百姓之象也。身以及身，子以及子，妃以及妃⑤，君行此三者，则忾⑥乎天下矣，大王⑦之道也。如此，国家顺矣。"

[注释]

①重：太，甚。②合二姓之好：上古同姓不婚。今日犹有"结秦晋之好"之语。盖秦，嬴姓也；而晋，姬姓也。③出以治直言之礼：据郑玄注，直言就是正言，也就是出政教。夫妇都有政教可出，详《昏义》。④三代：指夏、商、周。⑤妃：通"配"，配偶。⑥忾（xì）：到，至。⑦大王：大，通"太"。太王，即古公亶父，周文王的祖父。太王爱护百姓之事，见《孟子·梁惠王下》和《史记·周本纪》。

[译文]

哀公说："寡人想插问一句话。戴着礼帽穿着礼服亲自去迎娶，这是不是显得太隆重了？"孔子肃然动容地回答说："大婚是为了撮合两家的好事，传宗接代，以继承先圣的事业，以为天地、宗庙、社稷的主人，您怎么说这样做是太隆重了呢？"哀公说："寡人孤陋寡闻。如果不是孤陋寡闻，也就听不到您这一番高论了。我还想问，但又不知如何措辞，请您继续讲下去吧！"孔子就接着说："阴阳不互相交合，万物就不会出生。大婚就是要传宗接代，继承万世之业，您怎么说这样做是太隆重了呢？"孔子于是就接着说："大婚以后，在家庭内，夫妇共同主持宗庙祭祀之礼，其身份足以与天地之神明相般配；在朝廷上，夫妇共同发布政令，足以确立上上下下的尊敬。臣子出了错误，可以用礼纠正；国君出了错误，可以用礼补救。为政要把礼放在首要位置，礼大概就是为政的根本吧！"孔子又接着说："从前三代贤明天子的为政，一定要尊敬他的妻与子，这是很有道理的。所谓妻，乃是供养父母生前身后的家庭主妇，敢不尊敬吗？所谓子，乃是父母的后代，敢不尊敬吗？君子无所不用其敬，但尊敬自身却是最重要的。因为自身乃是父母生出的枝叶，敢不尊敬吗？不能尊敬自身，也就是伤害自己的父母。伤害自己的父母，也就是伤害自己的根本。伤害自己的根本，枝叶也就跟着死掉。自身、妻、子，这三者也是百姓的象征。由尊敬自身推广到尊敬百姓的自身，由尊敬自己的妻推广到尊敬百姓的妻，由尊敬自己的子推广到尊敬百姓的子，国君如果能够做到这三条，则普天之下人人都可以受到尊敬了。从前的太王就是这样做的。能这样做，国家就好治理了。"

公曰："敢问何谓敬身？"孔子对曰："君子过言则民作辞，过动则民作则。君子言不过辞，动不过则，百姓不命而敬恭。如是，则能敬其身。能敬其身，则能成其亲矣。"

[译文]

哀公问道："请问什么叫做尊敬自身呢？"孔子回答说："君子说错的话，老百姓就会当做圣旨；君子做错的事，老百姓也会当做榜样。君子如果能够不说错话，不做错事，老百姓就会不待命令而做到恭敬。如此这般地做了，就是能够尊敬自身了。能够尊敬自身，也就是给父母脸上争光了。"

公曰："敢问何谓成亲？"孔子对曰："君子也者，人之成名也。百姓归之名,谓之君子之子,是使其亲为君子也,是为成其亲之名也已。"孔子遂言曰:"古之为政,爱人为大。不能爱人,不能有①其身。不能有其身,不能安土。不能安土,不能乐天。不能乐天,不能成其身。"

[注释]

①有:保住。

[译文]

哀公问道:"什么叫做给父母脸上争光?"孔子回答说:"所谓'君子',是人的一种美名。百姓送他这样一个称呼,说他是'君子之子',这也就是使其父母成为君子了,这就是给他的父母争得美名了。"孔子又接着说道:"古人的为政,把爱人看得最重要。不能爱人,人将害己,这样就不能保护自身。不能保护自身,就不能安居乐业。不能安居乐业,就难免不怨天尤人。怨天尤人,就不能成就自身。"

公曰:"敢问何谓成身?"孔子对曰:"不过乎物。"公曰:"敢问君子何贵乎天道也?"孔子对曰:"贵其不已,如日月东西相从而不已也,是天道也。不闭其久,是天道也。无为而物成,是天道也。已成而明,是天道也。"①

[注释]

①孔子对曰九句:据郑玄注,这几句话颇有天人合一的味道。明的是说天道,暗中也含有君道。君道应该效法天道。君臣朝会,就是效法日月相从;通其政教而不可以懈怠,就是效法不闭其久;不使百姓负担过重,就是效法无为而物成;移风易俗而天下太平,就是效法已成而明。

[译文]

哀公问道:"请问什么叫做成就自身?"孔子回答说:"凡事都不做错,就叫成就自身。"哀公又问道:"请问君子为什么那样地看重天道呢?"孔子回答说:"看重它的永不止息,就好像日月的东升西落永不止息,这就是天道。看重它的开通无阻,保持永久,这就是天道。看重它的无所作为而万物皆成,这就是天道。看重它的万物皆成而又明明白白,这就是天道。"

公曰:"寡人蠢愚、冥烦,子志①之心也!"孔子蹴然辟②席而对曰:"仁人不过乎物,孝子不过乎物。是故仁人之事亲也如事天,事天如事亲,是故孝子成身。"公曰:"寡人既闻此言也,无如后罪何!"孔子对曰:"君之及此言也,是臣之福也。"

[注释]

①志:记住。②蹴(cù)然:惊愧不安的样子。辟:通"避"。

[译文]

哀公说:"寡人愚蠢不开窍,这是您心里有数的,所以请您多加指教。"孔子闻听此言就连忙离开座位惭愧不安地说:"仁人凡事不犯错误,孝子凡事不犯错误。所以仁人孝敬父母如同孝敬上天,敬爱上天如同敬爱父母,所以孝子能够成就自身。"哀公说:"寡人很高兴听到您这一番高论,只是担心以后再犯了错误怎么办?"孔子回答说:"您能讲出这样的话,真是做臣子的福气啊!"

仲尼燕居第二十八

[题解]

本篇以《仲尼燕居》为名，当是摘取篇首四字。仲尼，孔丘的字。燕居，谓"闲暇无事之时"（朱熹《论语·学而》注）。本篇记孔子在家休息，有几个学生陪侍在旁，闲谈之中，孔子给他们讲了礼的内容、本质及作用，弟子听了，"昭然若发矇"。

仲尼燕居，子张、子贡、言游①侍，纵言至于礼。子曰："居，女②三人者！吾语女礼，使女以礼周流，无不遍也。"子贡越席而对曰："敢问何如？"子曰："敬而不中礼谓之野，恭而不中礼谓之给，勇而不中礼谓之逆。"子曰："给夺慈仁。"子曰："师③，尔过，而商也不及。子产犹众人之母也，能食之，不能教也。④"子贡越席而对曰："敢问将何以为此中者也？"子曰："礼乎礼⑤！夫礼，所以制中也。"

[注释]

①子张、子贡、言游：皆孔子弟子。言游，即子游。②女：通"汝"。你，你们。③师：子张之名。下文的"商"是子夏之名。④子产犹众人之母也三句：子产（？—前522），春秋时郑国的执政大夫孟子曾批评他的施政只知实行小恩小惠，不知抓大体，抓根本。详见《孟子·离娄下》。⑤礼乎礼：郑玄注曰："唯有礼也。"

[译文]

孔子在家闲坐,子张、子贡、子游在一旁侍立,在随便谈话时说到了礼。孔子说:"你们三个人都坐下,我来给你们讲一讲什么是礼,以便你们能够到处运用,处处普及。"子贡马上离开坐席回答说:"请问老师要讲的礼是怎样的呢?"孔子回答说:"虽然内心敬慎但却不合乎礼的要求,那叫粗野;虽然外表恭顺但却不合乎礼的要求,那叫花言巧语;虽然勇敢但却不合乎礼的要求,那叫乱来。"孔子又补充说道:"花言巧语只是给人以仁慈的假象。"孔子又说:"师,你做事往往过火,而商却往往做得不够。子产好像是百姓的慈母,他能让百姓吃饱,但却不知道怎样教育他们。"子贡又马上离开坐席回答说:"请问怎样才能做到恰到好处呢?"孔子说:"只有礼呀!礼就是用来掌握火候使人做到恰到好处的。"

子贡退,言游进曰:"敢问礼也者,领①恶而全好者与?"子曰:"然。""然则何如?"子曰:"郊社之义,所以仁②鬼神也。尝禘之礼,所以仁昭穆也。③馈奠④之礼,所以仁死丧也。射乡之礼,所以仁乡党也。食飨之礼⑤,所以仁宾客也。"子曰:"明乎郊社之义、尝禘之礼,治国其如指诸掌而已乎!是故以之居处有礼,故长幼辨也;以之闺门之内有礼,故三族和也;以之朝廷有礼,故官爵序也;以之田猎有礼,故戎事闲⑥也;以之军旅有礼,故武功成也。是故宫室得其度,量⑦鼎得其象,味得其时⑧,乐得其节⑨,车得其式,鬼神得其飨,丧纪得其哀⑩,辩说得其党⑪,官得其体,政事得其施。加于身而错于前,凡众之动得其宜。"

[注释]

①领:郑玄说:"领,犹治也。"②仁:示爱。③尝禘之礼二句:尝禘:指天子、诸侯宗庙四时之祭。昭穆:指不同辈分的祖先。④馈奠:以食品祭奠

刚死的人。⑤食飨之礼：食是食礼，飨是飨礼。食飨所用之牲，皆为太牢。食礼主饭，有牲无酒。飨礼则牲酒皆有。⑥闲：通"娴"。⑦量：量器。如斗、斛之类。⑧味得其时：古人将五味分配于四时。详见《月令》。⑨乐得其节：古人的身份不同，使用的乐曲也不同；场合不同，使用的乐曲也不同。前者可参见本书《射义》。至于后者，本篇下文的"客出以《雍》，彻以《振羽》"，即其例。⑩丧纪得其哀：详见本书《间传》。⑪辩说得其党：《曲礼下》所说的"在官言官，在府言府"与此句意思相近。

[译文]

子贡退下来，子游又上前问道："请问礼的作用是不是就在于治理丑恶而保护善美？"孔子说："是的。"子游又接着问："究竟怎样治理丑恶保护善美呢？"孔子回答说："郊天祭地之礼，就在于对鬼神表示仁爱；秋尝夏禘之礼，就在于对祖先表示仁爱；馈食祭奠之礼，就在于对死者表示仁爱；乡射、乡饮酒之礼，就在于对乡党表示仁爱；招待宾客的食飨之礼，就在于对宾客表示仁爱。"孔子又接着说："如果明白了郊天祭地、秋尝夏禘之礼的含义，那么对于如何治理国家就心中有数，就好比用指头在手掌上指指画画一般。所以，因为日常生活有了礼，长辈和晚辈就有分别了；因为家门之内有了礼，祖孙三代就和睦了；因为朝廷之上有了礼，官职爵位就有条不紊了；因为田猎之时有了礼，军事训练就娴熟了；因为军队之中有了礼，作战目的就达到了。因为有了礼，宫室的建造就合乎制度，量鼎的制造就不失分寸，五味就各得其时，乐曲的演奏就与身份、场合吻合，车辆的建造就合乎格式，鬼神就得到合乎要求的祭飨，丧事就会办得恰如其分，解说事情就不会离题千里，百官的职能就会互不混淆，各项政令就能得到施行。如果一个人能够把礼拿来身体力行而且时时不忘，那么他无论干什么都会干得恰到好处。"

子曰："礼者何也？即事之治也。君子有其事，必有其治。治国而无礼，譬犹瞽之无相与！伥伥①乎其何之？譬如终夜有求于幽室之中，非烛何见？若无礼，则手足无所错，耳目无所加，进退揖让无所制。是故以之居处，长幼失其别，闺门三族失其和，朝廷官爵失其序，田猎戎事失其策，军旅武功失其制，宫室失其度，量鼎失其象，味失其时，乐失其节，车失其式，鬼神失其飨，丧纪失其哀，辩说失其党，官失其体，政事失其施，加于身而错于前，凡众之动失其宜。如此则无以祖洽②于众也。"

[注释]

①伥伥（chāng chāng）：茫然失措的样子。②祖洽：郑玄说："祖，始也。洽，合也。"

[译文]

孔子说："礼是什么呢？礼就是做事的办法。君子一定有要做的事，那就必定有做事的办法。治理国家而没有礼，那就好比瞎子走路而没有助手，迷迷茫茫不知该往哪里走；又好比整夜在暗室中寻找东西，没有火把能看见什么？如果没有礼，就会手脚不知该往哪儿放，耳朵不知该听什么，眼睛不知该看什么，在社交场合是该进该退该揖该让就全都乱了套。这样一来，日常生活中长辈晚辈也就没有了区别，家庭内部三代人也失去了和睦，朝廷上的官爵也乱了套，田猎和军事训练也失去了计划，作战打仗也没有了规矩，五味和四时乱配，乐曲是乱吹一通，车辆的制造也不依格式，祭祀鬼神的规格错乱，丧事办得不像丧事，解释问题离题千里，百官的职守混乱，政令得不到推行。在这种情况下去身体力行、时时不忘，那就会抬手动脚都出毛病。这样一来，就会无法领导和团结百姓了。"

子曰："慎听之，女三人者！吾语女，礼犹有九焉①，大飨有四焉②。苟知此矣，虽在畎亩③之中，事之，圣人已。两君相见，揖让而入门，入门而县兴④，揖让而升堂，升堂而乐阕，下管《象》、《武》⑤，《夏》⑥籥序兴，陈其荐俎，序其礼乐，备其百官，如此而后，君子知仁焉。行中规，还中矩，和鸾⑦中《采齐》，客出以《雍》，彻以《振羽》，⑧是故君子无物而不在礼矣。入门而金作，示情也。升歌《清庙》，示德也。下而管《象》，示事也。是故古之君子不必亲相与言也，以礼乐相示而已。"

[注释]

①有九焉：据卢植说，这九个节目是："揖让而入门，一也；入门而县兴，二也；揖让而升堂，三也；升堂而乐阕，四也；下管《象》、《武》，五也；《夏》籥序兴，六也；陈其荐俎，七也；序其礼乐，八也；备其百官，九也。"后人之说，言人人殊。因卢说最早，故录之备考。②大飨：诸侯相聘时举行的飨礼。四焉：据孙希旦说，这四个节目是入门金作，升歌《清庙》，下而管《象》、《武》，《夏》序兴。③畎（quǎn）亩：田间，田野。畎是田间水沟。④县兴：即"悬兴"。悬挂的钟磬奏了起来。也就是下文的"金作"。⑤《象》、《武》：歌颂武王伐纣的乐曲和舞蹈。⑥《夏》：歌颂夏禹功业的乐舞。这是文舞，故舞者手中执籥。⑦和鸾：古代车上的铃铛。挂在车前横木上的叫"和"，挂在轭首或车架上的叫"鸾"。⑧客出以《雍》二句：俞樾认为当作"客出以《振羽》，彻以《雍》"，是，今从之。

[译文]

孔子说："你们三个人仔细听着！我告诉你们，除了上面讲的礼以外，礼还有九个节目，而大飨之礼占了其中的四个。如果知道这些，即令是个种地的农夫，依礼而行，也可以说是圣人了。两国国君相见，宾主互相揖让而先后进入大门，进入大门以后，马上钟鼓齐鸣，宾主互相揖让而升堂，升堂以后，一献礼毕，钟鼓之声停止，这时堂下的管乐奏起《象》这首乐曲，而《大武》之舞、《大夏》之舞，一个挨着一个地相继跳起，于是陈列美味佳肴，安排应有的礼仪和乐曲，执事人等一个不缺。这样做了以后，客人就不难看出主人待客的深情厚谊了。此外，走路笔直，合乎曲尺的要求；旋转的弧度，合乎圆规的要求；车上的铃声，合着《采齐》乐曲的节奏；客人出门时，奏起《振羽》这首送别曲；彻席之时，奏起《雍》这首结束曲。所以，君子做事，没有一件不合乎礼的要求。客人刚一进门就钟鼓齐鸣，这是表示欢迎之情。歌工升堂合唱《清庙》之诗，这是表现文王的崇高德行。管乐队在堂下奏起《象》这首乐曲，这是表现武王的伟大功业。所以古代的君子要互相沟通感情，根本就用不着说话，只要通过行礼奏乐就可以表达意思了。"

子曰："礼也者，理也。乐也者，节也。君子无理不动，无节不作。不能《诗》，于礼缪①。不能乐，于礼素。薄于德，于礼虚。"子曰："制度在礼，文为在礼。行之，其在人乎！"子贡越席而对曰："敢问夔②其穷与？"子曰："古之人与？古之人也，达于礼而不达于乐，谓之素③；达于乐而不达于礼，谓之偏。夫夔，达于乐而不达于礼，是以传于此名也，古之人也。"

[注释]

①缪：通"谬"。②夔：舜时的乐官。③素：郑玄说："素与偏，俱不备耳。非不能，非所谓穷。"

[译文]

孔子说："所谓礼，就是道理；所谓乐，就是节制。没有道理的事君子不做，没有节制的事君子不做。如果不能赋《诗》言志，在礼节上就会出现差错。能行礼而不能用乐来配合，礼就显得单调呆板。如果道德浅薄，即便行礼也只是一个空架子。"孔子又说："各种制度是由礼来规定的，各种文饰行为也是由礼来规定的，但要实行起来，却是非人不可呀！"子贡又离席发言说："请问夔这个人是不是只懂得乐而对礼却一窍不通呀？"孔子回答说："你问的是古代的那个夔吗？须知古代的人是把精于礼而不精于乐的人叫做素,把精于乐而不精于礼的人叫做偏。夔这个人只不过是在乐的方面的造诣比在礼的方面的造诣高超罢了,所以只传下来一个精通音乐的名声,须知那是根据古人的标准来说的。"

子张问政。子曰:"师乎,前!吾语女乎!君子明于礼乐,举而错①之而已。"子张复问。子曰:"师,尔以为必铺几筵,升降酌献酬酢,然后谓之礼乎?尔以为必行缀兆②,兴羽籥③,作钟鼓,然后谓之乐乎?言而履之,礼也。行而乐之,乐也。君子力此二者,以南面而立④,夫是以天下大平也。诸侯朝,万物服体,而百官莫敢不承事矣。礼之所兴,众之所治也⑤。礼之所废,众之所乱也。目巧之⑥,室则有奥阼⑦,席则有上下,车则有左右,行则有随,立则有序:古之义也。室而无奥阼,则乱于堂室也。席而无上下,则乱于席上也。车而无左右,则乱于车也。行而无随,则乱于途也。立而无序,则乱于位也。昔圣帝、明王、诸侯,辨贵贱、长幼、远近、男女、外内,莫敢相逾越,皆由此途出也。"三子者既得闻此言也于夫子,昭然若发矇矣。

[注释]

①错:通"措"。②缀兆:舞时表示行列位置的标志叫做缀,舞时进退的范围叫做兆。③羽籥:舞者跳文舞时所执两种舞具。羽,雉羽。籥,古代管乐器,形似排箫。④南面而立:垂拱无为之意。形容做事的容易。⑤众之所治也:即"众之所以治也"。⑥目巧之:于鬯说:"巧,读为'考'。目巧之,犹言目考之。目考之者,若云条举之耳。"⑦奥阼:奥是室内的西南角,阼是堂的东阶。

[译文]

子张问到如何从政。孔子说:"师啊,你往前边来,听我给你说!君子从政,不过是首先自己在礼乐方面精通,然后再拿来付诸实行罢了。"子张似乎没有听懂孔子的意思,就又接着发问。孔子于是继续说道:"师,你以为只有铺设几筵,升堂下堂,献酒进馔,举杯酬酢,这样做了才算是礼吗?你以为只有在缀兆上扭来扭去,挥动羽籥,敲钟击鼓,这样做了才算是乐吗?其实,说到就能做到,这就是礼;做起来又使人感到快乐,这就是乐。君子只要在这两点上狠下工夫,不需要多么费劲,天下就会太太平平的。于是诸侯都来朝拜,万物各得其所,百官无不恪尽职守。礼得到了重视,这就是百姓们为什么得到了治理;礼被扔到了一边,这就是百姓们为什么作乱。举例来说,屋室有室奥和台阶之分,坐席有上下之分,乘车有左右之分,行路有先后之分,站立要各就其位。自古以来就是如此。如果屋室没有室奥和台阶之分,堂与室就混乱了;如果席位没有上下之分,座位就混乱了;如果乘车没有左右之分,车上的位置就混乱了;如果行路不分先后,道路就混乱了;如果站立没有顺序,谁的位置在哪里也就混乱了。从前圣明的帝王和诸侯,分别贵贱、长幼、远近、男女、内外的界线,使他们不敢互相逾越,用的都是这个办法啊!"三个学生听了孔子的这一番高论,心中豁然开朗,好像瞎子重见光明一样。

孔子闲居第二十九

[题解]

以《孔子闲居》为篇名,当亦是摘取篇首四字的缘故。本篇记孔子休息时,子夏陪在身边,顺便请孔子为其讲解《诗经》里的诗句,孔子遂由讲诗而及于讲礼。

孔子闲居,子夏侍。子夏曰:"敢问《诗》云'凯弟君子,民之父母'①,何如斯可谓'民之父母'矣?"孔子曰:"夫'民之父母'乎,必达于礼乐之原,以致'五至'而行'三无'②,以横于天下,四方有败,必先知之。此之谓'民之父母'矣。"

[注释]

① 《诗》云二句:见《诗经·大雅·泂酌》。凯弟:即"恺悌"。② 五至、三无:详见下文。

[译文]

孔子在家休息,子夏在旁边侍立。子夏问道:"请问《诗》上所说的'平易近人的君王,就好比百姓的父母',怎样做才可以被叫做'百姓的父母'呢?"孔子回答说:"说到'百姓的父母'嘛,他必须通晓礼乐的本源,达到'五至',做到'三无',并用来普及于天下;不管任何地方出现了灾祸,他一定能够最早知道。做到了这些,才算是'百姓的父母'啊!"

子夏曰:"'民之父母'既得而闻之矣,敢问何谓'五至'?"孔子曰:"志之所至,《诗》亦至焉。《诗》之所至,礼亦至焉。礼之所至,乐亦至焉。乐之所至,哀亦至焉。哀乐相生。是故正明目而视之,不可得而见也;倾耳而听之,不可得而闻也;志气塞乎天地。此之谓'五至'。"

[译文]

子夏说:"什么是'百姓的父母',学生已经领教了。再请问什么叫做'五至'?"孔子回答说:"既有爱民之心至于百姓,就会有爱民的诗歌至于百姓;既有爱民的诗歌至于百姓,就会有爱民的礼至于百姓;既有爱民的礼至于百姓,就会有爱民的乐至于百姓;既有爱民的乐至于百姓,就会有哀民不幸之心至于百姓。哀与乐是相生相成。这种道理,瞪大眼睛来看,你无法看得到;支棱起耳朵来听,你无法听得到。但君王的这种思想却是充塞于天地之间。这就叫做'五至'。"

子夏曰:"'五至'既得而闻之矣,敢问何谓'三无'?"孔子曰:"无声之乐,无体之礼,无服之丧,此之谓'三无'。"子夏曰:"'三无'既得略而闻之矣,敢问何诗近之?"孔子曰:"'夙夜其命宥密'①,无声之乐也;'威仪逮逮,不可选也'②,无体之礼也;'凡民有丧,匍匐救之'③,无服之丧也。"

[注释]

①夙夜其命宥密:见《诗经·周颂·昊天有成命》。其:今《诗》作"基"。基,谋也。②威仪逮逮二句:见《诗经·邶风·柏舟》。③凡民有丧二句:见《诗经·邶风·谷风》。匍匐:本义是爬着走,引申为尽力的意思。

[译文]

子夏说:"什么是'五至'学生已经明白了,再请问什么叫做'三无'?"孔子回答说:"没有声音的音乐,没有形式的礼仪,没有丧服的服丧,这就叫做'三无'。"子夏说:"什么是'三无',大体上已经懂了,再请问什么诗最近乎'三无'的含义?"孔子回答说:"'日夜谋政,志在安邦',这句诗最近乎没有声音的音乐;'仪态安详,无可挑剔',这句诗最近乎没有形式的礼仪;'看到他人有灾难,千方百计去支援',这句诗最近乎没有丧服的服丧。"

子夏曰:"言则大矣,美矣,盛矣!言尽于此而已乎?"孔子曰:"何为其然也?君子之服之也,犹有五起①焉。"子夏曰:"何如?"孔子曰:"无声之乐,气志不违;无体之礼,威仪迟迟;无服之丧,内恕孔②悲。无声之乐,气志既得;无体之礼,威仪翼翼;无服之丧,施③及四国。无声之乐,气志既从;无体之礼,上下和同;无服之丧,以畜万邦④。无声之乐,日闻四方;无体之礼,日就月将⑤;无服之丧,纯德孔明。无声之乐,气志既起;无体之礼,施及四海;无服之丧,施于孙子。"

[注释]

①五起:孙希旦说:"起,犹发也。言君子行此三无,由内以发于外,由近以及于远,其次第有五也。"②孔:很,非常。③施(yì):蔓延,延及。④以畜万邦:郑玄说:"畜,孝也。使万邦之民竞为孝也。"⑤日就月将:郑玄说:"就,成也。将,大也。使民之效礼日有所成,至月则大矣。"

[译文]

子夏说:"您这番话太伟大了!太美妙了!太有哲理了!是不是话说到这里就算到头了呢?"孔子说:"怎么会呢?君子在实行'三无'的时候,还有'五起'呢。"子夏说:"'五起'怎么讲?"孔子说:"第一,没有声音的音乐,百姓不违背国君的心愿;没有形式的礼仪，国君的态度从容不迫；没有丧服的服丧，设身处地地同样非常悲伤。第二，没有声音的音乐，心愿已经满足；没有形式的礼仪，态度恭恭敬敬；没有丧服的服丧，爱心延及四方各国。第三，没有声音的音乐，上下心愿交融；没有形式的礼仪，上下和睦齐同；没有丧服的服丧，使万国之民竞相孝养。第四，没有声音的音乐，四方闻者日益增多；没有形式的礼仪，一天胜似一天，一月强过一月；没有丧服的服丧，使纯粹的道德日益光明。第五，没有声音的音乐，使响应之心纷纷而起；没有形式的礼仪，普及四海；没有丧服的服丧，传及后世子孙。"

子夏曰："三王之德，参于天地。敢问何如斯可谓参于天地矣？"孔子曰："奉'三无私'以劳天下。"子夏曰："敢问何谓'三无私'？"孔子曰："天无私覆，地无私载，日月无私照。奉斯三者以劳①天下，此之谓'三无私'。其在《诗》曰：'帝命不违，至于汤齐。汤降不迟，圣敬日齐。昭假迟迟，上帝是祗，帝命式于九围。'②是汤之德也。天有四时，春秋冬夏，风雨霜露，无非教也。地载神气，神气风霆③，风霆流形，庶物露生，无非教也。清明在躬，气志如神。嗜欲将至，有开必先。④天降时雨，山川出云。其在《诗》曰：'嵩高惟岳，峻极于天。惟岳降神，生甫及申。惟申及甫，惟周之翰。四国于蕃，四方于宣。'⑤此文、武之德也⑥。三代之王也，必先其令闻。《诗》云：'明明天子，令闻不已。'⑦三代之德也。'弛其文德，协此四国。'⑧大王之德也。"子夏蹶然⑨而起，负墙而立，曰："弟子敢不承乎？"

[注释]

①劳：劳徕。②《诗》曰七句：见《诗经·商颂·长发》。齐：通"跻"，高升。此谓高升君位。假：通"格"，至也。祗：敬。九围：九州之界

也。此谓九州。③神气风霆：吕大临说"神气风霆"四字是衍字，是，今从之。④嗜欲将至二句：郑玄说："谓其王天下之期将至也，神有以开之，必先为之生贤智之辅佐。"⑤《诗》曰八句：见《诗经·大雅·崧高》。甫：仲山甫，周宣王时的贤臣。申：申伯。其封地在今河南省南阳县北。翰：辅佐，栋梁。⑥此文、武之德也：郑玄说："此宣王诗也。文、武之时，其德如此，而诗无以言之，取类以明之。"可知此处是在断章取义。这种情况颇多，请注意。⑦《诗》云二句：见《诗经·大雅·江汉》。⑧弛其文德二句：亦见《诗经·大雅·江汉》。弛：通"施"。⑨蹶（guì）然：一跃而起的样子。

[译文]

子夏问道："夏禹、商汤、文王的德行，与天地并列而为三。请问怎样才可以称作是与天地并列而为三呢？"孔子答道："要遵奉'三无私'的精神，以恩德招揽天下百姓。"子夏接着问道："什么叫做'三无私'呢？"孔子答道："就是像天那样无私地覆盖万物，像地那样无私地承载万物，像日月那样无私地照耀万物。按照这三条来招揽天下百姓，就叫做'三无私'。这个意思在《诗经》里也有所反映：'奉行天命不敢违，至于成汤登君位。降下政教不迟缓，聪明谨慎日向上。明德长久照下民，恭恭敬敬事上帝，帝命九州效法汤。'这就是商汤的德行。天有四季，春生夏长，秋收冬藏，既有刮风下雨，也有下露降霜。这些都是天所显示的教化，人君应当奉行以为政教。大地承载着神妙之气，风雷鼓荡，万物萌芽生长。这些都是地所显示的教化，人君应当奉行以为政教。圣人自身的德行极其清明，他的气志微妙如神。在他行将称王天下的时候，神灵有所预知，一定要为他生下贤能的辅佐之臣。就好像天降及时之雨，又好像山川飘出祥云。有《诗经》为证：'五岳居中是嵩山，巍巍高耸入云天。中岳嵩山降神灵，生下甫侯和申伯。只有甫侯和申伯，才是周朝栋梁臣。诸侯靠他作屏障，宣扬盛德遍四方。'这就是文王、武王的德行。夏、商、周三代的王，在其称王之前就已经有了美好的名声。《诗经》上说：'勤勉不倦的天子，美好名声千古传。'这就是三代圣王的德行。《诗经》上又说:'太王施其文德,团结四方各国。'这就是太王的德行。"子夏听到这里,一跃而起,倚墙而立,说:"弟子敢不接受老师的这番教诲吗?"

坊记第三十

[题解]

坊，本字作"防"，堤也。郑玄《三礼目录》说："名曰《坊记》者，以其记《六艺》之义，所以坊人之失者也。"本篇是记防备人们犯种种错误、做种种坏事的道理，而这些道理，就蕴涵在《六经》里面。

子①言之："君子之道②，辟则坊与③？坊民之所不足④者也。大为之坊⑤，民犹逾之。故君子礼以坊德⑥，刑以坊淫⑦，命以坊欲⑧。"

[注释]

①子：古代男子的美称，弟子亦用以敬称其师。此"子言之"之"子"，与下文"子云"之"子"，指孔子。②道：谓治民之道。③辟则：譬如。辟，通"譬"。坊：堤防。做动词用时，是"防止"义。与：通"欤"。④不足：据郑玄注，指的是在仁义之道上面做得有欠缺。⑤大为之坊：为民设置高大的堤防。这是个比喻。实际意思是虽然千方百计地去防止。⑥德：此谓失德。即道德上的过失。⑦淫：淫邪。⑧命：教令。欲：贪欲。

[译文]

孔子说："君子的治民之道，打个比方来说，就好像防止河水漫溢的堤防吧！它是为了防止百姓出现过失的。虽然周密地为之设防，百姓中还是有人犯规。所以君子用礼来防止道德上的过失，用刑来防止邪恶的行为，用教令来防止贪婪的欲望。"

子云："小人贫斯约①，富斯骄；约斯盗，骄斯乱。礼者，因人之情而为之节文②，以为民坊者也。故圣人之制富贵也③，使民富不足以骄，贫不至于约，贵不慊④于上，故乱益亡⑤。"

[注释]

①斯：则，即。约：据郑注，此谓穷。下同。②人之情：人的实际情况。节文：郑玄注："此节文者，谓农有田里之差，士有爵命之级也。"③故圣人之制富贵也：据孔颖达疏，这句话的"富贵"二字下还应该有"贫贱"二字，省略了。意谓圣人制定出富贵贫贱的法规。④慊（qiàn）：怨恨，不满意。⑤故乱益亡：所以作乱的事就逐渐没有了。益，更。亡，通"无"。

[译文]

孔子说："小人贫则穷困，富则骄横；穷困了就会去偷盗，骄横了就会去乱来。所谓礼，就是顺应人的这种情况而为之制定控制的标准，以作为防止百姓越轨的堤防。所以，圣人制定出了一套富贵贫贱的标准，使富起来的百姓不足以骄横，贫下去的百姓不至于穷困，取得一定社会地位的人不至于对上级不满，所以犯上作乱的事就日趋减少。"

子云："贫而好乐①，富而好礼，众而以宁者②，天下其几矣③。《诗》云：'民之贪乱，宁为荼毒。'④故制⑤：国不过千乘⑥，都城不过百雉⑦，家⑧富不过百乘。以此坊民，诸侯犹有畔者⑨。"

[注释]

①贫而好乐：与下文"富而好礼"相对，此"乐"字非"快乐"之乐，而是"礼乐"之乐。然则"贫而好乐"，在先秦时期，能有多少穷人做得到，实在是个问题。②众而以宁者：家族众而得安宁者。③天下其几矣：郑玄注：

"言如此者寡也。"意谓普天之下，做到以上三点者没有几个。④《诗》云二句：孔颖达疏云："此《诗·大雅·桑柔》之篇，刺厉王之诗。言民之恶者，贪为祸乱，安为荼毒之行，以害于人。民多如此，故云上三事，天下甚少。"⑤故制：（为了防止民之贪乱）所以做出限制。⑥国不过千乘（shèng）：大国的兵车不能超过一千辆。国，谓诸侯中的公国、侯国。乘，量词，指古代四马拉的兵车一辆。⑦都城：指较大都邑的城墙。雉：古代计算城墙面积的单位。长三丈、高一丈为一雉。《左传·隐公元年》："祭仲曰：'都城过百雉，国之害也。'"⑧家：谓卿大夫的采地。⑨诸侯犹有畔者：孔颖达疏云："于是卿大夫亦多畔，而独言'诸侯'者，举其重，余可知也。"畔，通"叛"。

[译文]

孔子说："贫穷而能乐天知命，富贵而能彬彬有礼，家族人多势众而能安守本分，普天之下能做到的人可以说是寥寥无几。《诗经》上就说：'有等百姓贪图作乱，心安理得地去残害他人。'所以做出规定：诸侯的兵车不得超过千乘，国都的城墙不得超过百雉，卿大夫之家的兵车不得超过百乘。用这种办法来防备百姓，诸侯还有叛乱的。"

子云："夫礼者，所以章疑别微①，以为民坊者也。故贵贱有等，衣服有别，朝廷有位②，则民有所让。"

[注释]

①章疑别微：彰明其似同而异之疑，区别其似明而隐之微。②朝廷有位：在朝廷上有固定的班位。例如《周礼·夏官·司士》："掌正朝仪之位，辨其贵贱之等。王南乡，三公北面东上，孤东面北上，卿、大夫西面北上；王族故士、虎士在路门之右，南面东上；大仆、大右、大仆从者在路门之左，南面西上。"

[译文]

孔子说："礼这个东西，是用来去掉疑惑、辨别隐微，从而防范百姓越轨的。所以人的贵贱有等级，衣服的色彩、图案有差别，朝廷上有固定的班位，这样一来，老百姓就知道谁该让谁了。"

子云："天无二日，土无二王，家无二主，尊无二上，示民有君臣之别也。《春秋》不称楚、越之王丧①。礼，君不称天②，大夫不称君③，恐民之惑也。《诗》云：'相彼盍旦，尚犹患之。'④"

[注释]

①《春秋》不称楚、越之王丧：郑玄注："楚、越之君僭号称王，不称其丧，谓不书'葬'也。《春秋传》曰：'吴、楚之君不书葬，辟（避）其僭号也。'"按《春秋·宣公十八年》："九月甲戌，楚子旅卒。"楚子旅，即楚庄王。按照《春秋》常规，当书"葬楚庄王"，但是那样书写，等于承认其王号，故改换字眼，书"卒"以避之。②君不称天：诸侯不得像天子那样称天。③大夫不称君：大夫不得像诸侯那样称君。④《诗》云二句：这是两句逸诗。相：看，视。盍旦：郑玄注曰："夜鸣求旦之鸟也。求不可得也，人犹恶其欲反昼夜而乱晦明，况于臣之僭君，求不可得之类，乱上下，惑众也。"患：厌恶。

[译文]

孔子说："天上没有两个太阳，一国没有两个国王，一家没有两个家长，最高的权威只有一个，这是要向百姓显示有君臣之别。楚、越之君僭号称王，其国君死，《春秋》贬之，不书其葬。按照礼的规定，诸侯不得像天子那样称天，大夫不得像诸侯那样称君，这就是担心百姓对上下级关系产生迷惑。《诗经》上说：'你看那盍旦鸟儿的鸣叫，人们尚且讨厌它！'更何况对那些僭越犯上的人呢！"

子云："君不与同姓同车①，与异姓同车不同服②，示民不嫌也。以此坊民，民犹得同姓以弑其君。"

[注释]

①君不与同姓同车：郑玄注："同姓者，谓先王、先公子孙，有继及之道者也。其非此，则无嫌也。"②与异姓同车不同服：国君的车上一共三人：国君、驭者、骖乘。除战时外，驭者和骖乘都和国君异服。

[译文]

孔子说："国君不与同姓的人同车，与异姓的人可以同车，但不可穿相同的服装，这是要让臣民避嫌。用这种方法来防范，臣民中还有同姓弑其君的。"

子云："君子辞贵不辞贱，辞富不辞贫，则乱益亡①。故君子与其使食浮于人②也，宁使人浮于食③。"

[注释]

①亡：通"无"。②食浮于人：得到的俸禄高出于自己的才干。这样做近乎贪。③人浮于食：自己的才干高出于得到的俸禄。这样做近乎廉。

[译文]

孔子说："君子推辞高贵而不推辞卑贱，推辞富有而不推辞贫穷，大家都这样做，作乱的事情就会日趋消亡。所以君子与其让俸禄超过才能，宁可让才能超过俸禄。"

子云："觯酒、豆肉①，让而受恶②，民犹犯齿③。衽席④之上，让而坐下⑤，民犹犯贵⑥。朝廷之位⑦，让而就贱，民犹犯君。《诗》云：'民之无良，相怨一方。受爵不让，至于己斯亡。'⑧"

[注释]

①觯酒：一杯酒。觯，酒器。豆肉：一盘肉。豆，食器，近乎高脚盘。②让而受恶（è）：让来让去，君子要了不好的一份。③犯齿：僭越老者。按规矩，应首先照顾老者。犯，僭越。下同。齿，谓年龄。④衽席：宴席。⑤坐

下:坐在下首。⑥贵:谓尊者,爵位较高者。⑦朝廷之位:孙希旦说:"谓人君视朝,卿、大夫、士所立之位也。"⑧《诗》云四句:见《诗经·小雅·角弓》。孔颖达疏:"言小人在朝,无良善之行。共相怨恨,各在一方,不相往来。又受爵禄,不肯相让,行恶至甚,至于灭亡。引之者,证上每事不让也。"

[译文]

孔子说:"一盅酒,一盘肉,让来让去,君子才接受那不好的一份,就这样还有人僭越长者。筵席之上,让来让去,君子才坐在下首,就这样还有人僭越尊者。朝廷上的班位,让来让去,君子才立于贱位,就这样还有人僭越君上。《诗经》上说:'如今人们心不良,遇事只知怨对方。接受官爵不谦让,事关自己道理忘。'"

子云:"君子贵人而贱己,先人而后己,则民作让。故称人之君曰君,自称其君曰寡君①。"

[注释]

①寡君:郑玄注:"寡君,犹言少德之君。言之谦。"

[译文]

孔子说:"君子尊重别人而贬抑自己,先人而后己,这样一来在百姓中就会兴起谦让的风气。所以称呼别人的国君叫国君,称呼自己的国君叫寡君。"

子云:"利禄①,先死②者而后生者,则民不偕③;先亡者而后存者,则民可以托④。《诗》云:'先君之思,以畜寡人。'⑤以此坊民,民犹偕死而号无告。"

[注释]

①利禄:利益和赏赐。②死:姚际恒说:"死、亡皆谓为国而死亡者。古人多如此并言,不嫌其复。《中庸》亦云:'事死如事生,事亡如事存。'"按:"亡"字见下文。③偕:背弃。④托:犹言信赖。⑤《诗》云二句:见《诗经·邶风·燕燕》。"畜",今《毛诗》作"勖",乃"畜"之通假字。畜,孝

也。《释文》谓："此是《鲁诗》。"郑玄注此云："此卫夫人定姜之诗也。定姜无子，立庶子衎，是为献公。畜，孝也。献公无礼于定姜，定姜作诗，言献公当思先君定公，以孝于寡人。"寡人，此为定姜自称。

[译文]

孔子说："利益和荣誉，应该先给死者，后给生者，这样一来，百姓就不会背弃死者；先给在国外为国事奔走的人，后给留在国内的人，这样一来，老百姓就感到国君可以信托。《诗经》上说：'你应该思念死去的先君，赡养我这未亡人。'用这种方法防范百姓，百姓还有背弃死者而死者的家属却哭告无门。"

子云："有国家者，贵人而贱禄，则民兴让；①尚技而贱车②，则民兴艺③。故君子约言，小人先言。④"

[注释]

①有国家者三句：郑玄注："言人君贵尚贤者、能者，而不吝于班禄、赐车服，则让道兴。贤者、能者，人所服也。"按：郑云"让道兴"，以兴为兴起之兴，非是。兴者，喜欢也。《礼记·学记》："不兴其艺，不能乐学。"郑玄注："兴之言喜也，歆也。"此"兴让"，谓乐于谦让。②尚：与上文"贵"对文。技：技艺。车：谓车服。③则民兴艺：民众就会偏爱技艺。《礼记·缁衣》："上好是物，下必有甚者矣。"④故君子约言，小人先言：据郑玄注，"约言"与"先言"互文。如其言，则此二句当作"故君子约言后言，小人先言多言"。意谓君子说话少，思而后言，故言在后。小人说话多，不思而言，故言在先。

[译文]

孔子说："有国有家的诸侯大夫，如果重视人才而不吝惜颁赏爵禄，百姓就会兴起谦让的风气；如果重视技艺而不吝惜颁赏车马，百姓就会乐意学习技艺。所以君子说得少而做得多，而小人则好放空炮而少干实事。"

子云："上酌民言，则下天上施；① 上不酌民言，则犯②也；下不天上施，则乱也。故君子信让以莅③百姓，则民之报礼重④。《诗》云：'先民有言，询于刍荛。'⑤"

[注释]

①上酌民言二句：孔颖达疏："言在上人君，取下民之言以为政教，既得民心，民皆喜悦，则在下之民，仰君之德如天，敬此在上所施之恩泽。言受上恩泽，如受之于天，尊之也。"②犯：犯上。③信让以：即"以信让"。莅：临，加之于。④报礼重：郑玄注："报礼重者，犹言能死其难。"⑤《诗》云二句：见《诗经·大雅·板》。刍荛：谓割草打柴者。

[译文]

孔子说："在上位的人如果能够听取百姓的意见，那么百姓就把上边的政令看做是上天的施惠一般；如果不能听取百姓的意见，就会导致百姓的犯上；百姓不把上边的政令看做是上天的施惠一般，就会作乱。所以，君子用诚信谦让来对待百姓，百姓就会以重礼相报。《诗经》上这样说道：'前辈有这样的教导，就是对于割草打柴的人也要不耻下问。'"

子云："善则称人，过则称己，则民不争；善则称人，过则称己，则怨益亡。《诗》云：'尔卜尔筮，履无咎言。'①"

[注释]

①《诗》云二句：见《诗经·卫风·氓》。"履无咎言"，今《诗经》作"体无咎言"。孙希旦说："体，谓卦兆之体也。言尔之卜筮，本无咎言，而致咎者在己，以明'过则称己'之意。"

[译文]

孔子说："有成绩就归功他人，有错误则归咎自己，这样一来百姓就不你争我夺；有成绩就归功他人，有错误则归咎自己，这样一来百姓间的怨恨就会日趋消亡。《诗经》上说：'你曾占卜，你曾算卦，卦象上并没有什么坏话。'"

子云："善则称人，过则称己，则民让善。《诗》云：'考卜惟王，度是镐京。惟龟正之，武王成之。'"①

[注释]

①《诗》云四句：见《诗经·大雅·文王有声》。陈澔解释此四句诗义说："言稽考龟卜者，武王也。谋度镐京之居，盖武王之志已先定矣。及以吉凶取正于龟，而龟亦协从，武王遂以龟为正而成此都焉。是武王不自以为功而让之龟卜也，故引以为让善之证。"镐（hào）京：古都名。西周国都。故址在今陕西省西安市西南沣水东岸。周武王既灭商，自鄷徙都于此，谓之宗周，又称西都。

[译文]

孔子说："有成绩就归功他人，有错误则归咎自己，老百姓就会互相推让成绩。《诗经》上说：'武王占卜问神灵，可否建都在镐京。龟兆显示大大吉，武王终于建成之。'"

子云："善则称君，过则称己，则民作忠①。《君陈》曰：'尔有嘉谋嘉猷，入告尔君于内。女乃顺之于外，曰：此谋此猷，惟我君之德。於乎！是惟良显哉！'②"

[注释]

①作忠：产生忠君之心。②《君陈》曰七句：《君陈》，《尚书·周书》篇名。此处引文与《尚书》原文小异。郑玄注："君陈，盖周公之子，伯禽弟也。"此以人名篇。七句大意谓：你如果有好主意好办法，先到宫内启禀你的君王。（得到俯允之后），你再拿到外面去实行，并且对人说："这个好主意好办法，全靠我们君王的好领导。"呜呼！这就叫做臣良君明啊！於（wū）乎，即呜呼。感叹词。

[译文]

孔子说："有成绩就归功君王，有错误则归咎自己，这样百姓就会兴起忠君之风。《尚书·君陈》上说：'你有好主意、好办法，先进去启奏君王。得到俯允之后，你再拿到外边去实行，并且宣布说：这个好主意，这个好办法，全靠君王的好领导。呜呼！只有善良的君王才会如此光明伟大。'"

子云："善则称亲①，过则称己，则民作孝②。《大誓》曰：'予克纣，非予武，惟朕文考无罪。纣克予，非朕文考有罪，惟予小子无良。'③"

[注释]

①亲：此谓父母。②作孝：产生孝心。③《大誓》曰六句：《大誓》，即《尚书·周书·泰誓》。古"大""太"同字。郑玄注云："今《大誓》无此章，则其篇散亡。"引文中的"予"是周武王自称，"文考"谓武王之父文王，"无罪"谓有德。六句大意是：如果我打败了殷纣，那也不是由于我的武功，而是由于我的父亲有德。如果殷纣打败了我，那也不是由于我的父亲无德，而是由于我这个做儿子的不肖。

[译文]

孔子说："有成绩就归功双亲，有错误则归咎自己，这样百姓就会兴起孝顺父母之风。《尚书·泰誓》上说：'如果我打败了殷纣，那也不是因为我的武功，而是因为我的父亲本来就没有错；如果殷纣打败了我，那也不是因为我的父亲有错，而是因为我这个做儿子的不肖。'"

子云："君子弛其亲之过，而敬其美。①《论语》曰：'三年无改于父之道，可谓孝矣。'②高宗云：'三年其惟不言，言乃讙。'③"

[注释]

①君子弛其亲之过二句：君子对于父母的过失从来不记恨在心，而对于

父母的美德却敬记在心。弛,犹言弃忘。②《论语》曰二句:见《论语·学而》。"三年",谓父死后三年之内。"无改于父之道",谓即令父之道有缺失,也不能改。这就是上文的"弛其亲之过"。③高宗云二句:今《尚书》无《高宗》之篇。二句分见《尚书》的《说命》和《无逸》。高宗:殷高宗武丁,史称殷代的中兴之君。郑玄注云:"三年不言,有父小乙丧之时也。谨,当为欢,声之误也。其既言,天下皆欢喜,乐其政教也。"

[译文]

孔子说:"君子不把父母的过错记恨在心,但对于父母的美德却要牢记在怀。《论语》上说:'三年不改变父亲生前的主张,可以说是孝子了。'《尚书》上说:'高宗守丧三年,一句话都不讲;可是等到守丧期满一开口讲话,就非常受人拥护。'"

子云:"从命不忿①,微谏不倦②,劳而不怨③,可谓孝矣。《诗》云:'孝子不匮。'④"

[注释]

①从命不忿:陈澔《礼记集说》:"一说'忿'当作'急',亦通。"王夫之《礼记章句》、王引之《经义述闻》并从此说。按:作"急"。从命:谓听从父母之命。②微谏:用隐约委婉的话语进谏。不倦:郑玄注云:"《内则》曰:'父母有过,下气怡色,柔声以谏。谏若不入,起敬起孝,说则复谏。'此所谓不倦。"③劳而不怨:任劳任怨。④《诗》云句:见《诗经·大雅·既醉》。谓孝子行其孝道,没有匮乏之时。

[译文]

孔子说:"听从父母的教导毫不懈怠,含蓄地规劝父母不知疲倦,为父母担忧而毫无怨言,这样的儿子可以称得上孝顺了。《诗经》上说:'孝子对父母的孝心是无穷无尽的。'"

子云:"睦于父母之党①,可谓孝矣。故君子因睦以合族②。《诗》云:'此令兄弟,绰绰有裕;不令兄弟,交相为瘉。'③"

[注释]

①睦：厚。父母之党：父亲母亲的亲属。②合族：与族人一道聚餐。③《诗》云四句：见《诗经·小雅·角弓》。四句意谓，有德之人使兄弟关系良好，有了什么事情无论怎样说都好说；无德之人使兄弟关系不好，彼此互相伤害。瘉，危害。

[译文]

孔子说："能够与父母的亲人也和睦相处，才可以称作孝。所以君子经常招待族人聚餐以加强团结。《诗经》上说：'兄弟关系良好，彼此融洽无间；兄弟关系恶劣，彼此互相指责。'"

子云："于父之执①，可以乘其车，不可以衣其衣。②君子以广孝③也。"

[注释]

①父之执：即父执，父亲的朋友。②可以乘其车二句：孔颖达疏云："以衣在身，车比衣稍远，故可以乘其车。"③广孝：把孝道推广到父亲的朋友。

[译文]

孔子说："对于父亲的同志，可以乘他的车子，但不可以穿他的衣服。君子这样做，就是把对父亲的孝道扩展到父亲的朋友。"

子云："小人皆能养其亲，君子不敬，何以辨①？"

[注释]

①何以辨：何以区别于小人？按：养其亲，是物质层面的问题；敬其亲，则是精神层面的问题。前者使其亲温饱，后者使其亲愉悦。

[译文]

孔子说："连小人都能够养活他的双亲，作为君子，如果也是只能养活而不知孝敬，那与小人还有什么区别呢？"

子云："父子不同位①，以厚敬②也。《书》云：'厥辟不辟，忝厥祖。③'"

[注释]

①不同位：不可处在尊卑相同的位置上。②以厚敬：谓子以此厚敬其父。③《书》云二句：见《尚书·商书·太甲》，原文无"厥"字。意谓为君不君，则辱其祖。辟，君。忝，辱。引《尚书》者，谓为子者不仅应厚敬其父，还要厚敬其祖。

[译文]

孔子说："父亲与儿子，不能处在尊卑相同的位置上，以此来强调对父亲的敬重。《尚书》上说：'做国君的不像个做国君的样子，那就是辱没他的先祖。'"

子云："父母在，不称老。言孝不言慈。①闺门之内②，戏而不叹③。君子以此坊民，民犹有薄于孝而厚于慈。"

[注释]

①父母在三句：在父母面前，儿子如果称老，父母将作何感想？在父母面前，只可谈儿子如何孝顺父母的事，不可谈父母如何慈爱儿子的事，否则，父母又将作何感想？②闺门之内：谓在父母面前。闺门，内室之门。③戏而不叹：像小孩子那样地逗趣，而不唉声叹气。姜兆锡曰："亦老莱子戏彩之意也。"

[译文]

孔子说："父母健在，做儿子的不敢自称老。平常要多讲究对父母如何孝顺，不要讲究做父母的应该怎样心疼自己。家门之内，只可引逗父母高兴，不可在父母面前唉声叹气。君子用这些礼节来规范百姓，百姓还有讲究孝道的少，企求父母慈爱的多。"

子云："长民者①，朝廷敬老，则民作孝②。"

[注释]

①长民者：指天子和诸侯。②作孝：兴孝，兴起孝顺。

[译文]

孔子说:"身为天子、诸侯,如果能够在朝廷上做到敬老,那么百姓就会兴起孝顺之风。"

子云:"祭祀之有尸①也,宗庙之有主②也,示民有事③也。修宗庙,敬祀事,教民追孝④也。以此坊民,民犹忘其亲。"

[注释]

①尸:古代祭祀时代死者受祭的人。《礼记·曾子问》中孔子曰:"祭成丧者必有尸,尸必以孙。孙幼,则使人抱之。无孙,则取于同姓可也。"《郊特牲》:"尸,神象也。"②主:神主。③有事:谓有所尊敬的对象。④追孝:追行孝道。即念念不忘死去的亲人。

[译文]

孔子说:"祭祀时候有尸,宗庙中设立神主,这是向人们指出应该尊奉的对象。修建宗庙,恭恭敬敬地进行祭祀,这是教育百姓不要忘掉死去的亲人。用这种办法来教育百姓,百姓还有忘掉亲人的。"

子云:"敬则用祭器①。故君子不以菲废礼,不以美没礼。②故食礼③,主人亲馈④,则客祭⑤;主人不亲馈,则客不祭。故君子苟无礼,虽美不食焉。《易》曰:'东邻杀牛,不如西邻之禴祭,实受其福。'⑥《诗》云:'既醉以酒,既饱以德。'⑦以此示民,民犹争利而忘义。"

[注释]

①敬:谓设宴招待宾客以表示敬意。祭器:郑玄注:"簠、豆、簋、铏之属也……盘、盂之属为燕器。"按:招待宾客有三种规格不同的宴席,依次为飨礼、食礼、燕礼。举行飨礼、食礼时,用祭器。举行燕礼时,用燕器。②故君子不以菲废礼二句:所以君子不以家道贫穷而废除礼,不以家道殷实而超越

礼。没，超越。③食礼：规格较高的一种宴席。食礼所用之牲是太牢，有饭有肴，虽设酒而不饮。其礼以饭为主，故称为食礼。④亲馈：亲自为客人布菜。⑤祭：谓进行食祭。祭的方法是：在进食之前，把各种食品取出少许，放在食器之间的地上，以表示对古代造出此种食品的人的报答。⑥《易》曰三句：乃《周易·既济》九五爻辞。郑玄注："东邻，谓纣国中也。西邻，谓文王国中也。此辞在《既济》。《既济》，《离》下《坎》上，《离》为牛，《坎》为豕。西邻禴祭则用豕与？言杀牛而凶，不如杀豕受福，喻奢而慢，不如俭而敬也。"禴（yuè），祭名。指夏祭或春祭。一说非时而祭曰禴。⑦《诗》云二句：见《诗经·大雅·既醉》，意谓君子设宴招待宾客，不但要把酒喝好，还要充分展示美德。

[译文]

孔子说："为了表示对宾客的尊敬，就可以用祭器来款待。所以，君子不因家道贫穷而废除礼，也不因家道殷实而超越礼。所以食礼规定，主人亲自给客人布菜，客人就祭；主人不亲自给客人布菜，客人就不祭。所以，君子如果遇到无理的接待，即使是佳肴美味也不去吃。《易经》上说：'殷纣国中的杀牛之祭，还不如文王国中的杀猪之祭，能够真正地得到神的保佑。'《诗经》上说：'君子设宴待客，不但要把酒喝好，而且要充分展示美德。'用这种办法来教育百姓，百姓还争利而忘义。"

子云："七日戒，三日齐，①承②一人焉以为尸，过之者趋走③，以教敬也。醴酒在室，醍酒在堂，澄酒在下，示民不淫也。④尸饮三，众宾饮一，示民有上下也。⑤因其酒肉，聚其宗族，以教民睦也。⑥故堂上观乎室，堂下观乎上。⑦《诗》云：'礼仪卒度，笑语卒获。'⑧"

[注释]

①七日戒，三日齐（zhāi）：古代举行大的祭祀，要斋戒十日。其中前七日叫做戒，也叫散斋。散斋期间，白天可以照常干活，但是不得举乐，不得吊

丧问疾，不得预秽恶之事。后三日叫做斋，也叫致斋。致斋期间，一切工作停止，一门心思地做祭祀的物质准备和精神准备。②承：奉事。③过之者：从尸身边经过的人。趋走：一种礼节。小步快走，表示尊敬。④醴酒在室四句：醴酒、醍(tí)酒、澄酒，是三种未经过滤的浊酒，以味道厚薄而论，醴酒最薄，醍酒稍厚，澄酒最厚。但作为祭品摆放的位置却是味最薄的在上（在室），稍厚的其次（在堂），最厚的在下（谓在堂下）。这样序列的摆放，是为了体现"皆从其朔"的饮食原则，也是敬神的需要，但展示给后人的却是神不贪味。⑤尸饮三三句：向尸敬酒三次，向众宾敬酒只一次，这是要示民有尊卑。即尸尊，众宾卑。⑥因其酒肉三句：孔颖达疏："谓因其祭祀之酒肉，于祭祀之末，聚其宗族，昭穆相献酬，教民相亲睦也。"实际上这是飨神之后的族人会餐。⑦故堂上观乎室二句：孔颖达疏："祭祀之时，在堂上者观望在室之人以取法，在堂下之人观看于堂上之人以为则。"⑧《诗》云二句：见《诗经·小雅·楚茨》。卒度：完全合乎法度。笑语卒获：谈笑也完全合乎分寸。

[译文]

孔子说："国君在祭祀的前十天内，头七天散斋，后三天致斋；又奉事一人以为尸，大夫、士遇到他都要回避。这是教导人们要对神恭敬。醴酒放在室内，醍酒放在堂上，澄酒放在堂下，味薄的放在上面，味厚的放在下面，这是教育人们不要贪味。向尸敬酒三次，向宾敬酒只一次，这是教育人们要知道尊卑。借着祭祀剩下的酒肉，聚集合族的人会餐，这是教育人们要和睦相处。所以堂上的人以室内的人为楷模，堂下的人又以堂上的人为楷模。《诗经》上说：'礼仪都合乎法度，谈笑也很有分寸。'"

子云："宾礼每进以让①，丧礼每加以远②。浴于中霤，饭于牖下，小敛于户内，大敛于阼，殡于客位，祖于庭，葬于墓，所以示远也。③殷人吊于圹④，周人吊于家⑤，示民不偝⑥也。"

[注释]

①宾礼每进以让：迎接宾客之礼，每一个往里面请进的环节都要互相谦

让。拿《仪礼》来说,《乡饮酒礼》:"主人与宾三揖,至于阶,三让。"《聘礼》:"宾入门左,三揖,至于阶,三让。"《公食大夫礼》:"宾入,三揖。至于阶,三让。"②丧礼每加以远:丧礼过程中,每一个仪式的完成,都意味着死者离家更远。③浴于中霤八句:这八句是具体说明上句"丧礼每加以远"的。浴于中霤:中霤是室的中央,在那里为死者沐浴。饭于牖下:在室内南窗下为死者饭含。小敛于户内:在室门内为死者小敛。大敛于阼:在堂的阼阶上为死者大敛。殡于客位:客位,指堂的西阶。大敛之后,在西阶停殡。祖于庭:在家庙的院子里举行祖奠(祖,始也。柩车开始向墓地进发时举行的祭典)。葬于墓:将死者葬于墓地。可以看出,由死者住室中央而窗下,由室内窗下而室门之内,由室门之内而阼阶(主人之阶),由阼阶而西阶(宾客之阶),再由家内迁之于家庙,由家庙而至于墓,是一步比一步离家远。按《礼记·檀弓上》:"子游曰:'饭于牖下,小敛于户内,大敛于阼,殡于客位,祖于庭,葬于墓,所以即远也。故丧事有进而无退。'"④吊于圹:在墓地吊慰死者家属。⑤吊于家:在死者家属从墓地返回家中之后进行吊慰。⑥不偝:不忘记死者。

[译文]

孔子说:"行宾礼时,每逢进门、升堂都要互相谦让;而行丧礼时,每一个仪式的完成,都意味着死者离家更加遥远。人死以后,首先是在室中浴尸,接着是在南窗之下饭含,然后在门内举行小敛,在阼阶举行大敛,在西阶停殡,迁柩于家庙之中举行祖奠,最后葬于墓穴,借以表示死者离开生者愈来愈远了。殷人在墓地上吊慰死者家属,周人是在死者家属从墓地返回家中以后才进行吊慰,这是教育人们不要忘记死者。"

子云:"死,民之卒事也,吾从周。①以此坊民,诸侯犹有薨而不葬者②。"

[注释]

①死,民之卒事也,吾从周:郑玄注:"周于送死尤备。"卒事,最后的

一件事。②诸侯犹有薨而不葬者：按照礼的规定，诸侯死，五月而葬。薨，称诸侯之死。

[译文]

孔子说："死是人生的最后一件大事，周人的送死之礼比较完备，所以我赞成周人的办法。用这种办法来规范人们，诸侯还有死了以后不能如期下葬的。"

子云："升自客阶，受吊于宾位，教民追孝也。①未没丧，不称君，示民不争也。故鲁《春秋》记晋丧曰：'杀其君之子奚齐，及其君卓。'②以此坊民，子犹有弑其父者③。"

[注释]

①升自客阶三句：这是说从墓地回来后举行反哭仪式时，儿子升堂本该升自阼阶（因为此时儿子已是一家之主），但却升自客阶（即西阶）；接受吊唁本该在主人位（即阼阶），但仍然在客位（即西阶）。这样做的原因是，父亲刚刚下葬，儿子不忍马上就即父位。②未没丧五句：未没丧，即未终丧。孙希旦说："以下文引《春秋》推之，当云'未逾年，不称君'，记者之误尔。盖一岁不二君，未逾年而称君，则是急于受国而有争夺其父之心矣。奚齐及卓，皆晋献公之子。《春秋》僖公九年九月：'晋侯佹诸（即晋献公）卒。冬，晋里克弑其君之子奚齐。'奚齐不称君，立未逾年也。十年正月：'里克弑其君卓。'卓称君，已逾年也。"③子犹有弑其父者：宋孙复《春秋尊王发微》卷一："故春秋之世，臣弑其君者有之，子弑其父者有之，弟弑其兄者有之，妇弑其夫者有之。是时纪纲既绝，荡然莫禁。"

[译文]

孔子说："葬毕回家以后，孝子还坚持从西阶升堂，在宾位受吊。这是教育人们不要马上忘记亲人。三年之丧的守孝期限还没有结束，继承国君之位的儿子就不自称'国君'，这是表示做儿子的不是争着要当国君。所以，鲁国的《春秋》在记载晋国的丧事时说：'晋国大臣里克杀死了晋国国君的儿子奚齐，及其国君卓。'用这种办法来教育人们，还有儿子杀死他的父亲的。"

子云："孝以事君①，弟以事长②，示民不贰③也。故君子有君不谋仕④，唯卜之日称二君⑤。丧父三年，丧君三年，示民不疑也⑥。父母在，不敢有其身，不敢私其财，⑦示民有上下也。故天子四海之内无客礼，莫敢为主焉⑧。故君适其臣，升自阼阶，即位于堂⑨，示民不敢有其室也。父母在，馈献不及车马⑩，示民不敢专也。以此坊民，民犹忘其亲而贰其君。"

[注释]

①孝以事君：孙希旦说："谓以事亲之孝事君也。"《大学》："孝者，所以事君也。"②弟以事长：孙希旦说："谓以事兄之弟事长也。"弟，通"悌"。《大学》："弟者，所以事长也。"③不贰：没有二心。④故君子有君不谋仕：姚际恒曰："君子既有君而事之，不得更谋他国之仕。"⑤唯卜之日称二君：只有在初次出来做官，卜问吉凶时，才可以自称"国君的副手"。此姚际恒、陆奎勋说。⑥示民不疑也：郑玄注："不疑于君之尊也。君无骨肉之亲，不重其服，至尊不明。"不重其服，谓与父同为三年。⑦父母在三句：意谓父母在时之时，包括儿子本人在内，一切财物的所有权都归于父母。⑧故天子四海之内无客礼二句：意谓四海之内天子无论走到哪里都不是客人，没有谁敢当天子的主人。⑨堂：古之堂，犹今室内之厅。⑩馈献：奉送礼物。车马：车马是家庭财产中的大件。

[译文]

孔子说："用孝道来侍奉国君，用悌道来侍奉尊长，这是教育人们对上不要怀有二心。所以，国君之子在国君健在时不谋求任何官职，只有在代替国君占卜时才可以自称'国君的副手'。父亲死了守丧三年，国君死了也守丧三年，这是向百姓表示，国君的尊严与父亲完全一样，毋庸置疑。父母健在之时，做儿子的就不敢认为身体是自己的，也不敢置备私产，这是教育人们要知道上下尊卑。所以天子在四海之内没有做客的礼仪，因为没有哪个人敢当他的主人。所以国君到了臣下家里，升自主阶，即位于堂，这是教育百姓不要把家就看成是自己的。父母健在，向别人赠送东西，小件东西还可以，像车马那样的大件就不可以，这是教育百姓不敢自作主张。用这种办法来教育百姓，百姓还有忘掉父母和对国君怀有二心的。"

子云："礼之先币帛也①，欲民之先事而后禄也。先财而后礼则民利②，无辞而行情则民争③。故君子于有馈者④，弗能见则不视其馈⑤。《易》曰：'不耕获，不菑畲，凶。'⑥以此坊民，民犹贵禄而贱行⑦。"

[注释]

①礼之先币帛也：郑玄注："此礼，谓所执之贽以见者也。既相见，乃奉币帛以修好也。"币帛，作为礼品的帛。②先财而后礼则民利：先奉上财物（即币帛）而后行相见之礼，则引发民之贪心。利，贪也。③无辞而行情则民争：孔颖达疏："辞，谓辞让。言与人相见，无辞让之礼，直行己情，则有利欲，故民为争。"④有馈者：馈赠自己礼品（币帛）者。⑤弗能见：姚际恒曰："弗能先以礼来见也。即'礼先币帛'之意。"不视其馈：不接受其馈赠。视，接受。⑥《易》曰三句：见《周易·无妄》六二爻辞，但原文中没有"凶"字，不少学者以为是个衍字。菑(zī)，刚种一年的田地。畲(yú)，开垦过三年的田地，熟田。三句大意是：不耕种而想收获，不开垦而想得到良田。⑦行：谓做事。

[译文]

孔子说："相见之礼，是在行过相见之礼以后才奉上见面的礼物。之所以要这样做，是要教育百姓先做事情而后接受俸禄。先奉上见面的礼物然后再行相见之礼，就会导致百姓产生贪财之心。不加辞让，见礼就收，就会导致百姓相争。所以，君子在有人馈赠礼物时，如果自己不能接见，就不接受对方的礼物。《易经》上说：'不耕而获，不开荒而得到良田，凶。'用这种办法来教育百姓，百姓还有看重利禄而轻视做事的。"

子云:"君子不尽利以遗民①。《诗》云:'彼有遗秉,此有不敛穧,伊寡妇之利。'②故君子仕则不稼,田则不渔③,食时不力珍④,大夫不坐羊,士不坐犬。⑤《诗》云:'采葑采菲,无以下体。德音莫违,及尔同死。'⑥以此坊民,民犹忘义而争利,以亡其身。"

[注释]

①遗(wèi)民:留给百姓。②《诗》云三句:见《诗经·小雅·大田》。三句意谓,那里有遗留下来的禾把,这里有撒在地上的禾穗,这是让寡妇捡拾度日的。伊,是,此。③田则不渔:田猎就不打鱼。④食时:这个时令有什么就吃什么。不力珍:不追求高档膳食。⑤大夫不坐羊二句:实际意思是大夫不杀羊,士不杀犬。之所以用"坐"字,据郑玄注:"古者杀牲,食其肉,坐其皮。不坐犬羊,是无故不杀之。"⑥《诗》云四句:见《诗经·邶风·谷风》。葑:蔓菁。菲:萝卜。下体:谓葑与菲的根部。郑玄注:"采葑菲之菜者,采其叶而可食,无以其根美则并取之,苦则弃之。并取之,是尽利也。此诗故亲今疏者,言人之交,当如采葑采菲,取一善而已,君子不求备于一人,能如此,则德美之音不离令名,我愿与女同死矣。"此处这种所谓"不尽利(不独占全部利益)"意义的使用,与诗文原意不符,所谓断章取义也。

[译文]

孔子说:"君子不把利益全部占有,要给百姓留下一部分。《诗经》上说:'那里有遗留下来的禾把,这里有撒在地上的禾穗,这是让寡妇们随意捡拾的。'所以君子当官就不种地,田猎就不打鱼,一年四季有啥吃啥,不追求山珍海味,大夫无故不杀羊,士无故不杀狗。《诗经》上说:'采葑又采菲,叶子已摘走,不要连根取。昔日山盟莫相忘,与你生死不分离。'用这种办法来教育百姓,百姓还有因为忘义争利而丧身的。"

子云："夫礼，坊民所淫①，章②民之别，使民无嫌，以为民纪③者也。故男女无媒不交，无币④不相见，恐男女之无别也。以此坊民，民犹有自献其身⑤。《诗》云：'伐柯如之何？匪斧不克。取妻如之何？匪媒不得。蓺麻如之何？横从其亩。取妻如之何？必告父母。'⑥"

[注释]

①民：据下文，谓男女。下同。淫：贪淫。②章：彰明。③民纪：民之准则，男女交往的准则。④币：礼品。此谓婚礼六礼中的纳币。⑤自献其身：无媒无币，私自结合。⑥《诗》云八句：见《诗经·齐风·南山》。伐柯：今《毛诗》作"析薪"。伐柯，伐木以为柯（斧柄）。匪：通"非"。克：能也。取："娶"的古字。蓺麻：种麻。横从：即"横纵"，整治之义。郑玄注："言取妻之法必有媒，如伐柯之必须斧也。取妻之道，必告父母，如树麻当先易治其田。"

[译文]

孔子说："礼可以用来防止人们的贪淫好色，强调男女之别，使其避免嫌疑，并成为人们遵守的准则。所以，男女之间没有媒妁就不得交往，不下聘礼不得相见，就是担心男女无别才做出这种规定。用这种办法来教育人们，人们还有私自结合的。《诗经》上说：'砍柴靠什么？没有斧头就办不到。娶妻靠什么？没有媒妁办不成。种麻靠什么？必须整理田亩。娶妻靠什么？必先禀告父母。'"

子云："取妻不取同姓①，以厚别②也。故买妾不知其姓，则卜之。以此坊民，鲁《春秋》犹去夫人之姓曰'吴'，其死曰'孟子卒'。③"

[注释]

①取妻不取同姓：因为古人已经知道"男女同姓，其生不蕃"。成语有"秦晋之好"，秦是嬴姓，晋是姬姓，因为异姓，才能结好。②厚别：强调差

别。③鲁《春秋》二句：按照《春秋》书法的通例，凡国君娶夫人皆书夫人娘家之姓。如娶齐国女子，则曰"夫人姜氏至自齐"。鲁国和吴国都是姬姓，今昭公娶吴女为夫人，《春秋》不好记载作"夫人姬氏至自吴"，只好去掉姓，只写作"夫人至自吴"。又《春秋·昭公十二年》："孟子卒。"《左传》解释说："昭夫人孟子卒。昭公娶于吴，故不书姓。"孟子，昭公夫人的字。按照《春秋》书法惯例，应书"夫人姬氏薨"。但为了不露出同姓相婚的马脚，只好书作"孟子卒"。

[译文]

孔子说："娶妻不娶同姓之女，这是为了强调同姓不婚。所以买妾的时候，如果不知道妾的姓，就应该卜一下，看看是否适宜。用这种办法来教育人们，鲁昭公竟然还娶与鲁同姓的吴国女子为夫人，以至于鲁国的《春秋》在记载昭公娶夫人这件事时，不得不隐去夫人的姓，而只说是来自吴国；到她死时，又不得不隐去她的姓，而只说是'孟子卒'。"

子云："礼，非祭，男女不交爵①。以此坊民，阳侯犹杀缪侯而窃其夫人②。故大飨③废夫人之礼。"

[注释]

①交爵：互相敬酒。②阳侯：阳国国君。春秋时的阳国在今山东沂水县西南。缪侯：《淮南子·氾论训》作"蓼侯"。王引之说：缪，通"蓼"。高诱注云："蓼侯，皋陶之后，偃姓之国侯也，今在庐江。古者大飨饮酒，君执爵，夫人执豆。阳侯见蓼侯夫人美艳，因杀蓼侯而娶夫人，由是废致夫人之礼。"③大飨：此谓两君相会时的盛大宴会。

[译文]

孔子说："按照礼的规定，不是祭祀的时候，男女之间不互相敬酒。用这种办法来教育人们，阳侯还杀掉缪侯而且霸占了他的夫人。从那以后，两君相见的大飨，就废除了夫人必须参加的礼节。"

子云:"寡妇之子,不有见焉,则弗友也,君子以辟远也。①故朋友之交,主人不在,不有大故②,则不入其门。以此坊民,民犹以色厚于德。"

[注释]

①寡妇之子四句:也是"瓜田李下"之义。有见:有才艺。辟远:犹言避嫌。②大故:指丧事或疾病。

[译文]

孔子说:"对于寡妇的儿子,如果不是看到他很有才能,就不和他交朋友,因为君子要远避嫌疑。所以朋友互相往来,如果男主人不在家,又没有死人、生病等重大事情,就不进入他家的门。用这种办法来教育人们,人们还好色超过了好德。"

子云:"好德如好色①,诸侯不下渔色②。故君子远色以为民纪③。故男女授受不亲④。御妇人则进左手⑤。姑、姊妹、女子子已嫁而反⑥,男子不与同席而坐。寡妇不夜哭⑦。妇人疾,问之,不问其疾。⑧以此坊民,民犹淫泆而乱于族⑨。"

[注释]

①好德如好色:郑玄注:"此句似不足。《论语》曰:'未见好德如好色。'疾(谓痛感)时人厚于色之甚,而薄于德也。"②诸侯不下渔色:诸侯不可在本国网罗美女。③民纪:百姓的榜样。④男女授受不亲:郑玄注:"不亲者,不以手相与也。《内则》曰:'非祭非丧,不相授器。其相授,则女受以篚。其无篚,则皆坐奠之,而后取之。'"⑤御妇人则进左手:男子为妇人驾车,妇人坐在车厢左边,驾车者坐在车厢右边,采取左手执辔驾车的姿势,就会自然地把背部侧向妇人,有所回避。⑥女子子:即女儿。反:"返"的古字。指回娘家。⑦寡妇不夜哭:郑玄注:"嫌思人道。"谓有思偶之嫌。⑧妇人疾三句:意谓妇人有病,要问,只可问是不是好了,不可详问得的什么病。⑨乱于族:淫乱于家族内部。

[译文]

孔子说:"人们的爱好道德之心,如果像爱好女色那样就好了。诸侯不应该在本国臣民中挑选美女做妻妾。所以君子不贪女色,为百姓树立楷模。所以男女授受不亲。为妇人驾车,应该以左手执辔驾车。姑、姊妹、女儿出嫁以后又回到娘家,男子就不再和她们同席而坐。寡妇不应该在夜间哭泣。妇人有病,可以问她病是轻了还是重了,但不要问她害的是什么病。用这种办法来教育百姓,百姓还有乱搞两性关系而败坏伦常的。"

子云:"昏礼,婿亲迎,见于舅姑①,舅姑承子②以授婿,恐事之违也③。以此坊民,妇犹有不至④者。"

[注释]

①舅姑:本义是公公婆婆。这里指外舅外姑,即岳父岳母。下"舅姑"同。②承子:谓亲手把女儿。此"子",谓女儿。③恐事之违也:指临行前父母对女儿的深切嘱咐。郑玄注:"父戒女曰:'夙夜毋违命。'母戒女曰:'毋违宫事。'"宫事,即室事,今言家务事。④不至:郑玄注:"不至,不亲夫以孝舅姑也。"

[译文]

孔子说:"按照婚礼的规定,新婿要亲自到女家迎亲,拜见岳父岳母,岳父岳母亲手把女儿交给新婿,并且千叮咛万嘱咐地要她到婆家以后孝顺听话。用这种办法来教育人们,还有不孝顺不听话的媳妇。"

中庸第三十一

[题解]

本篇记中庸之道。《论语·雍也》："中庸之为德也，其至矣乎！"把中庸看做是至高无上的道德。本篇也是朱熹所编《四书》之一。

天命①之谓性，率性之谓道②，修道之谓教③。道也者，不可须臾④离也，可离非道也。是故君子戒慎乎其所不睹⑤，恐惧乎其所不闻。莫见乎隐⑥，莫显乎微⑦，故君子慎其独也⑧。喜怒哀乐之未发，谓之中；⑨发而皆中节⑩，谓之和。中也者，天下之大本⑪也；和也者，天下之达道⑫也。致⑬中和，天地位⑭焉，万物育焉。

[注释]

①天命：犹言天赋，上天赋予。据郑玄说，上天把仁义礼智信五种德行赋予了生人。②率性之谓道：郑玄注："率，循也。循性行之之谓道。"③修道之谓教：据郑玄注，把道加以修治而推广之，使人仿效，就叫教。④须臾：片刻。⑤乎：介词，同"于"。其所不睹：直译"他（君子）所不睹"，实际意思是"为人所不见"。下句仿此。⑥莫见（xiàn）乎隐：没有什么隐秘可以不被发现。见，"现"的古字。⑦莫显乎微：没有什么小事可以不被显露。⑧慎其独也：郑玄注："慎独者，慎其闲居之所为。"⑨喜怒哀乐之未发二句：朱熹注："喜怒哀乐，情也。其未发，则性也，无所偏倚，故谓之中。"发，

发作。⑩中（zhòng）节：合乎规范，恰如其分。⑪大本：根本。⑫达道：普遍的规律。⑬致：使达道。⑭位：郑玄注："犹正也。"

[译文]

上天赋予人的叫做性，遵循上天赋予的性而行动叫做道，把道加以修治并使众人仿效叫做教。道，是不能片刻离开的；如果可以离开，那就不是道了。所以，君子在人们看不见的地方也自觉地警惕谨慎，在人们听不见的地方也仍然战战兢兢。没有什么隐秘可以不被发现，没有什么小事可以不被显露，所以君子在一人独处的时候也十分小心谨慎。人的喜怒哀乐尚未表现出来，叫做中；表现出来而又处处合乎规范，叫做和。中，这好似天下的最大根本；和，这是天下的普遍规律。达到了中和，天地就会有条不紊，万物才能发育生长。

仲尼曰："君子中庸，小人反中庸。①君子之中庸也，君子而时中；小人之中庸也，小人而无忌惮也。②"

[注释]

①君子中庸二句：郑玄注："庸，常也。用中为常道也。反中庸者，所行非中庸，然亦自以为中庸也。"朱熹注："中庸者，不偏不倚，无过不及，而平常之理，乃天命所当然，精微之极致也，唯君子为能体之，小人反是。"②君子之中庸也四句：朱熹注："君子之所以为中庸者，以其有君子之德，而又能随时以处中也。小人之所以反中庸者，以其有小人之心，而又无所忌惮也。"时中：时时恰如其分。小人之中庸也：王肃本作"小人之反中庸也"，是。

[译文]

孔子说："君子坚持中庸，小人违背中庸。君子之所以坚持中庸，是因为有君子之德，因而总是恰如其分；小人之所以违背中庸，是因为有小人之心，因而肆无忌惮。"

子曰:"中庸其至矣乎!民鲜能久矣!"

[译文]

孔子说:"中庸大概是最高的道德标准了!可是人们很少能够长期做到啊!"

子曰:"道①之不行也,我知之矣:知者②过之,愚者不及也。道之不明也,我知之矣:贤者过之,不肖者不及也。人莫不饮食也,鲜能知味也。③"

[注释]

①道:谓中庸之道。②知者:智者。知,古"智"字。③人莫不饮食也二句:人:指代上文的"智者"和"愚者"。莫不饮食:犹言莫不追求中庸。这是一个浅近的比喻。鲜能知味:犹言很少有人能够做到。

[译文]

孔子说:"中庸之道之所以不能实行,我知道原因了:聪明的人做过了头,愚蠢的人却还没有达到。中庸之道之所以不能彰明,我知道原因了:贤者做过了头,不贤者却还没有达到。没有一个人不吃不喝,但能品尝出滋味的却很少。"

子曰:"道其不行矣夫!"

[译文]

孔子说:"中庸之道大概是不能实行了吧!"

子曰:"舜其大知也与①!舜好问而好察迩言②,隐恶而扬善,执其两端③,用其中④于民,其斯以为舜乎!"

[注释]

①大知:即大智。知,古"智"字。也与:语尾助词,相当于现代汉语的"了吧"。②好问:犹言不耻下问。迩言:浅近之言,常人之语。迩,近

也。③两端：郑玄注："过与不及也。"所谓"执其两端"，实际上是"舍其两端"。④中：无过与无不及。

[译文]

孔子说："舜大概是最明智的人了吧！他不耻下问而且善于审察浅近的话，别人说错的他加以掩盖，别人说对的他加以表扬；他抓住过与不及两个极端，取其折中之道使愚智之民都能实行。这大概就是舜之所以为舜的道理吧！"

子曰："人皆曰'予知'①，驱而纳诸罟擭②陷阱之中，而莫之知辟③也。人皆曰'予知'，择乎中庸而不能期月守也④。"

[注释]

①人皆曰'予知'：人人都说自己聪明。②罟（gǔ）：罗网。擭（huò）：设有机关的捕兽木笼。③辟：通"避"，避开。④择乎：选择了。期（jī）月：满一个月。守：坚持。

[译文]

孔子说："人人都说自己聪明，被利欲驱赶到罗网、机关、陷阱之中却不知道躲避。人人都说自己聪明，选择了中庸之道，却连一个月也不能坚持。"

子曰："回①之为人也，择乎中庸，得一善则拳拳服膺而弗失之矣②。"

[注释]

①回：孔子得意弟子颜回，字子渊。详见《论语》和《史记·仲尼弟子列传》。②得一善：谓得到合乎中庸之道的片言只语。拳拳：奉持之貌。服膺：牢记在心。

[译文]

孔子说："颜回的为人，选择了中庸之道，取得了一点进步就牢牢记在心中，使其永不丢失。"

子曰:"天下国家可均①也,爵禄可辞也,白刃可蹈也,中庸不可能也②。"

[注释]

①均:朱熹注:"平治也。"②中庸不可能也:(与以上三者相比)中庸是很难做到的。

[译文]

孔子说:"天下国家可以得到治理,爵位俸禄可以辞掉,锋利的刀刃可以脚踏上去,而中庸之道却是很难做到的。"

子路问强①。子曰:"南方之强与②?北方之强与?抑而③强与?宽柔以教,不报无道,南方之强也,君子居之。④衽金革,死而不厌,北方之强也,而强者居之。⑤故君子和而不流⑥,强哉矫⑦!中立而不倚⑧,强哉矫!国有道,不变塞焉⑨,强哉矫!国无道,至死不变⑩,强哉矫!"

[注释]

①子路问强:朱熹注:"子路,孔子弟子仲由也。子路好勇,故问强。"强,刚强。②与:疑问语气词,后写作"欤"。③抑:或者,抑或。尔:你。此谓子路。④宽柔以教四句:朱熹注:"宽柔以教,谓含容巽顺以诲人之不及也。不报无道,谓横逆之来,直受之而不报也。南方风气柔弱,故以含忍之力胜人为强,君子之道也。"⑤衽金革四句:朱熹注:"衽,席也。金,戈兵之属。革,甲胄之属。北方风气刚劲,故以果敢之力胜人为强,强者之事也。"⑥和而不流:性情和顺而不随波逐流。按:从"故君子和而不流"句至本章之末,皆是孔子勉励子路之语。⑦强哉矫:才是真正的强!矫,强貌。⑧不倚:不偏不倚。⑨不变塞焉:朱熹注:"塞,未达也。国有道,不变未达之所守。"⑩至死不变:朱熹注:"国无道,不变平生之所守也。"

[译文]

子路向孔子请教什么是强。孔子说:"你问的是南方的强呢,还是北方的强？抑或是你自己的强？用宽厚柔和来教诲人们，尽管别人对己无理，自己也不以牙还牙，这便是南方的强，君子才能做到。顶盔贯甲，枕戈待旦，战死不悔，这便是北方的强，性情强悍的人才能做到。所以，君子和顺而不随波逐流，这才是真正的强！中立而不偏不倚，这才是真正的强！国家有道之时，也不改变穷困时的操守，这才是真正的强！国家无道之时，至死也不改变志向才是真正的强！"

子曰："素隐行怪①，后世有述焉，吾②弗为之矣。君子遵道而行，半塗而废③，吾弗能已④矣。君子依乎中庸，遁世不见知而不悔，唯圣者能之。⑤君子之道费而隐⑥。夫妇之愚，可以与知焉；⑦及其至也⑧，虽圣人亦有所不知焉。夫妇之不肖，可以能行焉；及其至也，虽圣人亦有所不能焉。天地之大也，人犹有所憾。⑨故君子语大⑩，天下莫能载焉；语小⑪，天下莫能破⑫焉。《诗》云：'鸢飞戾天，鱼跃于渊。'⑬言其上下察也⑭。君子之道，造端乎夫妇⑮；及其至也，察乎天地。⑯"

[注释]

①素隐行怪：朱熹注："素，按《汉书》当作'索'，盖字之误也。索隐行怪，言深求隐僻之理，而过为诡异之行也。"②吾：孔子自称。下同。③半塗而废：今写作"半途而废"。④已：停止。⑤君子依乎中庸三句：郑玄注："言隐者当如此也。唯舜为能如此。"依乎中庸，义同上文之"择乎中庸"。⑥费而隐：朱熹注："费，用之广也。隐，体之微也。"然则，费而隐者，看起来微小，但用途广大。⑦夫妇之愚二句：笨头笨脑的普通男女，虽然也能够知其一二。⑧及其至也：谈到君子之道的最高境界。⑨天地之大也二句：郑玄注："憾，恨也。天地至大，无不覆载，人尚有所恨焉，况于圣人，能尽备之乎！"⑩故君子语大：郑玄注："语，犹说也。所说大事，谓先王之道也。"⑪语小：郑玄注："所说小事，谓若愚不肖夫妇之知行也。"⑫破：分析。⑬《诗》云二句：见《诗经·大雅·旱麓》。鸢（yuān）：老鹰。戾：至。

⑭言其上下察也：郑玄注："察，犹著也。言圣人之德，至于天则鸢飞戾天，至于地则鱼跃于渊，是其著明于天地也。"⑮造端乎：开始于。夫妇：郑玄注："谓匹夫匹妇之所知所行。"⑯及其至也二句：说到君子之道的最高境界，则昭著于天地之间。

[译文]

孔子说："探求隐僻的道理，做出诡异的行动，后世会对这种欺世盗名的行径有所称述，我不这样干。君子遵循正道而行，半途而废，我却不能停顿下来。君子依照中庸之道行事，如果碰上无道之时，不得不隐遁于世，即使不被人知也不后悔，这只有圣人才能做到。君子之道，广大而又精微。就其一般情况来说，即使是普通的男男女女，也可以知其一二；如果说到它的最高境界，即使是圣人也有所不知。就其一般情况来说，普通的男男女女也能做到；如果说到它的最高境界，即使是圣人也有所不能。天地如此之大，人们尚且感到有所遗憾。所以，君子所说的大，整个天下都无法承载；所说的小，整个天下也无人能够剖析。《诗经》上说：'老鹰展翅飞上天，鱼儿游动在深渊。'这是说圣人之德昭著于天地。君子之道，从普通男男女女的所知所行开始；说到它的最高境界，则昭著于天地间。"

子曰："道不远人①。人之为道而远人，不可以为道。《诗》云：'伐柯伐柯，其则不远。'②执柯以伐柯，睨而视之③，犹以为远。故君子以人治人，改而止。④忠恕违⑤道不远，施诸己而不愿，亦勿施于人。⑥君子之道四，丘未能一焉：⑦所求乎子，以事父，未能也；⑧所求乎臣，以事君，未能也；所求乎弟，以事兄，未能也；所求乎朋友，先施之，未能也。⑨庸德之行，庸言之谨，⑩有所不足，不敢不勉；有余，不敢尽⑪。言顾行，行顾言，君子胡不慥慥尔⑫！君子素其位而行，不愿乎其外。⑬素富贵，行乎富贵；素贫贱，行乎贫贱；素夷狄，行乎夷狄；素患难，行乎患难：君子无入而不自得焉⑭。在上位不陵⑮下，在下位不援⑯上，正己而不求于人⑰，则无怨。上不怨天，下不尤人。故君子居易以俟命⑱，小人行险以侥幸。"

[注释]

①道不远人：君子之道与人的距离并不遥远。②《诗》云二句：见《诗经·豳风·伐柯》。诗意为：砍斧柄啊砍斧柄，式样就在你面前。柯，斧柄。③睨（nì）：斜视，瞟一眼。之：指代手中所执之柯。④故君子以人治人二句：朱熹注："君子之治人也，即以其人之道，还治其人之身。其人能改，即止不治。盖责之以其所能知能行，非欲其远人以为道也。"⑤忠恕：朱熹注："尽己之心为忠，推己及人为恕。"违：去，距离。⑥施诸己而不愿二句：《论语·宪问》："己所不欲，勿施于人。"⑦君子之道四二句：君子之道的内容有四条，我未能做到其中的任何一条。丘，孔子自称己名。郑玄注："圣人而曰'我未能'，明人当勉之无已（即不止）。"⑧所求乎子三句：要求儿子对我做到的，我应当先对父亲做到，这一条我还没有做到。⑨所求乎朋友三句：要求朋友对我做到的，我应当先对朋友做到，这一条我还没有做到。⑩庸德之行二句："之"字复指其前的宾语"庸德"、"庸言"，这是一种倒装结构。庸，常也。意谓行的是平平常常的德，谨的是平平常常的言。⑪有余，不敢尽：自己的才能绰绰有余，也不敢把自己的才能使尽。这是表示谦退。⑫胡不：何不，岂不。慥慥（zào zào）：王引之《经义述闻》："慥慥者，亹勉不敢缓之意，犹言汲汲耳。君子胡不慥慥耳，言君子何事不汲汲然自勉乎？"⑬君子素其位而行二句：朱熹注："素，犹现在也。言君子但因现在所居之位而为其所当为，无慕乎其外之心也。"按：下文四个"素"字均作"现在"解。⑭君子无入而不自得焉：君子随遇而安。⑮陵：欺凌。⑯援：攀援，巴结。⑰正己而不求于人：《论语·卫灵公》："君子求诸己，小人求诸人。"⑱故君子居易以俟命：朱熹注："居易，素位而行也。俟命，不愿乎外也。"郑玄注"俟命"为"听天任命"。

[译文]

孔子说："道不可远离于人。人所实行的道却远离于人，那就不可以作为道了。《诗经》上说：'砍斧柄呀砍斧柄，式样就在你面前。'握着斧柄去伐木，准备用来制作斧柄，还以为离得很远。所以君子治人，即以其人之道，还治其人之身，有过能改，也就不再责备。忠恕的精神离道不远，有人让自己干自己都不愿干的事，也不要让别人去干。君子之道有四个方面，我一个方面都没有做到：要求儿子对我做到的，我应当先对父亲做到，这一条我还没有做到；要求下属对我做到的，我应当先对国君做到，这一条我还没有做到；要求弟弟对我做到的，我应当先对哥哥做到，这一条我还没有做到；要求朋友对我做到的，我应当先对朋友做到，这一条我还没有做到。平常道德的实行，平常言论的谨慎，如果自己的才能还有不足，不敢不努力自勉；如果自己的才能绰绰有余，也不敢把本领使尽。说话要顾及行动，行动要顾及说话。做到了这一点，岂不是一个言行一致的笃实君子吗？君子按照当时所处的地位行事，不慕其处。处在富贵的地位，就按照富贵者的身份行事；处在贫贱的地位，就按照贱者的身份行事；处在夷狄的地位，就按照夷狄的身份行事；处在患难之中，就按照患难者的身份行事：君子无论处在什么地位，都能够恰如其分地行事。身居上位，不欺凌在下位的人；身居下位，不巴结在上位的人；端正自己而不求于人：这样就不会招致怨恨。上不埋怨苍天，下不归罪他人。所以，君子处在现有的境地而等待天命的安排，小人则铤而走险以求侥幸。"

子曰："射有似乎君子，失诸正鹄，反求诸其身。[①]君子之道，譬如行远必自迩[②]，譬如登高必自卑[③]。《诗》曰：'妻子好合，如鼓瑟琴。兄弟既翕，和乐且耽。宜尔室家，乐尔妻帑。'[④]"子曰："父母其顺矣乎[⑤]！"

[注释]

①射有似乎君子三句：射箭有似于君子之道，如果没有射中靶心，要回

过头来从自己身上找原因。正鹄（zhēng gǔ），正与鹄都是箭靶的中心。其区别在于正用于宾射，布制；鹄用于大射，皮制。②迩：近。近处。③卑：低处。④《诗》曰六句：见《诗经·小雅·棠棣》。妻子好合：与妻子相亲相爱。如鼓瑟琴：如同鼓瑟抚琴般之声音相应和。翕（xī）：和合，和顺。尔：你，你的。耽：很快乐。帑：通"孥"，儿子。这里引此六句诗的含义是，要做到治国、平天下这样的大事，也要从自己做起，从自己的家庭做起。⑤父母其顺矣乎：孔子说：（做到像《诗经》所描写的那样），做父母的大概就感到顺心了。

[译文]

孔子说："射箭之道有似于君子之道，如果没有射中靶心，要回过头来检查自己。君子之道，就好比走远路一定要从近处开始，又好比登高一定要从低处开始。《诗经》上说：'同妻子相亲相爱，像琴瑟一样和谐。加上兄弟和睦，欢乐气氛浓厚。使你的家庭安宁，使你的妻儿高兴。'"孔子说："能够这样做，做父母的大概就感到顺心了。"

子曰："鬼神之为德①，其盛矣乎！视之②而弗见，听之而弗闻，体物而不可遗③。使天下之人齐明④盛服，以承祭祀。洋洋乎！如在其上，如在其左右。⑤《诗》曰：'神之格思，不可度思！矧可射思！'⑥夫微之显⑦，诚之不可揜⑧，如此夫！"

[注释]

①鬼神：人鬼天神。德：功德。②之：指鬼神。下句同。③体物而不可遗：据郑玄注，这句话变成了"生物而无所遗漏"，即世上万物无一不是鬼神之气所生。④齐（zhāi）明：斋戒和沐浴。齐，通"斋"。明，谓清洁自身。⑤洋洋乎三句：鬼神无处不在，到处流动，一会儿像是在你的头上，一会儿像是在你的左右。洋洋：朱熹注："流动充满之意。"⑥《诗》曰三句：见《诗经·大雅·抑》。格：来。思：语助词，无义。度（duó）：忖度，推测。矧（shěn）：况且。射（yì）：通"斁"，厌倦。郑玄笺云："神之来至去止，不可

度知，况可于祭末而有厌倦乎？"⑦夫：发语词。微之显：鬼神无形却到处显灵。⑧诚之不可揜：鬼神不言却报应不爽。

[译文]

孔子说："鬼神所表现出来的功德，恐怕够盛大了！看它又看不见，听它又听不到，但又体现在万物之中而不可轻视它的存在。使天下的人都戒斋沐浴，身着盛服，恭恭敬敬地从事祭祀。无所不在啊！既好像在人们的头上，又好像在人们的左右。《诗经》上说：'神鬼降临的时刻，无法进行揣测，岂敢怠慢厌倦！'神鬼无形却到处显灵，神鬼不言却报应不爽，确实如此。"

子曰："舜其大孝也与！德为圣人，尊为天子，富有四海之内。宗庙飨之①，子孙保②之。故大德必得其位，必得其禄，必得其名③，必得其寿。故天之生物，必因其材而笃焉。④故栽者培之⑤，倾者覆之⑥。《诗》曰：'嘉乐君子，宪宪令德。宜民宜人，受禄于天。保佑命之，自天申之。'⑦故大德者必受命⑧。"

[注释]

①飨：敬献供品。之：指舜。②保：安也。本句是说舜的子孙因得到舜的庇佑而平平安安。③名：郑玄注："令闻也。"即好名声。④故天之生物二句：郑玄注："材，谓其质性也。笃，厚也。言善者天厚其福，恶者天厚其毒，皆由其本而为之。"⑤栽：种植。培：培益。⑥倾：倾斜。覆：覆败。⑦《诗》曰六句：见《诗经·大雅·假乐》。嘉乐：赞美喜爱。君子：诗的原意是指成王。这里指舜。宪宪：《毛诗》作"显显"，光明的样子。命之：命舜。申之：一再赐福于舜。申，重申之重。⑧受命：朱熹注："受天命为天子也。"

[译文]

孔子说："舜可以说是一个大孝子了！论道德是个圣人，论尊贵是个天子，论财富拥有四海之内。死后在宗庙享受祭祀，子孙也托福受到庇护。所以大德之人必得高位，必得高禄，必得令名，必得高寿。所以，天生万物，一定要根据其不同的秉性而厚其待遇。所以道德高尚者就得到栽培，道德卑劣者就遭到覆败。《诗经》上说：'令人赞美喜爱的君子，具有十分光明的美德。善于安民善于用人，接受来自上天的福禄。上天保佑于他，上天一再赐福于他。'所以大德之人必受命为天子。"

子曰："无忧者，其唯文王乎！①以王季②为父，以武王③为子，父作之，子述之。武王缵大王、王季、文王之绪④，壹戎衣⑤而有天下，身不失天下之显名。尊为天子，富有四海之内。宗庙飨之，子孙保之。武王末受命⑥，周公成文、武之德⑦，追王⑧大王、王季，上祀先公⑨以天子之礼。斯礼也，达乎诸侯、大夫及士、庶人。⑩父为大夫，子为士，葬以大夫，祭以士。父为士，子为大夫，葬以士，祭以大夫。期之丧，达乎大夫。⑪三年之丧⑫，达乎天子。父母之丧，无贵贱，一也⑬。"

[注释]

①无忧者二句：无忧无虑的人，恐怕只有周文王吧！②王季：文王之父。史称季历，又称公季。王季是追王以后的称呼。参《史记·周本纪》。因为周的基业是由王季开的头，所以下文说"父作之"。③武王：周武王，文王之子。因为武王又继承了文王的未竟之业，所以下文说"子述之"。④缵(zuǎn)：继承。大王：即太王。王季之父，文王之祖。原叫古公亶父。太王也是追王以后的称呼。绪：未竟之业。⑤壹戎衣：郑玄注："衣读如殷，声之误也……壹戎殷者，壹用兵伐殷也。"⑥末：晚年。受命：受命为天子。⑦成：成就了，完成了。德：此指心愿。⑧追王：追认为王。⑨上祀先公：追溯祭祀太王以前的周人的祖先。因为这些祖先只是早期的国君，故称先公。郑玄注："先公，组绀以上至后稷也。"⑩斯礼也二句：郑玄注："斯礼达于诸侯、大夫、士、庶人者，谓葬之从死者之爵，祭之用生者之禄也。"下文的"父为大夫"以下八句，都贯穿着这条礼的规定。达乎：通行于，适用于。⑪期(jī)之丧二句：朱熹注："丧服自期以下，诸侯绝，大夫降。"意谓为旁

系亲属应穿一年孝服的丧礼,诸侯是没有的,而大夫则降一等,服大功。⑫三年之丧:穿三年孝服的丧礼。孔颖达说:"谓正统在三年之丧,父母及嫡子并妻也。"换言之,天子只为其父母、嫡子、妻服三年之丧。⑬一也:都一样。即都应服三年之丧。

[译文]

孔子说:"无忧无虑的人,恐怕只有文王吧!有王季做他的父亲,有武王做他的儿子,父亲为他开创了基业,儿子又继承了他的事业。武王继承了太王、王季、文王的未竟之业,一用兵就战胜了殷纣而取得了天下,自身又没有丢掉天下的美名。论尊贵身为天子,论财富拥有四海之内,宗庙中享受祭祀,子孙也托福受到庇护。武王在晚年才受命为天子,周公成就了文王、武王的心愿,追尊太王、王季为王,对太王以上的列祖列宗用天子之礼祭祀。这种礼节,通用于诸侯、大夫、士及庶人。父亲是大夫,儿子是士,父亲去世用大夫之礼安葬,用士礼祭祀。父亲是士,儿子是大夫,父亲死后用士礼安葬,用大夫之礼祭祀。对旁系亲属一年丧服的服丧,从庶人起,到大夫为止。对父母三年之丧的服丧,下起庶人,上至天子。父母之丧,无论儿子的身份是贵是贱,丧期都是一样的。"

子曰:"武王、周公,其达孝①矣乎!夫孝者,善继人②之志,善述人之事者也。春秋修③其祖庙,陈其宗器④,设其裳衣⑤,荐其时食⑥。宗庙之礼,所以序昭穆也。⑦序爵⑧,所以辨贵贱也。序事⑨,所以辨贤也。旅酬下为上,所以逮贱也。⑩燕毛,所以序齿也。⑪践其位⑫,行其礼,奏其乐,敬其所尊,爱其所亲,事死如事生,事亡如事存,⑬孝之至也。郊社之礼,所以事上帝也。⑭宗庙之礼,所以祀乎其先也。明乎郊社之礼、禘尝⑮之义,治国其如示诸掌⑯乎!"

[注释]

①达孝：犹言最孝。②人：谓先人、父祖。③春秋：指代一年四季。修：修整，打扫。④陈：陈设。宗器：谓祭器。⑤裳衣：先人遗下的衣服。郑玄注："设之，当以授尸也。"即让代替先人接受祭祀的人来穿。⑥荐：进献。时食：四时的当令食品。⑦宗庙之礼二句：朱熹注："宗庙之次：左为昭，右为穆，而子孙亦以为序（按：这是讲的死者神主的排列）。有事于太庙，则子姓、兄弟、群昭、群穆咸在而不失其伦焉（按：这是讲生者在太庙中参加祭祀活动时的排序）。"序昭穆，按照昭穆顺序来排序。⑧序爵：按照公、卿、大夫、士的爵位高低来排序。⑨序事：按照在祭祀中所担当的职事来排序。朱熹注："事，宗祝有司之职事也。"⑩旅酬下为上二句：旅酬，谓祭祀即将结束时，众人互相劝酒。旅酬时，首先由卑幼给尊长劝酒，这就是所谓"下为上"。在祭祀活动中，以能够摊到事情做为荣。"旅酬下为上"，就是为了给卑贱者提供这样一个机会，故曰"所以逮贱也"。⑪燕毛二句：朱熹注："燕毛，祭毕而燕（按：即宴），则以毛发之色别长幼，为座次也。齿，年数也。"⑫践其位：就先王所就之位。其，指先王。下文四个"其"字皆同。例如，"行其礼，奏其乐"，就是行先王所行之礼，奏先王所奏之乐。⑬事死如事生二句：朱熹注："始死谓之死，既葬则曰反而亡焉。皆指先王也。"请注意朱熹辨析"死"、"亡"二字的区别。⑭郊社之礼二句：朱熹注："郊，祭天。社，祭地。不言'后土'者，省文也。"意思是说，天神是上帝，地神是后土，可是"所以事上帝也"句中没有提到"后土"，那是省文的原因。⑮禘尝：按《礼记·王制》："天子、诸侯宗庙之祭：春曰礿，夏曰禘，秋曰尝，冬曰烝。"这里是用"禘尝"指代宗庙之礼。⑯示诸掌：朱熹注："示，与'视'同。视诸掌，言易见也。"郑玄注："序爵、辨贤、尊尊、亲亲，治国之要。"

[译文]

孔子说："武王和周公，大概是最孝的人了吧！所谓孝，就是要善于继承先人的遗志，善于完成先人的未竟之业。一年四季按时打扫先人的祖庙，陈设先人的衣服，进献先人要吃的应时食品。宗庙之礼，是用来排列昭穆顺序的；助祭者按爵位高低来排列顺序，是用来辨别贵贱的；进献祭品者按其职事来排列顺序，是用来区分才能的；旅酬时，让卑幼者首先为尊长者举杯劝饮，是为了让卑贱者也能摊到事做；宴饮时，按头发的黑白程度排列座次，是为了区别年龄的大小。就先人所就之位，行先人所行之礼，奏先人所奏之乐，敬先人之所尊，爱先人之所亲，侍奉死者就像其生前一样，侍奉亡者就像其健在一样，真是孝到极点了。郊天祭地之礼，是用来敬事上帝的。宗庙之礼，是用来祭祀先人的。如果明白了郊天祭地之礼的含义，明白了宗庙四时之祭的含义，治理国家就心中有数，就好比用指头在手掌上指指画画一般。"

哀公问政①。子曰："文、武之政，布在方策。②其人存③，则其政举；其人亡，则其政息④。人道敏政，地道敏树。⑤夫政也者，蒲卢⑥也。故为政在人⑦，取人以身⑧，修身以道⑨，修道以仁⑩。仁者人也⑪，亲亲为大；义者宜也⑫，尊贤为大。亲亲之杀，尊贤之等，礼所生也。⑬在下位不获乎上，民不可得而治矣！⑭故君子不可以不修身；思修身，不可以不事亲；思事亲，不可以不知人；思知人，不可以不知天。⑮天下之达道⑯五，所以行之者三⑰。曰：君臣也，父子也，夫妇也，昆弟也，朋友之交也，五者天下之达道也。知⑱、仁、勇，三者天下之达德⑲也，所以行之者一也⑳。或生而知之㉑，或学而知之，或困而知之；及其知之，一也。或安而行之，或利而行之，或勉强而行之；及其成功，一也。"

[注释]

①哀公：(？—前468)春秋时鲁国国君，名蒋。问政：请教如何治理国家。②文、武之政二句：文王、武王的治国方法，都记载在典籍上面。方策，木板和竹简。上古的书写工具。③其人存：贤人若在。④息：熄灭，不存。⑤人道敏政二句：孔颖达说："敏，勉也。言为人君当勉力行政。地道敏树者，树，殖草木也。言为地之道，亦勉力生殖也。"⑥蒲卢：郑玄注："蒲卢，

260 礼记

蜾蠃，谓土蜂也。《诗》曰：'螟蛉有子，蜾蠃负之。'螟蛉，桑虫也，蒲卢取桑虫之子去而变化之，以成为己子。政之于百姓，若蒲卢之于桑虫然。"朱熹注则曰："蒲卢，沈括以为蒲苇是也。"未知孰是，这里故从郑说。孔颖达疏曰："蒲卢取桑虫之子以为己子，善为政者化养他民以为己民，若蒲卢然也。"⑦为政在人：朱熹注："《家语》作'为政在于得人'，语意尤备。人，谓贤臣。"⑧取人以身：能否得到贤臣取决于国君自身。⑨修身以道：国君自身的修养如何取决于道。道，谓下文之"天下之达道"。⑩修道以仁：道修得如何取决于仁。⑪仁者人也：所谓仁，就是爱人。⑫义者宜也：所谓义，就是适宜。⑬亲亲之杀（shài）三句：亲近亲人而有亲疏之别，尊敬贤人而有等级之差，礼也就应运而生。杀，等差。⑭在下位不获乎上二句：郑玄说这两句应当在下文，误重于此。⑮故君子不可以不修身七句：郑玄注："言修身乃知孝，知孝乃知人，知人乃知贤不肖，知贤不肖乃知天命所保佑。"⑯达道：公认的准则。⑰所以行之者三：用来实行这五条准则的美德有三种。即下文的"知、仁、勇"。⑱知："智"的古字。⑲达德：美德。⑳所以行之者一也：所以百王都推行五达道、三达德而不改变。一，百王所不变。㉑之：指代上文的五达道、三达德。下同。

[译文]

鲁哀公向孔子请教治理国家的方法。孔子回答说："文王、武王的治国方法，都记载在典籍上面。他们在世，这些治国方法就能得到实施；他们去世，这些治国方法也就随着废弛。治人之道在于讲究治国方法，种地之道在于讲究种植方法。治国方法，就好像蜾蠃一样。所以，治理国家的根本问题在于得到贤人，而能否得到贤人又决定于国君自身的修养，加强道德修养要靠仁。所谓仁，就是爱人，爱人之中，以亲近自己的亲人最为重要；所谓义，就是适宜，适宜之中，以尊敬贤人最重要。亲近亲人而有亲疏之别，尊敬贤人而有贵贱之差，礼这个东西也就应运而生。职位卑下，又得不到上级的信任，是不能够把百姓治理好的。所以，君子不可以不加强自身修养；要想加强自身修养，不可以不侍奉双亲；要想侍奉双亲，不可以不知人；要想知人，不可以不知道天理。天下通行的准则有五条，实行这五条准则的美德有三种。君臣、父子、夫妇、兄弟、朋友的交往，这五条就是天下通行的准则。智、仁、勇，这三点就是天下通行的美德，是用来推行这五条准则的，君主都推行而不改变。对于这五条准则，有的人生下来就知道，有的人通过学习才知道，有的人碰了钉子才知道；不管是怎么知道的，只要知道了，就是一样的。对于实行这五条准则的三项美德，有的人是心安理得地实行，有的人是抱着功利目的去实行，有的人是勉强地去实行；不管是怎样地实行，只要最后都取得成功，就是一样的。"

子曰："好学近乎知，力行近乎仁，知耻近乎勇。① 知斯三者，则知所以修身；知所以修身，则知所以治人；知所以治人，则知所以治天下国家矣。

[注释]

①好学近乎知三句：据孔颖达疏，"好学近乎知"是针对上文"或学而知之"说的；"力行近乎仁"是针对上文"或利而行之"说的；"知耻近乎勇"是针对上文"困而知之"和"勉强而行之"说的。

[译文]

孔子说："爱好学习，接近于智；努力行善，接近于仁；懂得羞耻，接近于勇。知道了这三条，就知道该怎样修身；知道该怎样修身，就知道该怎样治理百姓；知道该怎样治理百姓，就知道该怎样治理天下和国家。

"凡为天下国家有九经①，曰：修身也，尊贤也，亲亲也，敬大臣也，体②群臣也，子庶民③也，来百工④也，柔远人⑤也，怀⑥诸侯也。修身则道⑦立，尊贤则不惑⑧，亲亲则诸父昆弟不怨，敬大臣则不眩⑨，体群臣则士之报礼重，子庶民则百姓劝⑩，来百工则财用足，柔远人则四方归之，怀诸侯则天下畏之。

[注释]

①为：治理。九经：九条常规。②体：体恤。③子：爱。庶民：百姓。④来百工：劝勉各种工匠。王引之《经义述闻》卷十六："来，读'劳来'之来，谓劝勉之也。"⑤柔远人：怀柔蕃国。⑥怀：安抚。⑦道：道德。⑧尊贤则不惑：因为有贤者出谋划策。⑨不眩：不迷。因为任用之大臣聪明。⑩劝：劝勉。

[译文]

"凡治理天下、国家，有九条原则，即修养自身，尊重贤人，亲爱亲属，敬重大臣，体恤群臣，爱护民众，劝勉百工，怀柔藩国，安抚诸侯。修养自身，道德就能树立；尊重贤人，遇事就不迷惑；亲爱亲属，伯父、叔父、兄弟就不会怨恨；敬重大臣，遇事就能安之若素；体恤群臣，群臣就会加倍回报；爱护民众，百姓就会受到鼓励；劝勉百工，财用就会充足；怀柔藩国，四方就会归顺；安抚诸侯，天下就会畏服。

"齐明①盛服，非礼不动，所以修身也；去谗远色，贱货②而贵德，所以劝贤③也；尊其位，重其禄，同其好恶，所以劝亲亲也；官盛任使④，所以劝大臣也；忠信重禄⑤，所以劝士也；时使薄敛⑥，所以劝百姓也；日省月试⑦，既廪称事⑧，所以劝百工也；送往迎来⑨，嘉善而矜不能⑩，所以柔远人也；继绝世，举废国，⑪治乱持危⑫，朝聘以时⑬，厚往而薄来⑭，所以怀诸侯也。

[注释]

①齐明：注见前。②货：财货。③劝贤：鼓励贤臣。④官盛任使：属官众多，任其使令。⑤忠信重禄：朱熹注："待之诚而养之厚。"即待之以诚，授以高禄。⑥时使：役使有时。薄敛：减轻赋税。⑦日省（xǐng）月试：每日查看，每月考试。⑧既廪（xì lǐn）称事：给的俸禄与其工作般配。既，通

"饩"。饩与廪本指国家免费提供的口粮。此泛指俸禄。称，相称。⑨送往迎来：来时欢迎，走时欢送。⑩嘉善而矜不能：夸奖其做得好的，怜悯其不能做的。⑪继绝世二句：延续其断绝了的香火，复兴被灭亡的国家。⑫治乱持危：其国有内乱则帮助平定，其国遇到危急则予以支持。⑬朝聘以时：朱熹注："朝，谓诸侯见于天子。聘，谓诸侯使大夫来献。《王制》：'比年一小聘，三年一大聘，五年一朝。'"⑭厚往而薄来：诸侯来朝时纳贡菲薄，归国时的赏赐则要丰厚。

[译文]

"斋戒沐浴，衣冠整齐，不合乎礼的事情不做，这是用来修养自身的办法；摒退逸佞，远离女色，轻视财货而看重道德，这是用来鼓励贤人的办法；高位厚禄，好亲人之所好，恶亲人之所恶，这是用来鼓励亲爱亲属的办法；属员众多，足备使令，这是用来鼓励大臣的办法；忠信待士，给以厚禄，这是用来鼓励群臣的办法；役使有时，减轻赋税，这是用来鼓励百姓的办法；每日检查，每月考试，论功行赏，这是用来鼓励百工的办法；来时欢迎，走时欢送，多夸奖而少责备，这是用来怀柔蕃国的办法；延续断绝了的世系，恢复灭亡了的国家，国内有乱就帮助平定，国势危急就给予支援，按时接受朝聘，走的时候赏赐丰厚，而来的时候纳贡菲薄，这是用来安抚诸侯的办法。

"凡为天下国家有九经①，所以行之者一也②。凡事豫③则立，不豫则废。言前定则不跲④，事前定则不困⑤，行前定则不疚⑥，道前定则不穷⑦。

[注释]

①凡为天下国家有九经：注见前。②所以行之者一也：注见前。③豫：朱熹注："素定也。"即事前有准备。④言前定则不跲（jiá）：要说的话事前有所准备就不会半路卡壳。前定，事前有准备。下同。跲，有所牵绊。⑤困：陷入困境。⑥行：行动。疚：诟病。⑦道：道路。穷：走投无路。

[译文]

"凡治理天下国家有九条原则,而用来实行这九条原则的方法是事先有所准备的。不管什么事,事先有所准备就能成功,事先没有准备就会失败。说话事先有所准备就不会中断,做事事先有所准备就不会受窘,行动之前有所准备就不会出错,道路事先计划妥当就不会搞到走投无路。

"在下位不获乎上①,民不可得而治矣;获乎上有道,不信乎朋友,不获乎上矣;②信乎朋友有道,不顺乎亲③,不信乎朋友矣;顺乎亲有道,反诸身不诚④,不顺乎亲矣;诚身有道⑤,不明乎善⑥,不诚乎身矣。

[注释]

①在下位不获乎上:作为臣子如果不能获得国君的信任。②获乎上有道三句:获得国君的信任是有办法的,如果能够取信于朋友,就能够取信于国君。③不顺乎亲:不孝顺于父母。④反诸身不诚:反躬自省,如果不是诚心诚意。⑤诚身有道:要使自身诚心诚意是有办法的。⑥不明乎善:不知好歹。

[译文]

"职位卑下,又得不到上级的信任,是不能够把百姓治理好的。要得到上级的信任有办法,首先要得到朋友的信任,如果得不到朋友的信任,也就得不到上级的信任了;要得到朋友的信任有方法,首先要孝顺父母,如果不孝顺父母,也就得不到朋友的信任了;要做到孝顺父母的方法,首先要反省自己是不是诚心诚意,如果不是诚心诚意,也就做不到孝顺父母了;要使自己诚心诚意有方法,首先要明白什么是善,如果不明白什么是善,也就不能使自己诚心诚意了。

"诚者,天之道也;①诚之者,人之道也。②诚者,不勉而中,不思而得，从容中道，圣人也。③诚之者，择善而固执之者也。④

[注释]

①诚者二句：诚本身是天理。②诚之者二句：做到诚，这是做人的准则。③诚者，不勉而中五句：作为天理的诚，不用勉强就正好，不假思索就能得到，从容不迫，恰如其分，能够这样做的是圣人。④诚之者二句：做到诚，只有那些择善而从并且紧紧抓住不放的人。

[译文]

"诚，这是上天的准则；做到诚，这是做人的准则。作为上天准则的诚，不用勉强就正好，不用思考就得到，从容不迫，一举一动都恰如其分，能这样做的是圣人。要做到诚，就要择善而从，并且牢牢抓住不放。

"博学之，审问之，慎思之，明辨之，笃行之。有弗学，学之弗能，弗措也；有弗问，问之弗知，弗措也；有弗思，思之弗得，弗措也；有弗辨，辨之弗明，弗措也；有弗行，行之弗笃，弗措也。人一能之，己百之；人十能之，己千之。果能此道矣，虽愚必明，虽柔必强。

[译文]

"广泛地学习，详细地求教，慎重地思考，清楚地辨别，切实地实行。除非不学，学了而没有学会，就不罢休；除非不问，问了而没有弄懂，就不罢休；除非不思考，思考而没有得到结果，就不罢休；除非不分辨，分辨而没有分辨明白，就不罢休；除非不实行，实行而不实行彻底，就不罢休。别人聪明，学一遍就能学会，自己就学上百遍；别人学十遍就能学会，自己就学上千遍。如果真能这样做了，即使是愚笨的人也一定会变得聪明，即使是柔弱的人也一定会变得刚强。

"自诚明，谓之性。自明诚，谓之教。诚则明矣，明则诚矣。①

[注释]

①自诚明六句：郑玄注："自，由也。由至诚而有明德，是圣人之性者也。由明德而有至诚，是贤人学以成之也。有至诚则必有明德，有明德则必有至诚。"

[译文]

"由至诚而有明德，这是圣人的天性；由明德而有至诚，这是贤人学习的结果。有至诚则必有明德，有明德则必有至诚。

"唯天下至诚，为能尽其性；①能尽其性，则能尽人之性②；能尽人之性，则能尽物之性③；能尽物之性，则可以赞天地之化育④；可以赞天地之化育，则可以与天地参⑤矣。

[注释]

①唯天下至诚二句：只有具备天下至诚的圣人，才能完全发挥自己的天性。②则能尽人之性：就能发挥他人的天性。③则能尽物之性：就能发挥万物的天性。④赞天地之化育：郑玄注："赞，助也。育，生也。助天地之化生，谓圣人受命，在王位，致太平。"⑤天地参（sān）：（圣人与）天地并列而为三。参，通"三"。按：本节是就上文的"自诚明"而言。

[译文]

"只有天下至诚的圣人，才能完全发挥自己的天性；能完全发挥自己的天性，就能完全发挥他人的天性；能完全发挥他人的天性，就能完全发挥万物的性能；能完全发挥万物的性能，就可以赞助天地化育万物；可以赞助天地化育万物，就可以和天地并列而为三了。

"其次致曲①。曲能有诚，诚则形②，形则著③，著则明④，明则动⑤，动则变⑥，变则化⑦。唯天下至诚为能化。

[注释]

①其次：郑玄注："其次，谓'自明诚'者也。"能够做到"自明诚"的是贤人，次于能够做到"自诚明"的圣人。致曲：郑玄注："致，至也。曲，犹小小之事也。"盖谓贤人只能从小事做起。②形：表现出来。③著：显著。④明：光明。⑤动：感动人心。⑥变：谓弃恶从善。⑦化：谓脱胎换骨。

[译文]

"贤人只能从点滴小事做起。在点滴小事上能有至诚，有了至诚就会表现出来，表现出来就会日益显著，日益显著就会大放光明，大放光明就会感动人心，感动人心就会变恶为善，变恶为善就会让人脱胎换骨。只有天下至诚的贤人才能化恶为善，移风易俗。

"至诚之道，可以前知。①国家将兴，必有祯祥②。国家将亡，必有妖孽③。见乎蓍龟④，动乎四体⑤。祸福将至：善，必先知之；不善，必先知之。故至诚如神。

[注释]

①至诚之道二句：郑玄注："可以前知者，言天不欺至诚者也。"②祯祥：谓吉兆。③妖孽：谓凶兆。④见（xiàn）乎蓍龟：体现在占卜上。古代占用龟甲，卜用蓍草。见，"现"的古字。⑤动乎四体：郑玄注："四体，谓龟之四足。春占后左，夏占前左，秋占前右，冬占后右。"

[译文]

"心怀至诚，就可以预知未来。国家将要兴盛，必定有吉祥的预兆。国家将要灭亡，必定有妖异的前征。反映在占卜的蓍草、龟甲中，表现在人们的仪容、举止上。祸福将要来临的时候：是福，必定预先知道；是祸，也必定预先知道。所以，心怀至诚的人就像神明一样。

"诚者,自成也;而道,自道也。①

[注释]

①诚者四句:诚是由自身的修养完成的,而道的掌握也是自身努力的结果。第一个"道"指技艺,第二个"道"是"导"的古字。

[译文]

"诚,就是自身品德修养的完成;而道,乃是走向完成品德修养的自我指导。

"诚者,物之终始,不诚无物。①是故君子诚之为贵②。

[注释]

①诚者三句:诚贯穿于万物,没有诚也就没有万物。②是故君子诚之为贵:即所以君子贵诚。

[译文]

"诚贯穿于万物的始终,没有诚也就没有万物。所以,君子把诚看做是最高贵的品德。

"诚者,非自成己而已也,所以成物也。①成己,仁也;成物,知②也。性之德也③,合外内之道也④,故时措之宜也⑤。

[注释]

①诚者三句:诚,并非完成自身的修养就算完事了,还要以诚来成就万物。②知:"智"的古字。③性之德也:仁、智是人性中的美德。这句话的主语是仁和智。④合外内之道也:包括了成就自己和成就万物的方法。外,指上文的"成物";内指上文的"成己"。⑤故时措之宜也:朱熹注:"以时措之,而皆得其宜也。"措,用也。

[译文]

"诚,并非完成自身的修养就算完事了,而是要使万物都得到完成。完成自身的修养,叫做仁;使万物都得到完成,叫做智。仁和智是人性固有的美德,综合了成物、成己的规律,所以任何时候用它都是适宜的。

"故至诚无息①。不息则久,久则徵②,徵则悠远,悠远则博厚,博厚则高明。博厚,所以载物也;高明,所以覆物也;悠久③,所以成物也。博厚配地④,高明配天⑤,悠久无疆⑥。如此者,不见而章,不动而变,无为而成。⑦天地之道,可壹言而尽也。⑧其为物不贰,则其生物不测。⑨

[注释]

①至诚无息:朱熹注:"既无虚假,自无间断。"无息,不间断。②徵:有了效验。③悠久:即上文之"悠远"。④博厚配地:呼应上文"博厚,所以载物也"。⑤高明配天:呼应上文之"高明,所以覆物也"。⑥悠久无疆:呼应上文之"悠久,所以成物也"。⑦如此者四句:孔疏:"言圣人之德如此博厚、高明、悠久,不见所为而功业章显,不见作动而万物改变,无所施为而道德成就。"⑧天地之道二句:朱熹注:"天地之道,可一言而尽,不过曰'诚'而已。"⑨其为物不贰二句:孔疏:"言圣人行至诚接待于物,不有差贰,以此之故,能生殖众物,不可测量。"

[译文]

"所以,至诚是不间断的。不间断就可以长久,长久就可以得到验证,得到验证就可以行之悠远,行之悠远就可以广博深厚,广博深厚就可以高大光明。广博深厚,能用来承载万物;高大光明,能用来覆盖万物;行之悠远,能用来成就万物。广博深厚可以与地相配,高大光明可以与天相配,行之悠远而无边无际。圣人之德如此广博深厚、高大光明、行之悠远,以至于不见所为而功业彰显,不见动作而万物改变,无所作为而道德成就。天地之道,可以用一个字来概括,那就是一个'诚'字。它以至诚不贰对待万物,所以能够生育万物而其数无法估量。

"天地之道,博也,厚也,高也,明也,悠也,久也。今夫天①,斯昭昭之多②,及其无穷也③,日月星辰系焉,万物覆焉。今夫地,一撮土之多④,及其广厚,载华岳而不重⑤,振⑥河海而不泄,万物载焉。今夫山,一卷石⑦之多,及其广大,草木生之,禽兽居之,宝藏兴焉。今夫水,一勺之多,及其不测⑧,鼋鼍、蛟龙、鱼鳖生焉,货财殖焉。《诗》曰:'惟天之命,於穆不已!'⑨盖曰天之所以为天也。'於乎不显,文王之德之纯!'⑩盖曰文王之所以为'文'也,纯亦不已。

[注释]

①今夫天:就拿天来说吧。今夫,转接连词,犹言"若夫"。②斯昭昭之多:一开始也不过就那么狭小一片。孔颖达疏:"昭昭,狭小之貌。"③及其无穷也:等它变得无穷大。④一撮土之多:一开始也不过一把土而已。⑤华岳:西岳华山。此处泛指五岳。不重:不以为重。⑥振:收容,容纳。⑦一卷(quán)石:一块拳头大小的石头。卷,通"拳"。⑧不测:谓水深不可测。⑨《诗》曰二句:见《诗经·周颂·维天之命》。郑笺云:"命,犹道也。天之道,於乎美哉!动而不止,行而不已。"於(wū):感叹词。穆:美。⑩於(wū)乎不显二句:亦见《诗经·周颂·维天之命》。於乎:同"呜呼",感叹词。不显:显,光明。"不"是语中助词,无义。纯:朱熹注:"纯一不杂也。"

[译文]

"天地之道,广博、深厚、高大、光明、悠远、长久。就拿天来说,刚一开始也不过是区区一片微光,微光越积越多,以至于无穷无尽,到了这个时候,日月星辰被悬挂在上面,万物被覆盖在下面。再拿地来说,刚一开始也不过是一把泥土而已,后来越积越多,以至于广博深厚到这种程度,承载五岳而不觉重,容纳河海而不至于漏泄,万物皆可承载于上。再拿山来说,刚一开始不过是拳头大的一小块石头,后来越积越多,以至于广大到这种程度,草木在上面生长，禽兽在上面居住，矿藏从里面开采。再拿水来说，刚一开始也不过是一勺水而已，后来越积越多，以至于达到深不可测的程度，于是鼋鼍、蛟龙、鱼鳖生活在里面，种种货财也从水中繁殖。《诗经》上说：'想那天道在运行，庄严肃穆永不停。'说的就是天之所以成为天；'呜呼，多么光明显赫！文王的品德真纯正。'说的就是文王之所以被称为'文'，其纯正也从未间断。

"大哉圣人之道！洋洋①乎发育万物，峻②极于天。优优③大哉！礼仪三百，威仪三千，④待其人然后行。故曰：苟不至德，至道不凝焉。⑤

[注释]

①洋洋：孔颖达疏："洋洋，谓道德充满之貌。"②峻：高大。③优优：充足有余的样子。④礼仪三百二句：礼的大纲有三百条，礼的细则有三千条。三百、三千，皆泛言其多，非实指。⑤故曰二句：如果不是至德之人，至善之道也不可成。

[译文]

"伟大啊，圣人之道！充满世界，化育万物，高达于天。绰绰有余，真伟大啊！礼的大纲三百条，礼的细则三千条，一定要等到圣人出来才能实行。所以说：如果不是具有至高无上道德的人，圣人的至善之道就不能实行。

"故君子尊德性而道问学，致广大而尽精微，极高明而道中庸。①温故而知新，敦厚②以崇礼。

[注释]

①故君子尊德性而道问学三句：所以君子尊崇圣人的至诚之性，并通过问学的途径来达到；既要达到如同地德那样的博厚，又要达到无微不至；既要达到如同天德那样的高明，又要通达于中庸之理。"道问学"之道，由也。

②敦厚：这是个动宾结构，犹言加厚，加大力度。

[译文]

"所以君子尊崇圣人的至诚之性，并通过勤学来达到，既要达到如同地德的广博深厚，又要无微不至；既要达到如同天德的高大光明，又要遵循中庸之道。温习旧有的知识，从而获得新的体会；为人敦厚而崇尚礼仪。

"是故居上不骄①，为下不倍②；国有道，其言足以兴；国无道，其默足以容。《诗》曰：'既明且哲，以保其身。'③其此之谓与！"

[注释]

①不骄：对下不骄傲。②不倍：对上不违逆。③《诗》曰二句：见《诗经·大雅·烝民》。

[译文]

"所以，身居上位而不骄傲，身居下位而不背叛；如果国家政治清明，他的积极建议足以使国家兴盛；如果国家政治黑暗，他的沉默不语也足以使他保全自身。《诗经》上说：'既明白道理而又洞察是非，就可以保全自身。'不就是说的这个道理吗？"

子曰："愚而好自用①，贱而好自专②，生乎今之世，反古之道③。如此者，灾④及其身者也。非天子，不议礼，不制度，不考文。⑤今天下车同轨⑥，书同文⑦，行同伦⑧。虽有其位⑨，苟无其德，不敢作礼乐焉；虽有其德⑩，苟无其位，亦不敢作礼乐焉。"

[注释]

①自用：自以为是。②自专：自作主张。③反古之道：恢复古代的那一套。反，恢复。④裁：同"灾"。⑤非天子四句：不是天子，就没有资格议论

礼的改变，没有资格制定法度，没有资格考订文字。⑥今：郑玄注："今，孔子谓其时。"轨：车子两轮间的距离。本句是说法度统一。⑦书同文：书写使用同样的文字。这句是说文字统一。⑧行同伦：行为遵循同样的伦理。这句是说礼仪统一。⑨位：谓天子之位。⑩其德：谓圣人之德。郑玄概括"虽有其位"以下六句的意思说："言作礼乐者，必圣人在天子之位。"

[译文]

孔子说："愚蠢而好自以为是，卑贱而好自作主张，生活在当代世界，却要恢复古代的那一套。这样做的人，势必要灾祸临头了。不是天子，就没有资格议礼，没有资格规定制度，没有资格考订文字。当今的天下，车轮之间的轨迹等宽，书写的字体一律，行为的规范相同。虽然处于天子的地位，如果没有相应的道德，就不敢制礼作乐；虽然具有圣人的品德，如果没有相应的地位，也不敢制礼作乐。"

子曰："吾说夏礼，杞不足徵也。①吾学殷礼，有宋存焉。②吾学周礼，今③用之，吾从周。王天下有三重④焉，其寡过⑤矣乎！上焉者虽善无徵，无徵不信，不信民弗从；下焉者虽善不尊，不尊不信，不信民弗从。⑥故君子⑦之道，本诸身⑧，徵诸⑨庶民，考诸三王⑩而不缪，建⑪诸天地而不悖，质⑫诸鬼神而无疑，百世以俟圣人而不惑。质诸鬼神而无疑，知天也；百世以俟圣人而不惑，知人也。是故君子动而世为天下道⑬，行而世为天下法⑭，言而世为天下则⑮。远之则有望，近之则不厌。⑯《诗》曰：'在彼无恶，在此无射。庶几夙夜，以永终誉！'⑰君子未有不如此而蚤⑱有誉于天下者也。"

[注释]

①吾说夏礼二句：据孔颖达说，这两句与下文的"吾学殷礼，有宋存焉"是互文，当分别读作"吾说夏礼，有杞存焉，杞不足徵也"和"吾学殷

礼,有宋存焉,宋不足徵也"。此二句大意是,我想解说夏代的礼,虽然夏的后裔杞国尚存,但由于杞君暗弱,不足以赞成此事。②吾学殷礼二句:我想学习殷代的礼,虽然殷的后裔宋国尚存,但由于宋君暗弱,不足以赞成此事。③今:指孔子生活的时代。④王(wàng)天下:称王于天下。三重:郑玄注:"三重,三王之礼。"三王,指夏禹、商汤和周文王、周武王。⑤寡过:少犯过错。⑥上焉者虽善无徵六句:朱熹注:"上焉者,谓时王以前,如夏、商之礼虽善,而皆不可考。下焉者,谓圣人在下,如孔子虽善于礼,而不在尊位也。"徵,证据。⑦君子:朱熹注:"此君子,指王天下者而言。"⑧本诸身:从自身做起。⑨徵诸:验证于。⑩考:稽考于,验证于。三王:见上注。⑪建:疑当作"鉴"。鉴,察也。"鉴"、"建"古音相近。上文之"徵"、"考",下文之"质",皆验证、稽考之意,不应此一字独异。⑫质:质问,质询。⑬动:朱熹注:"兼言行而言"。即既指言,又指行。道:准则。⑭法:法则。⑮则:规矩。⑯远之则有望二句:远离君子,则有仰慕之心;靠近君子,则无厌倦之意。之,指君子。⑰《诗》曰四句:见《诗经·周颂·振鹭》。郑笺云:"在彼,谓居其国无怨恶之者。在此,谓其来朝,人皆爱敬之,无厌之者。永,长也。誉,声美也。"射(yì):《诗经》作"斁",二字通,讨厌之意。终:通"众",众人。⑱蚤:通"早"。

[译文]

孔子说:"我想讲说夏礼,但现在的杞国已经不足以验证它了。我想学习殷礼,现在的宋国还保存着一部分。我想学习周礼,这是当今正在使用的礼,所以我遵循周礼。称王天下的人有三件重要的事做好了,大概就可以少犯错误了。周代以前的一套规矩虽然很好却无从验证,无从验证则百姓不信,百姓不信也就不会遵从;处在下位的圣人的一套规矩虽然很好,但其地位不尊,地位不尊则百姓不信,百姓不信也就不会遵从。所以,君子治理天下的办法,应该是首先从自身出发,然后在百姓中求得验证,稽考于三王而没有错误,树立于天地之间而毫无悖逆,质询于鬼神而没有疑问,百世以后等到圣人出来也提不出不同意见。质询于鬼神而没有疑问,这是懂得天理；百世以后等到圣人出来也提不出不同意见，这是懂得人情。所以君子的任何举动都被后世奉为天下的楷模，君子的任何行事都被后世奉为天下的法则，君子的任何言论都被后世奉为典范。远离君子，则有仰慕之心，靠近君子，则无厌倦之意。《诗经》上说：'在那里无人厌恶，在这里无人讨厌。从早到黑不懈怠，交口称赞美名传。'君子没有一个不是这样做了以后才早早地名扬天下的。"

仲尼祖述尧、舜①，宪章文、武②；上律天时③，下袭水土④。譬如天地之无不持载，无不覆帱；⑤譬如四时之错行⑥，如日月之代明⑦。万物并育而不相害，道并行而不相悖⑧。小德川流，大德敦化。⑨此天地之所以为大也。

唯天下至圣⑩，为能聪明睿知⑪，足以有临⑫也；宽裕温柔，足以有容⑬也；发强⑭刚毅，足以有执⑮也；齐庄中正⑯，足以有敬⑰也；文理密察⑱，足以有别也。溥博渊泉⑲，而时出之⑳。溥博如天，渊泉如渊。见㉑而民莫不敬，言而民莫不信，行而民莫不说㉒。是以声名洋溢乎中国㉓，施及蛮貊㉔。舟车所至，人力所通㉕，天之所覆，地之所载，日月所照，霜露所队㉖，凡有血气㉗者，莫不尊亲㉘，故曰配天㉙。唯天下至诚，为能经纶天下之大经㉚，立天下之大本㉛，知天地之化育。夫焉有所倚㉜？肫肫㉝其仁！渊渊㉞其渊！浩浩㉟其天！苟不固㊱聪明圣知达天德者，其孰能知之？

《诗》曰："衣锦尚䌹。"㊲恶其文之著也㊳。故君子之道，暗然而日章㊴；小人之道，的然而日亡㊵。君子之道，淡而不厌，简而文，温而理，知远之近，知风之自，知微之显，可与入德矣。㊶《诗》云："潜虽伏矣，亦孔之昭！"㊷故君子内省不疚㊸，无恶㊹于志。君子所不可及者,其唯人之所不见乎!《诗》云:"相在尔室,尚不愧于屋漏。"㊺故君子不动而敬,不言而信。《诗》曰:"奏假无言,时靡有争。"㊻是故君子不赏而民劝㊼,不怒而民威于铁钺㊽。《诗》曰:"不显惟德,百辟其刑之。"㊾是故君子笃恭而天下平。《诗》曰:"予怀明德,不大声以色。"㊿

[注释]

①祖述:效法。"祖述尧、舜",这是从远处来说。②宪章:效法。文、武:周文王、周武王。"宪章文、武",这是从近处来说。③上律天时:从上来说,效法天时。律天时,以天时为律。律,法也。④下袭水土:从下来说,因袭水土。以上四句,言孔子效法圣人,效法天,效法地。⑤譬如天地之无不持载,无不覆帱(dào):这是个合叙句。分开来说就是:譬如地之无不持载,天之无不覆帱。帱,覆盖。⑥错行:交替运行。⑦代明:轮流明亮。⑧道并行而不相悖:各种规律并行而不互相冲突。⑨小德川流二句:小德川流不息,大德敦厚化育。小德,谓天地之德的一部分。大德,谓天地之德的总体。⑩至圣:谓孔子。⑪睿知:即睿智。⑫有临:能够君临天下。⑬有容:有所包容。⑭发强:刚强。《逸周书·谥法解》:"刚克曰发。"⑮有执:有决断。⑯齐(zhāi)庄:端庄。中正:正直。⑰有敬:令人起敬。⑱文理密察:条理详审明察。⑲溥博:博大。渊泉:精深。此亦言至圣之德。⑳时出之:在适当的时机有所表现。㉑见:谓至圣一出现。见,古"现"字。㉒说:高兴。说,古"悦"字。㉓中国:指华夏本土。㉔施(yì)及蛮貊:延伸到边疆少数民族居住地区。蛮,古称居住在南方的少数民族。貊,古称居住在东北方的少数民族。㉕人力所通:人的足迹所能到之处。㉖队:古"坠"字。坠落。㉗血气:血液和气息。指代生命。㉘莫不尊亲:谓莫不尊敬和亲近至圣者。㉙故曰配天:故曰至圣之德可以与天媲美。㉚经纶:朱熹注:"经、纶,皆治丝之事。经者,理其绪而分之。纶者,比其类而合之也。"此处意谓理顺,总结出。大经:治国纲领。㉛大本:根本。㉜夫焉有所倚:朱熹注:"岂有所倚着于物而后能哉?"㉝肫肫(zhūn zhūn):诚恳的样子。㉞渊渊:深沉的样子。㉟浩浩:浩荡无垠的样子。㊱固:本来。㊲《诗》曰句:见《诗经·卫风·硕人》。但今本《毛诗》作"衣锦䙱衣",文字不同。造成文字不同的原因,孔颖达说是

由于记者"截断诗文",而王引之则认为"《诗》曰"下原有诗文"衣锦絅衣"四字,而"衣锦尚絅"四字则是解释"衣锦褧衣"的。"衣锦褧衣"四字在孔颖达作《正义》时已经脱失。详见《经义述闻》卷十六。笔者认为王说合情合理。然则此处当作"《诗》曰'衣锦褧衣',衣锦尚絅"。衣:动词,穿。锦:华丽的衣服。褧:同"絅",单层罩衣。所谓"衣锦尚絅",意谓穿了华丽的衣服,又在上面加了一层罩衣。尚,加也。㊳恶(wù)其文之著也:厌恶华丽的锦衣,太显眼了。㊴暗然而日章:刚一开始不显眼,时间长了就日益彰明。㊵的然而日亡:刚一开始光芒刺目,时间长了就日趋消亡。的然,明亮的样子。㊶君子之道八句:君子之道,淡薄而不令人生厌,简朴而有文采,温和而理顺,知远而从近始,闻风而知其风向,见著而知微,可以说是摸到了进入圣人之德的门径了。㊷《诗》云二句:见《诗经·小雅·正月》。意谓鱼儿虽然潜伏水底,但仍被看得分明。孔,很。㊸内省不疚:《论语·颜渊》:"子曰:'内省不疚,夫何忧何惧?'"谓自我反省,没有做错事情。㊹恶:损。㊺《诗》云二句:见《诗经·大雅·抑》。相:看。屋漏:郑笺云:"屋,小帐也。漏,隐也。礼,祭于奥(按:室内西南隅)既毕,改设馔于西北隅而靡隐之处。"然则,屋漏者,室内西北隅祭神之隐蔽处也。不要以为屋漏是隐蔽之处,没人看得见,就没有肃敬之心,实际上,神什么都能能看见。㊻《诗》曰二句:见《诗经·商颂·烈祖》。孔颖达疏曰:"此篇美成汤之诗。《诗》本文云'鬷假无言',此云'奏假'者,与《诗》文异也。假,大也。言祭成汤之时,奏此大乐于宗庙之中,人皆肃敬,无有喧哗之言。所以然者,时既太平,无有争讼之事,故无言也。"㊼劝:受到鼓励。㊽铁钺:斫刀和大斧,古代的刑具。㊾《诗》曰二句:见《诗经·周颂·烈文》。不显:见前注。百辟:谓众诸侯。刑:通"型",模型,效法。之:指代文王。㊿《诗》曰二句:见《诗经·大雅·皇矣》。意谓我归心于明德的文王,他从不疾言厉色。

[译文]

从远处说,孔子继承唐尧、虞舜;从近处说,孔子效法文王、武王;上据天时,下据地理。譬如天的无不覆盖,譬如地的无不承载;譬如四季的交替运行,譬如日月的轮流照耀。万物共同生长而不互相妨害,各种规律并行而不互相冲突。小德川流不息,大德敦厚化育，这就是天地之所以伟大的地方。

唯有天下最伟大的圣人才能做到聪明睿智，足以君临天下；宽厚温柔，足以包容万物；坚强刚毅，足以决断一切；端庄正直，足以令人起敬；条理清晰，详审明察，足以辨别是非。圣人之德，博大精深，待时而出。其博大犹如苍天，其精深犹如深渊。他一出现，百姓就无不起敬；他一说话，百姓就无不信服；他一举动，百姓就无不喜悦。所以他的声名不但响彻华夏大地，而且传播到少数民族聚居的地方。凡是车船能行驶到的地方，凡是人的足迹所能到的地方，只要是苍天覆盖之处，大地承载之处，日月所照之处，霜露所降之处，凡是有血气的生命，无不尊敬他，无不亲近他，所以说圣人之德可以与天媲美。只有天下最至诚的人，才能理顺治理天下的大纲，才能树立天下的根本，才能洞晓天地化育万物的原理。做到这些难道还要依赖别的什么吗？他的仁厚是那样的诚恳，智慧是那样的深沉，盛德如天，浩浩荡荡！如果不是本来聪明睿智而又通晓天地的人，谁能了解他呢？

《诗经》上说："身穿锦服罩单衣。"这是讨厌锦服的花纹太招眼。所以君子之道，刚一开始不太显眼，时间长了却日益彰明；小人之道，刚一开始光芒刺目，时间长了却日趋消亡。君子之道，看似淡薄而实则醇厚，令人不厌，简朴而有文采，温和而有条理，由近而知远，溯流而知源，见著而知微，这样就可以说是摸到了进入圣人之德的门径了。《诗经》上说："虽然潜藏水底，仍被看得分明。"所以君子自我反省，问心无愧，也无损自己的志向。君子的不可企及之处，大概就在于在人所看不见的地方也能够严于律己吧！《诗经》上说："看你独自处于室内，做事尚可无愧神明。"所以君子不用举动就能令人起敬，不用说话就能令人信服。《诗经》上说："金声玉振众肃静，太平之世无人争。"所以君子不用赏赐，百姓就受到了鼓励；不用发怒，百姓就觉得比刑罚还要威严。《诗经》上说:"文王之德多么光明,四方诸侯都要效法。"因此,君子笃实恭敬就能使天下太平。《诗经》上说:"我归心于明德的文王,他从不疾言厉色。"

子曰:"声色之于以化民,末也。^①《诗》曰:'德輶如毛^②。'毛犹有伦^③。'上天之载,无声无臭'^④,至矣^⑤!"

[注释]

①子曰二句:用疾言厉色去教化百姓,这是下策。②德輶(yóu)如毛:见《诗经·大雅·烝民》。輶,轻。③伦:比也。④上天之载二句:见《诗经·大雅·文王》。据郑玄注,载,通"栽",谓生物。句意为:上天的造生万物,人们既听不到它的声音,也闻不到它的气味。⑤至矣:这才是至高无上的境界啊!

[译文]

孔子说:"用疾言厉色去教化百姓,这是下策。《诗经》上说:'德行轻如鸿毛。'有毛可比就是还有形迹可寻。至于'上天的造生万物,人们既听不到它的声音,也闻不到它的气味',那才是至高无上的境界啊!"

表记第三十二

[题解]

卫湜《礼记集说》引吕大临说云："此篇论仁为多，而篇中有云'仁者，天下之表'，恐取此义以名篇。"然则《表记》者，《仁记》也。篇中所引《诗》、《书》，多有断章取义之处，读者请勿以辞害意。

子言之："归乎①！君子隐而显，不矜而庄，不厉而威，不言而信。"子曰："君子不失足于人，不失色于人，不失口于人。是故君子貌足畏也，色足惮也，言足信也。《甫刑》曰：'敬忌而罔有择言在躬。'②"子曰："裼、袭③之不相因也，欲民之毋相渎也④。"子曰："祭极⑤敬，不继之以乐。朝极辨，不继之以倦。"

[注释]

①归乎：这是孔子周游列国，未被诸侯聘用，心生厌倦，因而发出"归乎"之叹。②《甫刑》曰句：见《尚书·吕刑》。《甫刑》是《尚书》篇名，也叫《吕刑》。择（dù）言：坏话。择，通"殬"，败也。③裼、袭：古人礼服之制，冬著裘，夏著葛，裘葛之上有罩衣，叫做裼衣。裼衣上面又加正服（例如朝服或皮弁服等）。敞开正服前襟，露出左袖而让人看见裼衣，这就叫做裼。穿好左衣袖，掩好正服前襟，这就叫做袭。裼是为了展示内服之美，袭是为了掩盖内服之美。具体怎样做，要因时制宜。④欲民之毋相渎也：孙希旦

说:"礼以变为敬,若相因则渎,渎则不敬矣。"⑤极:尽也。

[译文]

孔子说:"还是回去吧!君子虽然隐居林泉,但道德发扬,声名显著,不必故作矜持而自然端庄,不必故作严厉而自然令人生畏,不必讲话而人们自然相信。"孔子说:"君子的一举一动,都不让别人感到有失检点;一颦一笑,都不让别人感到有失检点;一言一语,都不让别人感到有失检点。所以君子的容貌足以令人生畏,君子的脸色足以令人畏惧,君子的讲话足以令人信服。《甫刑》上说:'外貌恭敬,内心戒慎,别人就不会说自己的坏话。'"孔子说:"在行礼过程中,有时以露出裼衣为敬,有时以掩好上服不露出裼衣为敬,这样做的目的,是要民众不要亵渎了礼。"孔子说:"祭礼要求尽量表达敬意,虽有饮酒之事,但也不能以欢乐告终;朝廷上的政事要求尽量办好,不可因为劳神而以草草了事告终。"

子曰:"君子慎以辟祸,笃以不掩①,恭以远耻。"子曰:"君子庄敬日强,安肆日偷。君子不以一日使其躬儳②焉,如不终日。"子曰:"齐戒以事鬼神,择日月以见君③,恐民之不敬也。"子曰:"狎侮,死焉,而不畏也。"子曰:"无辞不相接也,无礼不相见也,欲民之毋相亵也。《易》曰:'初筮告,再三渎,渎则不告。'"④

[注释]

①掩:犹困迫。②儳(chán):郑玄说:"可轻贱之貌。"③择日月以见君:指国都以外的地方官员晋见国君。④《易》曰三句:见《易经·蒙卦》卦辞。

[译文]

孔子说:"君子用谨慎行事来避免灾祸,用道德笃厚来避免受窘,用恭以待人来远离耻辱。"孔子说:"君子端庄恭敬,所以道德日益显著；如果耽于安乐，放肆无检，就会日益苟且偷安。君子一天也不让自己的所作所为被人瞧不起，如同小人的无礼而惶惶不可终日。"孔子说："斋戒以后才敬事鬼神，择好日子然后晋见国君，如此慎重地行事，就是恐怕人们失去恭敬之心。"孔子说："小人喜好轻狎侮慢，即使会招致杀身之祸，也不知畏惧。"孔子说："朝聘聚会之时，双方必有言辞以通情意，必有见面的礼物以通情意，如果没有言辞，就不互相交接，没有见面的礼物，就不互相见面。之所以这样做，是要百姓不要忽视礼数而对对方失敬。《易经》上说：'第一次占筮，神告诉你是吉是凶，如果不信，又进行第二次、第三次占筮，那就是对神的亵渎。亵渎了神，神就不再告诉你吉凶了。'"

子言之："仁者天下之表也，义者天下之制也，报①者天下之利也。"子曰："以德报德，则民有所劝。以怨报怨，则民有所惩②。《诗》曰：'无言不雠，无德不报。'《大甲》曰：'民非后，无能胥以宁。后非民，无以辟四方。'③"子曰："以德报怨，则宽身之仁④也；以怨报德，则刑戮之民也。"

[注释]

①报：郑玄说："报，谓礼也。礼尚往来。"②惩：指受到创伤。③《大甲》曰四句：此处引文与《尚书》本文小有不同。《大甲》：《尚书》篇名。后：君。胥：互相。辟(bì)：君主。④宽身之仁：郑玄说："宽，犹爱也。爱身以息怨，非礼之正也。"仁：当作"民"，声近而误。

[译文]

孔子说："仁是天下的仪表，义是裁决天下事物的准则，礼尚往来是天下之利。"孔子说："以恩德回报别人对自己的恩德，这样百姓就会有所劝勉而友好相处。以怨恨回报别人对自己的怨恨，这样百姓就会两败俱伤。《诗经》上说：'出言未有不答，施德未有不报。'《尚书·太甲》篇说：'百姓没有国君，就不能得到安宁；国君没有百姓，也无法君临四方。'"孔子说："以恩德回报别人对自己的怨恨，这是委曲求全的人；以怨恨回报别人对自己的恩德，这是应该绳之以法的人。"

子曰："无欲而好仁者，无畏而恶不仁者，天下一人而已①矣。是故君子议道自己，而置法以民。"子曰："仁有三，与仁同功而异情。与仁同功，其仁未可知也。与仁同过，然后其仁可知也。②仁者安仁，知者利仁，畏罪者强仁。仁者右也，道者左也。仁者人也，道者义也。厚于仁者薄于义，亲而不尊；厚于义者薄于仁，尊而不亲。道有至，义有考。③至道以王，义道以霸，考道以为无失。"

[注释]

①一人而已：比喻人数极少。②与仁同过二句：行仁而遇到挫折或失败，不是发自内心深处行仁的，就会动摇、后悔，所以能够分辨出他是属于哪种仁。③道有至二句：郑玄说应当作"道有至，有义，有考"。至道是仁义兼行，义道是行义而不行仁，考道是勉勉强强采取仁义的一部分而行之以取得成功。考，成也。

[译文]

孔子说："不是为了满足私欲而喜好仁的人，也不是因为畏惧才厌恶不仁的人，这样的人在普天之下很少很少。所以君子在议论原则时是以自己为准，在制定法律时是以百姓能做到的为准。"孔子说："仁的实行有三种情况：一是安于行仁，二是为了利益而行仁，三是勉勉强强而行仁。三者虽然都能达到仁的效果，但出发点却不同。都能达到仁的效果，仅从效果上看，是看不出它是属于哪种仁的。在行仁时遇到了挫折，这时候就可以看出它是属于哪种仁了。真正的仁人，不论在什么情况下都安于行仁；有智慧的人，看到有利可图才去行仁；害怕犯罪受罚的人，是迫不得已而勉强行仁。仁好比是右手，道好比是左手。仁，体现在爱人上；道，体现在义理上。在仁的方面做得多，在义的方面做得少，其结果是赢得了亲近而没有赢得尊敬；在义的方面做得多，在仁的方面做得少，其结果是赢得了尊敬而没有赢得亲近。道有兼行仁义的至道，有只行义而不行仁的义道，有采取仁义的一部分而行之的考道。行至道可以称王，行义道可以称霸，行考道可以避免过失。"

子言之："仁有数，义有长短小大。①中心憯怛，爱人之仁也。率法而强之，资②仁者也。《诗》云：'丰水有芑，武王岂不仕。诒厥孙谋，以燕翼子。武王烝哉！'③数世之人④也。《国风》曰：'我今不阅，皇恤我后。'⑤终身之仁也。"

[注释]

①仁有数二句：这二句中的"数"与"长短、小大"是互文。下文所引《诗经》五句，是仁之多、长、大的例子；下文所引《国风》二句，是仁之少、短、小的例子。②资：取。③《诗》云五句：见《诗经·大雅·文王有声》。丰水：即"沣水"，源出于陕西西安西南的秦岭，与渭水合流以后注入黄河。芑：郑玄说是枸杞，马瑞辰说是水芹菜。烝：美。④人：通"仁"。⑤《国风》曰二句：见《诗经·邶风·谷风》。阅：容纳。皇：通"遑"，没有工夫。

[译文]

孔子说："仁有多少、长短、大小之分，义也有多少、长短、大小之别。对别人的不幸有恻隐之心，这是天性同情他人的仁。遵循法律而勉强行仁，这是以行仁为手段而企图达到个人目的。《诗经》上说：'正如丰水之有芑，武王岂不考虑天下长治久安之计。留下了安邦治国的好谋略，庇护他的子孙享国久长。武王真伟大啊！'这是惠及后世几代的仁。《国风》上说：'我现在自身还难保,哪里有工夫为后代着想呢!'这是终竟自己一生的仁。"

子曰:"仁之为器重,其为道远,举者莫能胜也,行者莫能致也。取数多者,仁也。夫勉于仁者,不亦难乎!是故君子以义①度人,则难为人;以人望人,则贤者可知已矣。"子曰:"中心安仁者,天下一人而已矣。《大雅》曰:'德輶如毛,民鲜克举之。我仪图之,惟仲山甫举之,爱莫助之。'②《小雅》曰:'高山仰止,景行行止。'③"子曰:"《诗》之好仁如此。乡道而行,中道而废,忘身之老也,不知年数之不足也;俛焉日有孶孶④,毙而后已。"

[注释]

①义:郑玄说是"先王成法"。②《大雅》曰五句:见《诗经·大雅·烝民》。輶(yóu):轻。仪图:揣度。仲山甫:周宣王时大臣。封于樊(今河南济源),排行老二,故亦称樊仲。③《小雅》曰二句:见《诗经·小雅·车舝》。景行:大道。④俛焉:勤奋的样子。孶孶:即"孜孜"。

[译文]

孔子说:"仁,作为器物,非常非常之重;作为道路,非常非常之远;作为器物,没有人能够把它举得起来;作为道路,没有人能够把它走完。我们只能看谁举得较重,走得较远,以数量多的,算作仁了。像这样地勉力于仁,难度够大的了!所以君子如果用先王的标准来衡量人,那么做人就很难达到标准;如果用今天一般人的标准去要求别人,那么就可以知道谁是贤人了。"孔子说:"天性乐于行仁的人,天下非常的少。《大雅》上说:'虽然道德轻如鸿毛,但是很少有人能够把它举得起来。我揣度,只有仲山甫能够举得起来,可惜时人没有能够帮助他的。'《小雅》上说:'高山则可仰慕,大道则可行走。'"孔子说:"《诗》是如此地爱好仁。向着仁的大道前进,走到半路,实在没有力气了,不得已才停顿下来,忘掉了身体已经衰老，也忘掉了余日不多；仍然孜孜不懈，奋力向前，死而后已。"

子曰："仁之难成久矣！人人失其所好①，故仁者之过易辞也。"子曰："恭近礼，俭近仁，信近情，敬让以行，此虽有过，其不甚矣。夫恭寡过，情可信，俭易容也，以此失之者，不亦鲜乎！《诗》云：'温温恭人，惟德之基。'②"子曰："仁之难成久矣，唯君子能之。是故君子不以其所能者病人，不以人之所不能者愧人。是故圣人之制行也，不制以己，使民有所劝勉愧耻，③以行其言。礼以节之，信以结之，容貌以文之，衣服以移之，朋友以极之，欲民之有壹也。《小雅》曰：'不愧于人，不畏于天。'④是故君子服其服，则文以君子之容；有其容，则文以君子之辞；遂其辞，则实以君子之德。是故君子耻服其服而无其容，耻有其容而无其辞，耻有其辞而无其德，耻有其德而无其行。是故君子衰绖则有哀色，端冕则有敬色，甲胄则有不可辱之色。《诗》云：'惟鹈在梁，不濡其翼。彼记之子，不称其服。'⑤"

[注释]

①人人失其所好：孙希旦说："仁之为道，人莫不知其可好。然鲜能胜其重，致其远，此所以人人失之也。"译文即用此义。②《诗》云二句：见《诗经·大雅·抑》。③不制以己二句：郑玄说："以中人为制，则贤者劝勉，不及者愧耻。"④《小雅》曰二句：见《诗经·小雅·何人斯》。⑤《诗》云四句：见《诗经·曹风·候人》。鹈（tí）：即鹈鹕，水鸟名。梁：河梁，即断水捕鱼的堰。记：今《毛诗》作"其"，二者读音相同，都是语助词，无义。

[译文]

孔子说："仁难以成功，由来已久了！因为人的能力有限，很难全部做到，所以仁者所犯的过失是容易得到解释的。"孔子说："恭敬接近于礼，谦逊接近于仁，诚信接近于人情，如果能以恭敬谦让的态度做人行事，即便有什么过失，也不会是什么大的过失。做到恭敬就会少犯过失，近乎人情就会让人信赖，为人谦逊就容易被人接受。这样做人而犯错误，不是少有的事吗？《诗经》上说：'温和恭敬的人，是道德的基石。'"孔子说："仁难以成功由来已久，只有君子能够成功。所以君子不以自己所能做到的事去责备别人，也不以别人做不到的事便让人家感到惭愧。所以圣人在制定行为标准时，不是以自己为标准，而是以中等水平的人为标准，使知道努力的人有所劝勉，不知道努力的人有所愧耻，以便共同实行圣人的教诲。用礼来约束他们，用诚信来团结他们，用恰当的仪容来文饰他们，用合乎身份的衣服来影响他们，用朋友之间的劝勉来鼓励他们，这都是为了使他们专一于为善。《小雅》上说：'难道人前不惭愧？难道不怕天报应？'所以君子穿上了君子的服装，还要用君子的仪容来加以文饰；有了君子的仪容，还要用君子的谈吐来加以文饰；谈吐高雅了，还要用君子的道德来加以充实。所以君子对于穿上君子服装而无君子仪容感到羞耻，对于只有君子仪容而无君子谈吐感到羞耻，对于只有君子谈吐而无君子道德感到羞耻，对于只有君子道德而无君子行为感到羞耻。所以君子穿上了丧服就会有悲哀的神色，穿上了朝服就会有恭敬的神色，穿上了军服就会有不可侵犯的神色。《诗经》上说：'鹈鹕鸟儿立河梁，居然未曾湿翅膀。那些没有德行的官员们，真不配他们穿的那身衣裳。'"

子言之："君子之所谓义者，贵贱皆有事于天下。天子亲耕，粢盛秬鬯①，以事上帝，故诸侯勤以辅事于天子。"子曰："下之事上也，虽有庇民之大德，不敢有君民之心，仁之厚也。是故君子恭俭以求役②仁，信让以求役礼；不自尚其事，不自尊其身；俭于位而寡于欲，让于贤；卑己而尊人，小心而畏义，求以事君；得之自是，不得自是，以听天命。《诗》云：'莫莫葛藟，施于条枚。凯弟君子，求福不回。'③其舜、禹、文王、周公之谓与！有君民之大德，有事君之小心。《诗》云：'惟此文王，小心翼翼。昭事上帝，聿怀多福。厥德不回，以受方国。'④"

[注释]

①粢盛（zī chéng）：盛放在器皿中作祭祀用的黍稷。秬鬯（jù chàng）：用黑黍制成的香酒。用以敬神。②役：为。③《诗》云四句：见《诗经·大雅·旱麓》。莫莫：茂密的样子。葛藟（lěi）：葛藤。施（yì）：蔓延。条枚：树枝和树干。回：邪僻。④《诗》云六句：见《诗经·大雅·大明》。聿：语助词，无义。怀：招徕。方国：四方诸侯之国。

[译文]

孔子说："君子所谓的'义'，是说一个人无论身份贵贱，都要为天下做出应有的贡献。譬如天子，虽然至尊至贵，也要亲耕藉田，生产出粢盛，制造秬鬯，以便祭祀上帝，所以诸侯也要勤勉地辅佐天子。"孔子说："在下位的侍奉在上位的，虽然有了庇护民众的大德，也不敢有统治民众的念头，这是仁厚的表现。所以君子恭敬谦逊以求做到仁，诚信谦让以求做到礼；不自己夸耀自己做过的事，不自己抬高自己的身价；在地位面前表现出谦逊，在名利面前表现出淡泊，让于贤人；贬低自己而推崇别人，小心谨慎而唯恐不得其当，要求自己用这样的态度侍奉国君；得意时自行此道，不得意时也自行此道，一切听天由命，绝不改变信仰以徼取利禄。《诗经》上说：'茂茂密密的葛藤，缠绕着树干和树枝。平易近人的君子，不走邪道把福求。'大概说的就是舜、禹、文王、周公吧！他们都有治理民众的大德，又有侍奉君主的小心。《诗经》上说：'周文王小心翼翼，明白怎样敬奉上帝，得到了许多福佑。他的德行叫人挑不出毛病，最终得到了天下诸侯的拥戴。'"

子曰："先王谥以尊名，节以壹惠①，耻名之浮于行也。是故君子不自大其事，不自尚②其功，以求处情；过行弗率③，以求处厚；彰人之善而美人之功，以求下贤。是故君子虽自卑而民敬尊之。"子曰："后稷④，天下之为烈也，岂一手一足哉？唯欲行之浮于名也，故自谓便人。⑤"

[注释]

①壹惠：最突出的一种优点。壹，通"一"。②尚：通"上"。③率：遵循。④后稷：周人的始祖。名弃。曾在尧舜时代做农官，教民耕种。周人认为他是开始种稷和麦的人。⑤唯欲二句：郑玄说："亦言其谦也。辟仁圣之名，云：吾便习于此事之人耳。"

[译文]

孔子说："大臣死了，先王给他加上一个谥号，以表彰他的一生。死者在一生中尽管做了许多好事，但在定谥号时，只节取死者一生中最突出的一点作为依据，其余的都略而不提，这是因为耻于使名声超过实际做过的事。所以君子不夸大自己做过的事，不吹嘘自己的功劳，以求合乎实际；有了过失，不再重犯，以求待人宽厚；表彰别人的优点，赞美别人的功劳，以求贤者能够居于上位。这样一来，君子尽管自己贬低自己，而民众对他却十分尊敬。"孔子说："后稷这个人，建立的是盖世无双的功业，得到好处的岂止是一两个人？只是由于他想使实际做过的事超过名声，所以自称是一个懂得庄稼的人。"

子言之："君子之所谓仁者，其难乎！《诗》云：'凯弟君子，民之父母。'①凯以强教之，弟以说②安之。乐而毋荒，有礼而亲，威庄而安，孝慈而敬，使民有父之尊，有母之亲，如此而后可以为民父母矣，非至德其孰能如此乎？今父之亲子也，亲贤而下无能；母之亲子也，贤则亲之，无能则怜之。母亲而不尊，父尊而不亲。水之于民也，亲而不尊；火尊而不亲。土之于民也，亲而不尊；天尊而不亲。命之于民也，亲而不尊，鬼尊而不亲。"

[注释]

①《诗》云二句：见《诗经·大雅·泂酌》。凯弟（kǎi tì）：凯是欢乐，弟是平易。②说：古"悦"字。

[译文]

孔子说："君子的所谓'仁'，做起来是相当难的呀！《诗经》上说：'快乐平易的君子，是民众的父母。'君子以快乐教人，使人自强不息；以平易安民，使人感到喜悦。使人民快乐而不荒废事业，彬彬有礼而相亲相爱，威严庄重而安宁，孝顺慈爱而恭敬，使人民像尊敬父亲一样尊敬自己，像亲近母亲一样亲近自己，这样做了以后才可以成为民众的父母，如果不具备至高的德行，谁能做到这一点呢？现在做父亲的亲爱儿子，儿子贤能他就亲，儿子无能他就看不起；做母亲的亲爱儿子，儿子贤能她就亲，儿子无能她就怜惜。所以母亲可亲而不可尊，父亲可尊而不可亲。对于人们来说，水是可亲而不可尊，火是可尊而不可亲。对于人们来说，土地是可亲而不可尊，天是可尊而不可亲。对于人们来说，国君的教令可亲而不可尊，鬼神可尊而不可亲。"

子曰①："夏道尊命②，事鬼敬神而远之③，近人而忠焉，先禄而后威，先赏而后罚，亲而不尊；其民之敝，蠢而愚，乔④而野，朴而不文。至殷人尊神，率民以事神，先鬼而后礼，先罚而后赏，尊而不亲；其民之敝，荡而不静，胜而无耻。周人尊礼尚施，事鬼敬神而远之，近人而忠焉，其赏罚用爵列⑤，亲而不尊；其民之敝，利而巧，文而不惭，贼而蔽。"

[注释]

①子曰：对于本节孔子所说，孔颖达解释说："夏道尊命，至殷人尊神，

周人尊礼，三代所尊不同者，案《元命包》云：'三王有失，故立三教以相变。夏人之立教以忠，其失野，故救野莫若敬；殷人之立教以敬，其失鬼，救鬼莫若文；周人之立教以文，其失荡，故救荡莫若忠。如此循环，周则复始。'②命：谓政教。③远之：孙希旦说："谓不以鬼神之道示人也。"④乔：通"骄"。⑤赏罚用爵列：孔颖达说："既不先赏后罚，亦不先罚后赏，唯用爵列尊卑或赏或罚也。"爵列，爵位的等级。

[译文]

孔子说："夏人的治国之道是尊重君上的政教，虽然敬奉鬼神，但却不把它当做政教的内容，接近人情而忠诚，把俸禄放在第一位而把威严放在第二位，把赏赐放在第一位而把刑罚放在第二位，所以他们的政教可亲而不可尊；到了政教衰败的时候，其百姓就变得愚蠢而无知，骄横而粗野，朴陋而缺乏修养。殷人尊崇鬼神，君上率领百姓敬事鬼神，把鬼神放在第一位而把礼仪放在第二位，把刑罚放在第一位而把赏赐放在第二位，所以他们的政教可尊而不可亲；到了政教衰败的时候，其百姓就变得心意放荡而不安静，争强好胜而不知羞耻。周人尊崇礼法，贵尚施惠，虽然敬奉鬼神，但却不把它当做政教的内容，接近人情而忠诚，其赏罚办法既不同于夏，又不同于殷，唯以爵位的高低作为轻重的标准，所以他们的政教可亲而不可尊；到了政教衰败的时候，其百姓就变得贪利而取巧，花言巧语而大言不惭，互相残害，互相欺骗。"

子曰："夏道未渎辞①，不求备，不大望于民，②民未厌其亲。殷人未渎礼，而求备于民。周人强民，未渎神，而赏爵刑罚穷矣③。"子曰："虞夏之道，寡怨于民。殷周之道，不胜其敝。"子曰："虞夏之质，殷周之文，至矣！虞夏之文，不胜其质；殷周之质，不胜其文。"

[注释]

①辞：言辞。引申为政令。②不求备二句：郑玄说："言其政宽，贡税轻

也。"望：侈求。③穷矣：郑玄说："言其繁文备设。"

[译文]

孔子说："夏代的政令简约，对人民不苛求责备，赋税较轻，人民尚怀有亲上之心。殷人的礼法还算简约，但对人民苛求责备，赋税较重。周人设教，强迫人民遵循礼仪，虽尚未亵渎鬼神，而赏赐、进爵、施刑之类的规定就已经穷极烦多了。"孔子说："虞夏的政令简约，老百姓很少怨恨的。殷周的政令繁杂，老百姓受不了它的烦琐。"孔子说："虞夏的质朴，殷周的文饰，都达到了极点。虞夏虽然也有文饰，但没有它的质朴多；殷周虽然也有质朴，但没有它的文饰多。"

子言之曰："后世虽有作者，虞帝弗可及也已矣。君天下，生无私，死不厚其子；子民如父母，有憯怛①之爱，有忠利之教；亲而尊，安而敬，威而爱，富而有礼，惠而能散；其君子尊仁畏义，耻费②轻实，忠而不犯，义而顺，文而静，宽而有辨。《甫刑》曰：'德威惟威，德明惟明。'③非虞帝其孰能如此乎？"

[注释]

①憯怛（cǎn dá）：忧伤悲苦。②费：谓辞费。有其言而无其行，叫做辞费。③《甫刑》曰二句：《甫刑》，即《尚书·吕刑》。已见前注。惟明：此"明"字作尊敬讲。

[译文]

孔子说："后世虽有明王复起，也赶不上虞舜那么好了。他君临天下，活着时没有半点私心，死了也不把帝位传给儿子；爱护百姓就像父母爱护子女，既有哀其不幸的慈爱，也有为其带来实惠的教育；既有母亲之亲，又有父亲之尊，安详而受到尊敬，严厉而得到热爱，富有四海而彬彬有礼，施惠于民而无所偏向；他手下的大臣也都尊敬仁义，以光说不做为可耻，重人而轻财，尽心于君而不犯上，尽君臣之义而又顺从，文雅而又稳重，宽容而有分寸。《甫刑》上说：'道德的威严使人敬畏，道德的光明使人尊敬。'除了虞舜还有哪一个能做到这种地步？"

子言之："事君先资①其言，拜自献其身，以成其信。是故君有责于其臣，臣有死于其言。故其受禄不诬，其受罪益寡。"子曰："事君大言入则望大利，小言入则望小利。故君子不以小言受大禄，不以大言受小禄。《易》曰：'不家食，吉。'②"

[注释]

①资：谋定，考虑好。②《易》曰二句：按《周易·大畜·彖辞》："不家食，吉，养贤也。"

[译文]

孔子说："臣下侍奉君主，要先考虑好自己的建议，然后拜见君主，亲自向君主进言。君主采纳以后，臣下就要全力以赴地促其实现，兑现自己的诺言。所以君主可以责成臣下，而臣下应当为实现自己的诺言而鞠躬尽瘁、死而后已。所以臣下的受禄不是无功受禄，言行相符，受到惩罚的可能性也就很小。"孔子说："侍奉君主，大的建议被采纳，就可以指望得到重赏；小的建议被采纳，就只能指望得到轻赏。所以君子不因小建议被采纳而接受重赏，也不因大建议被采纳而接受轻赏。《易经》上说：'国君有大积蓄，不仅与家人分享，而且与贤人分享，吉利。'"

子曰："事君不下达，不尚辞，非其人弗自。《小雅》曰：'靖共尔位，正直是与。神之听之，式穀以女。'①"子曰："事君远而谏，则谄也；近而不谏，则尸利也。"子曰："迩臣守和，宰②正百官，大臣虑四方。"子曰："事君欲谏不欲陈③。《诗》云：'心乎爱矣，瑕不谓矣。中心藏之，何日忘之！'④"子曰：

"事君难进而易退，则位有序；易进而难退，则乱⑤也。故君子三揖而进，一辞而退，以远乱也。"子曰："事君三违而不出竟⑥，则利禄也。人虽曰不要⑦，吾弗信也。"子曰："事君慎始而敬终。"子曰："事君可贵可贱，可富可贫，可生可杀，而不可使为乱。"

[注释]

①《小雅》曰四句：见《诗经·小雅·小明》。靖：谋划。共：通"恭"，敬也。尔：你，你的。与：亲近。式：用。穀：福禄。②宰：冢宰。相当于后世的总理。③陈：郑玄说："陈，谓言其过于外也。"④《诗》云四句：见《诗经·小雅·隰桑》。瑕：胡，何。谓：告诉。藏：通"臧"，善。⑤乱：郑玄说："乱，谓贤否不别。"⑥竟：古"境"字。⑦要：通"徼"，求也。

[译文]

孔子说："侍奉君主，不应该以私人的事情去麻烦国君，不说华而不实的话，不是正派人的引见就不谋求进身。《小雅》上说：'认真做好本职工作，只和正派的人亲近。神明听到这些，就会赐给你福禄。'"孔子说："侍奉国君，如果是疏远小臣而越级进谏，那就有诌媚之嫌；如果是国君身边的大臣而不进谏，那就是尸位素餐。"孔子说："近臣要辅佐国君，不使道德有亏，冢宰负责整饬百官，各部大臣负责考虑四方的事。"孔子说："侍奉国君，对国君的过失可以进谏，但不可以到外边宣扬。《诗经》上说：'心里爱着君子，为什么不讲出来？内心深处总是希望他好，何尝有一天忘掉！'"孔子说："侍奉国君，如果是提拔困难而降级容易，那么臣下的贤与不肖就区分清楚了；如果是提拔容易而降级困难，那么臣下的贤与不肖就混淆无别了。所以君子做客，一定要三次揖让之后才随着主人进门，而告辞一次就可离去，这就是为了避免出现混乱。"孔子说："侍奉君主，如果多次与君主意见不合，还不肯辞职出国，那肯定是贪图俸禄。即使有人说他没有这个念头，我也不信。"孔子说:"侍奉君主,要以谨慎开始,以恭敬告终。"孔子说:"侍奉君主,君主可以使臣下升官,可以使臣下降级,可以使臣下富有,可以使臣下贫穷,可以使臣下活着,可以使臣下死去,但就是不可以使臣下做出非礼之事。"

子曰:"事君军旅不辟①难,朝廷不辞贱。处其位而不履其事,则乱也。故君使其臣,得志则慎虑而从之,否则孰虑而从之。终事而退,臣之厚也。《易》曰:'不事王侯,高尚其事。'②"子曰:"唯天子受命于天,士受命于君。故君命顺,则臣有顺命;君命逆,则臣有逆命。《诗》曰:'鹊之姜姜,鹑之贲贲。人之无良,我以为君。'③"

[注释]

①辟:通"避"。②《易》曰二句:见《周易·蛊卦》上九象传。③《诗》曰四句:见《诗经·鄘风·鹑之奔奔》。姜姜、贲贲:据郑玄说,都是激烈争斗的样子。

[译文]

孔子说:"侍奉君主,接受任务时,如果是在军旅之中,就应不避艰险;如果是在朝廷之上,就应不辞微贱。处于某种职位而不履行相应的职责,那就乱了套了。所以国君派给臣下差使,臣下认为是力所能及的就应加以慎重考虑而从命;臣下认为不是力所能及的就应加以深思熟虑而从命。完成了差使以后就辞职退位,这表现了臣下的忠厚之处。《易经》上说:'不再侍奉王侯,王侯还称赞臣下所做之事。'"孔子说:"天子受命于天,臣下受命于天子。如果天子顺应天命,那么臣下也就跟着顺应天命;如果天子违背天命,那么臣下也就跟着违背天命。《诗经》上说:'大鸟争斗于上,小鸟也跟着争斗于下。做人而无好品行,还要把他当国君。'"

子曰："君子不以辞尽人①，故天下有道，则行有枝叶；天下无道，则辞有枝叶。②是故君子于有丧者之侧，不能赙焉，则不问其所费；于有病者之侧，不能馈焉，则不问其所欲；有客不能馆，则不问其所舍。故君子之接如水，小人之接如醴③；君子淡以成，小人甘以坏。《小雅》曰：'盗言孔甘，乱是用餤。'④"

[注释]

①君子不以辞尽人：君子应当听其言而观其行。②故天下有道四句：孙希旦说："行有枝叶，则行有余于其言；言有枝叶，则言有余于其行。"③醴：甜酒。④《小雅》曰二句：见《诗经·小雅·巧言》。孔：很。餤(tán)：进。

[译文]

孔子说："君子评价一个人，不是仅仅根据他的言辞。所以在天下有道的太平盛世，人们注重实际行动的多，说漂亮话的少；在天下无道的衰乱之世，人们注重说漂亮话的多，付诸实际行动的少。所以君子和有丧事的人在一起，如果无力资助他办丧事，就不要问他办理丧事所需的费用；和有病的人在一起，如果无力馈赠他，就不要问他需要些什么；有客远道来访，如果自家不能留宿，就不要问他在什么地方落脚。所以君子之交，其淡如水；小人之交，其浓如醴。君子之交虽然其淡如水，但能相辅相成；小人之交虽然其甜如醴，但日久必然败坏。《小雅》上说：'坏人说话非常甜，所以乱子更增添。'"

子曰："君子不以口誉人，则民作忠。故君子问人之寒则衣之，问人之饥则食之，称人之美则爵之。《国风》曰：'心之忧矣，于我归说。'①"子曰："口惠而实不至，怨灾及其身。是故君子与其有诺责也，宁有已怨②。《国风》曰：'言笑晏晏，信誓旦旦。不思其反。反是不思，亦已焉哉！'③"子曰："君子不以色亲人。情疏而貌亲，在小人则穿窬之盗也与？"子曰："情欲信，辞欲巧。"

[注释]

①《国风》曰二句：见《诗经·曹风·蜉蝣》。于：与。说（shuì）：止息。②已怨：王夫之说："已，拒也。拒人之请而致怨。"③《国风》曰五句：见《诗经·卫风·氓》。晏晏：温柔的样子。不思：想不到。反：反复，变心。是：这。指赌咒发誓。

[译文]

孔子说："君子不以华而不实的话恭维人，这样就会在百姓中间形成忠实的风气。所以，君子询问人家是否寒冷，就要送衣服给人家穿；询问人家是否饥饿，就要送食物给人家吃；称赞人家的优点，就要给人家加官进爵。《国风》上说：'心忧他人无所倚，同我一道回家去休息。'"孔子说："嘴上已经许给人家的好处，就是不兑现，这样就会给自己带来怨恨或灾祸。所以，君子与其对人负有承诺的责任，还不如承受拒绝承诺的埋怨。《国风》上说：'从前你言笑多温柔，既是发誓又赌咒。现在你又变了心，海誓山盟全忘完，从此一刀就两断！'"孔子说："君子不用虚假的表情去讨好别人。如果感情疏远而外表上看起来非常亲密，拿小人来作比方，不就是钻墙洞的小偷吗？"孔子说："内心的情要追求真实，嘴上的话要讲究技巧。"

子言之："昔三代明王，皆事天地之神明，无非卜筮之用，不敢以其私亵事上帝，是故不犯日月，不违卜筮。卜、筮不相袭也。大事有时日，小事无时日，有筮。外事用刚日，内事用柔日。①不违龟筮②。"子曰："牲牷、礼乐、齐盛③，是以无害乎鬼神，无怨乎百姓。"

[注释]

①外事用刚日二句：一旬有十日，古人用天干（甲乙丙丁戊己庚辛壬

癸）记日。天干中的甲丙戊庚壬为刚日，乙丁己辛癸为柔日。②不违龟筮：孙希旦怀疑此四字应在下文的"子曰"之下，颇有道理。③牷牲（quán）：毛色纯一的牺牲。齐（zī）盛：即"粢盛"。已见上文注释。

[译文]

孔子说："从前夏、商、周三代的圣明君王，都祭祀天地和其他众多神明，祭祀的一切活动无不取决于卜筮，不敢妄逞私意而亵渎对上帝的祭祀，所以不会冲犯不吉利的日子，不会违背卜筮的指示。用了龟卜，就不可再用蓍筮；用了蓍筮，就不可再用龟卜。大的祭祀有固定的时日，小的祭祀没有固定的时日，可以临时用筮来决定时日。祭祀家外的神要用单数日，祭祀家内的神要用双数日。不违背卜筮的指示。"孔子说："由于不违背卜筮的指示，所以祭祀所用的牺牲、礼乐、粢盛，既不亏害于鬼神，又不见怨于百姓。"

子曰："后稷之祀易富①也，其辞恭，其欲俭，其禄及子孙。《诗》曰：'后稷兆祀，庶无罪悔，以迄于今。'②"子曰："大人之器威敬。天子无筮。诸侯有守筮③。天子道以筮。诸侯非其国，不以筮；④卜宅寝室。天子不卜处大庙⑤。"子曰："君子敬则用祭器⑥，是以不废日月，不违龟筮，以敬事其君长。是以上不渎于民，下不亵于上。"

[注释]

①富：郑玄说：富，就是"备"的意思。②《诗》曰三句：见《诗经·大雅·生民》。兆：今《毛诗》作"肇"，开始。③诸侯有守筮：诸侯在国内居守的时候，有事可以用筮。④诸侯非其国二句：按照礼节，不能在人家国内占卜吉凶。⑤天子不卜处大庙：大庙，即太庙。太庙建在国都，而国都在建国之初已经卜得大吉大利之兆，所以无需再卜。⑥祭器：指笾豆一类的食器。通常使用的杯盘之类叫做燕器。

[译文]

孔子说："后稷的祭祀是很容易备办的，因为他的言辞恭敬，他的欲望俭约，他的福禄也传给了子孙。《诗经》上说：'后稷开创祭祀礼，幸蒙神佑无灾殃，至今流传好风尚。'"孔子说："天子、诸侯的龟策，威重而又严敬，不可随意乱用。天子对于征伐出师一类的大事，用卜而不用筮。诸侯有守国之筮。天子出行，已经走在路上，有了事情则用筮，不用卜。诸侯如果不在本国国境之内，不能用筮。诸侯要搬家或迁移寝室，可以用卜。太庙建在什么地方吉利，天子用不着占卜。"孔子说："为了表示对客人的尊敬，可以使用祭器款待客人。所以臣下晋见君长要选择个吉利的日子，不违背龟筮的指示，以敬事其君长。所以在上位的不随便作贱百姓，百姓们也不会冒犯在上位的。"

缁衣第三十三

[题解]

《缁衣》，本《诗经》篇名。郭店简本《缁衣》首章（今本为第二章）有"好贤如《缁衣》"句，盖取以名篇。本篇主要记君上化民，臣下事君，以及安身立命之道。与《坊记》、《表记》一样，通篇采取"子曰"的形式。文中所引《诗》、《书》，也多有断章取义的情况。

子言之曰①："为上易事也，为下易知也，则刑不烦矣。"子曰："好贤如《缁衣》②，恶恶如《巷伯》③，则爵不渎而民作愿，刑不试④而民咸服。《大雅》曰：'仪刑文王，万国作孚。'⑤"

[注释]

①子言之曰：郭店楚墓竹简、上博简均无此章文字，是。②《缁衣》：《诗经·郑风》篇名。据《诗序》说，这首诗是赞美郑武公、郑桓公父子的。他们父子都当过周王朝的司徒，非常称职，深得郑国人民爱戴。《缁衣》这首诗就反映了人民的这种心声。缁衣，卿大夫在官署办公时所穿的衣服，颜色是黑的。诗中反复地说：你的缁衣穿破了，我再给你做一件新的，以表示对他们二人的爱戴。③《巷伯》：《诗经·小雅》篇名。诗中淋漓尽致地把喜好造谣生事的坏蛋骂了一通，说是要把这个坏蛋丢到野外喂虎狼，虎狼嫌臭也不愿吃，就把他扔到北大荒，北大荒嫌臭也不愿接受，就送他西天见阎王。④试：用。⑤《大雅》曰二句：见《诗经·大雅·文王》。仪刑：效法。孚：信。

[译文]

孔子说:"在上位的如果对下边的人不苛虐,下边的人就会觉得在上位的容易侍候;下边的人如果没有欺诈之心,在上位的就容易了解下边的实情。这样一来,刑罚就可以放到一边不用了。"孔子说:"如果能够像《缁衣》那首诗所说的那样去尊敬贤人,像《巷伯》那首诗所说的那样去痛恨坏人,官场上就不会那么龌龊,百姓中就会兴起谨厚之风,不用刑罚而百姓就心悦诚服。《大雅》上说:'只要大家都来效法文王,在所有的诸侯国中就会兴起诚信之风。'"

子曰:"夫民教之以德,齐之以礼,则民有格①心;教之以政,齐之以刑,则民有遁心。故君民者,子以爱之,则民亲之;信以结之,则民不倍②;恭以莅之,则民有孙③心。《甫刑》曰:'苗民匪用命,制以刑,惟作五虐之刑曰法。'④是以民有恶德,而遂绝其世也。"

[注释]

①格:孙希旦说:"格,至也,谓至于善也。"②倍:通"背",背叛。③孙:通"逊",顺从。④《甫刑》曰三句:《甫刑》,又叫《吕刑》,《尚书》篇名。苗民:上古的南方少数民族,又叫三苗,其首领据说是蚩尤。五虐之刑:即大辟(即死刑)、割掉鼻子、割掉耳朵、宫刑、额上刺字五种酷刑。

[译文]

孔子说:"对于百姓,如果用道德教育他们,用礼法约束他们,那么百姓就会有向善之心;如果用政令教育他们,用刑罚约束他们,那么百姓就会有逃避之心。所以,作为领导百姓的国君,应当像爱护子女一样爱护百姓,百姓就会亲近他;用诚信去团结百姓,百姓就不会背叛;用恭敬的态度去对待百姓,百姓就会产生顺从之心。《甫刑》上说:'苗族百姓不听从蚩尤的命令,于是蚩尤就用刑罚制裁他们，制定了五种残暴的刑罚叫做"法"。'于是百姓不讲道德，起而背叛，最终导致了民族的灭亡。"

子曰："下之事上也，不从其所令，从其所行。上好是物，下必有甚者矣。故上之所好恶，不可不慎也，是民之表也。"子曰："禹立三年，百姓以仁遂焉，岂必尽仁？《诗》云：'赫赫师尹，民具尔瞻。'①《甫刑》曰：'一人有庆，兆民赖之。'《大雅》曰：'成王之孚，下土之式。'②"子曰："上好仁，则下之为仁争先人。故长民者章志、贞教、尊仁，以子爱百姓；民致行己，以说③其上矣。《诗》云：'有梏德行，四国顺之。'④"

[注释]

①《诗》云二句：见《诗经·小雅·节南山》。②《大雅》曰二句：见《诗经·大雅·下武》。孚：信。式：楷模。③说：古"悦"字。④《诗》云二句：见《诗经·大雅·抑》。梏：正直。

[译文]

孔子说："下级的侍奉上级，不是听从上级所下的命令，而是盯着上级的实际行动，上级咋干下级就咋干。当领导的喜欢某样东西，下边的人必定有超过他的。所以，当领导的喜欢什么、讨厌什么，不可不格外慎重，因为下边的人是把领导作为表率的。"孔子说："禹即帝位三年，百姓在仁的方面就有所成就，这难道是百姓个个都能仁吗？只是由于禹本人好仁，百姓受其影响罢了。《诗经》上说：'赫赫有名的尹太师，百姓都在注视着你。'《甫刑》上说：'天子一人有美德，普天之下的百姓都会蒙受到好处。'《大雅》上说：'成王守信有威望，身为天下好榜样。'"孔子说："当领导的好仁，那么下边的人就会争先恐后地好仁。所以当领导的应当表明自己的好仁志向，以正道教育民众，推崇仁道，以爱护子女的态度爱护百姓，百姓就会无不尽力地去行仁，以迎合领导爱仁的所好。

缁衣第三十三　303

《诗经》上说:'天子有大的德行,四方诸侯就无不服从。'"

子曰:"王言如丝,其出如纶。王言如纶,其出如綍。①故大人不倡②游言。可言也,不可行,君子弗言也。可行也,不可言,君子弗行也。则民言不危③行,而行不危言矣。《诗》云'淑慎尔止,不愆于仪。'④"

[注释]

①王言如丝四句:这是讲话在传播过程中走了样,以至于变本加厉。纶:系官印的绶带。綍:同"绋",牵引柩车的大绳。②倡:通"唱"。③危:通"诡",违背。④《诗》云二句:见《诗经·大雅·抑》。淑:美好。止:举止。愆:同"愆",过失。

[译文]

孔子说:"君王所说的话本来只有丝那般细,可辗转传到百姓耳里,就变成了有绶带那般粗;君王所说的话本来只有绶带那般细,可辗转传到百姓耳里,就变成了有绳索那般粗。所以大人物不能讲华而不实的话。能够说到,但不能做到,君子就不说。能够做到,但不可告人,君子就不做。这样一来,老百姓就会言不违背其行,行不违背其言。《诗经》上说:'谨慎行事且得体,不要超过了礼仪。'"

子曰:"君子道人以言,而禁人以行,①故言必虑其所终,而行必稽其所敝,则民谨于言而慎于行。《诗》云:'慎尔出话,敬尔威仪。'②《大雅》曰:'穆穆文王,於缉熙敬止!'③"

[注释]

①君子道人以言二句:这两句话中的"言"与"行"是互文。道:通"导"。②《诗》云二句:见《诗经·大雅·抑》。③《大雅》曰二句:见《诗经·大雅·文王》。於(wū):感叹词。缉熙:光明正大的样子。

[译文]

孔子说:"君子用言行引导人们行善,用言行禁止人们作恶,所以讲话一定要考虑它的后果,做事一定要考察它会带来什么弊端,这样一来,老百姓就说话谨慎、做事小心了。《诗经》上说:'说话开口要谨慎,行为举止要端正。'《大雅》上说:'端重恭敬的文王啊,盛德光明而又举止谨慎!'"

子曰:"长民者衣服不贰,从容有常,以齐其民,则民德壹。《诗》云:'彼都人士,狐裘黄黄。其容不改,出言有章。行归于周,万民所望。'[①]"子曰:"为上可望而知也,为下可述而志[②]也,则君不疑于其臣,而臣不惑于其君矣。尹吉[③]曰:'惟尹躬及汤,咸有壹德。'《诗》云:'淑人君子,其仪不忒。'[④]"

[注释]

①《诗》云六句:见《诗经·小雅·都人士》。都:指西周的国都镐京。狐裘黄黄:古人穿衣,内外要颜色相称。古代穿皮衣,毛向外,所以外面一定要穿罩衣。狐裘的毛近乎黄色,所以罩衣也用黄色。②述而志:王引之说:"述之言循也,志之言识也,循其言貌察之而其人可识也。"③尹吉:当作"尹诰",意思是伊尹告诫太甲。伊尹,商代贤相,曾辅佐商汤灭掉夏桀。商汤死后,又辅佐汤的子孙。太甲,汤的嫡孙。二句引文见《尚书·咸有一德》。④《诗》云二句:见《诗经·曹风·鸤鸠》。忒(tè):差错。

[译文]

孔子说:"做百姓君长的人,衣服固定不变,举止有一定之规,以此为百姓树立榜样,那么百姓的道德才会齐一。《诗经》上说:'那位来自西都镐京的君子,狐皮袍子罩黄衫。他的仪容不改常规,他的讲话出口成章。他行将回归西都,深为万民仰望。'"孔子说:"当领导的外貌和内心如一,部下看到他的外貌就知道他的内心;当部下的竭诚事君,从他的言貌就可以看出他的为人。这样一来,君就不会怀疑其臣，而臣也不会不了解其君。伊尹告诫太甲说：'只有我伊尹和汤，都有纯一的德行。'《诗经》上说：'善人和君子，他们的仪容不会有差错。'"

子曰："有国者章义瘅①恶，以示民厚，则民情不贰。《诗》云：'靖共尔位，好是正直。'②"子曰："上人疑则百姓惑，下难知则君长劳。故君民者，章好以示民俗，慎恶以御民之淫，则民不惑矣。臣仪③行，不重辞，不援其所不及，不烦其所不知④，则君不劳矣。《诗》云：'上帝板板，下民卒瘅。'⑤《小雅》曰：'匪其止共，惟王之邛。'⑥"

[注释]

①瘅（dàn）：病。此处是痛恨的意思。②《诗》云二句：见《诗经·小雅·小明》。共：通"恭"。③仪：郑玄说当作"义"。④不援其所不及二句：第一句的意思是不必使其国君的所作所为都像尧舜那样，第二句的意思是不必使其国君的知识谋虑都达到圣人水平。⑤《诗》云二句：见《诗经·大雅·板》。上帝：此指国君。板板：王夫之说是"好恶无常，自相反覆"。卒：尽。⑥《小雅》曰二句：见《诗经·小雅·巧言》。匪：通"非"。止：达到。共：通"恭"，指忠于职守。邛（qióng）：辛劳。

[译文]

孔子说："作为一国的领导人，用奖赏表彰善人，用刑罚惩治坏人，让百姓清楚地看到他在鼓励什么，这样百姓就会一心为善。《诗经》上说：'安分恭敬地做好你的本职工作，喜欢的都是正直人。'"孔子说："当国君的如果好恶不明，百姓就会迷惑而不知所从；在下位的人如果心怀鬼胎，就会使君长格外劳神。所以作为民众的领袖，应该表彰善人使百姓有所效法，谨慎地惩治坏人以儆效尤，这样一来百姓就不会迷惑而不知所从了。作为臣下，符合道义的事就要奉行，不尚清谈，不援引国君力所不能及的事让国君去做，不絮叨国君有所不知的事让国君去听，这样一来当国君的就省心了。《诗经》上说：'如果国君好恶无常，百姓都得遭殃。'《小雅》上说：'臣下不忠于他的职守，这是国君辛劳的原因。'"

子曰："政之不行也，教之不成也，爵禄不足劝也，刑罚不足耻也，故上不可以亵刑而轻爵。《康诰》①曰：'敬明乃罚。'《甫刑》曰：'播刑之不迪。'②"

[注释]

①《康诰》：《尚书》篇名。②《甫刑》曰句：不：郑玄说是衍字。迪：道。

[译文]

孔子说："政令之所以不能推行，教化之所以不能成功，是由于爵禄的颁发失当，不足以劝人向善，还由于刑罚惩善而扬恶，不足以使坏人感到羞耻，所以在上位的人不可以随心所欲地动用刑罚，不可以随随便便颁发爵禄。《康诰》上说：'动用刑罚一定要慎重。'《甫刑》上说：'施行刑罚要合理。'"

子曰："大臣不亲，百姓不宁，则忠敬不足，而富贵已过也。大臣不治，而迩臣比矣。故大臣不可不敬也，是民之表也；迩臣不可不慎也，是民之道①也。君毋以小谋大，毋以远言近，毋以内图外，则大臣不怨，迩臣不疾，而远臣不蔽矣。叶公之顾命②曰：'毋以小谋败大作，毋以嬖御人疾庄后，毋以嬖御士疾庄士、大夫、卿士③。'"子曰："大人不亲其所贤，而信其所贱，民是以亲失，而教是以烦。《诗》云：'彼求我则，如不我得。执我仇仇，亦不我力。'④《君陈》⑤曰：'未见圣，若己弗克见。既见圣，亦不克由圣。'"

[注释]

①道：古"导"字。②叶公之顾命：孙希旦说："叶，当作'祭'，字之误也。将死而言曰顾命。祭公之顾命者，祭公谋父将死告穆王之言也。今见《逸周书·祭公解篇》。"③大夫、卿士：据俞樾说，此四字为衍字。④《诗》云四句：见《诗经·小雅·正月》。则：语助词。仇仇：缓慢不用力的样子。不我力：不重用我。⑤《君陈》：《尚书》篇名。

[译文]

孔子说："大臣离心离德，不亲近国君。政教烦苛，百姓不得安宁。究其原因，在于臣不忠于其君，君不敬于其臣，而大臣所享受的富贵已经超过了界限。大臣不肯为国君尽心办事，近臣就会私相勾结。所以，对大臣不可不敬，因为大臣是百姓的楷模；对近臣不可不慎加选择，因为近臣是百姓的导向。应该和大臣商议的事，不应拿去和小臣商议；应该和近臣谈论的事，不应拿去和远臣谈论；应该和内臣谋虑的事，不应拿去和外臣谋虑。如果这样做了，大臣就不会产生怨恨，近臣就不会产生嫉妒，远臣有意见也可以反映上来。祭公的遗嘱说：'不要用小臣的主意败坏大臣的作为，不要因宠幸的姬妾而厌弃庄重守礼的嫡夫人，不要因宠幸的臣子而厌弃庄重守礼的臣子。'"孔子说："在高位者不信任有贤有德的人，而信任卑贱无德的小人，于是百姓也跟着亲近失德的人，而教令也因此变得烦乱了。《诗经》上说：'当初朝廷需要我，好像唯恐得不到。一旦请去撂一边，不让我把重任挑。'《君陈》上说：'人们在没有见到圣人之道时，好像自己不能见到。等到自己见到了圣人之道，又不能够运用圣人之道。'"

子曰："小人溺于水，君子溺于口，大人溺于民，皆在其所亵也。夫水近于人而溺人，德①易狎而难亲也，易以溺人。口费而烦，易出难悔，易以溺人。夫民闭于人而有鄙心，可敬不可慢，易以溺人。故君子不可以不慎也。《太甲》曰：'毋越厥命，以自覆也。若虞机张，往省括②于厥度，则释。'《兑命》③曰：'惟口起羞，惟甲胄起兵，惟衣裳在笥，惟干戈省厥躬。'《太甲》曰：'天作孽④，可违也。自作孽，不可以逭。'尹吉⑤曰：'惟尹躬天见于西邑夏⑥，自周⑦有终，相亦惟终。'"

[注释]

①德：此言水性。②括：通"筈"，箭的末端。③《兑命》：当作"说命"。《说命》，《尚书》篇名。④天作孽：指水旱等自然灾害。⑤尹吉：当作"尹诰"。⑥天：郑玄说当作"先"。西邑：夏都安邑（今山西夏县西北）在商都亳（今河南偃师西）之西，故称西邑。⑦周：忠信为周。

[译文]

孔子说："小人喜欢玩水，就容易被水淹死；君子喜欢议论，就容易祸从口出；执政者喜欢玩弄百姓，就容易被百姓推翻。原因都在于对接近最多的东西态度轻慢。水与人们那么接近，而人却往往被水淹死，就是因为水看起来柔和容易接近而实际上却是难于亲近的，所以容易淹死人。好说漂亮话，又好絮絮叨叨，说出去容易，后悔药难吃，所以嘴也容易招致祸害。老百姓不懂道理，心怀鄙诈，对他们可以恭敬而不可以怠慢，否则就容易招来灭顶之祸。所以君子不可以不十分小心。《太甲》上说：'不要颠三倒四地乱下政令，以自取灭亡。就像打猎的人，扣住扳机，仔细察看，等到箭头、箭尾、目标三者成一条直线，再发射。'《说命》上说：'嘴是用来说话的，如果出言不当就会带来羞辱；盔甲是用以自卫的，如果用的不当就会引起战争；放在箱子里的礼服是准备行礼时穿的，不可随便送人；干戈是用来讨伐坏人的，但在使用之前要反躬自省，不可加害无辜。'《太甲》上说：'上天降下的灾祸，还可以禳避；自己造成的灾祸，无法躲开。'伊尹告诫太甲说：'我伊尹的先祖曾见到过夏代西邑的政治，夏禹以忠信治民而得享天命，辅佐他的人也因此而得享天命。'"

子曰:"民以君为心,君以民为体。心庄①则体舒,心肃则容敬。心好之,身必安之。君好之,民必欲之。心以体全,亦以体伤;君以民存,亦以民亡。《诗》云:'昔吾有先正,其言明且清。国家以宁,都邑以成,庶民以生。谁能秉国成?不自为正,卒劳百姓。'②《君雅》曰:'夏日暑雨,小民惟曰怨。资冬祁寒,小民亦惟曰怨。'③"

[注释]

①庄:俞樾说通"壮",大也。②《诗》云八句:此《诗》的前五句不见于今本《诗经》,其后三句见于《诗经·小雅·节南山》。可能前五句是逸《诗》,也可能这八句都是逸《诗》。国成:王夫之说:"国是也。"③《君雅》曰四句:据郑玄说是当国君难,左也不是,右也不是。《君雅》:《尚书》篇名。但今本《尚书》作《君牙》。"雅"与"牙"是通假字。资:郑玄说当作"至"。祁:大。

[译文]

孔子说:"人民把君主当做心脏,君主把人民当做身体。心胸广大就会身体安舒,内心严肃就会容止恭敬。内心喜好的东西,身体一定也乐于适应;君主喜好的东西,百姓也一定愿意得到。身体安然无恙的话,心脏也就会得到保护;身体如果出了毛病,心脏也会跟着受到损伤。君主由于人民的拥护而存在,君主也由于人民的反对而灭亡。《诗经》上说:'从前我们有先君,他的教令通达事理而又条理清楚。国家赖此先君才得以安宁,都邑赖此先君才得以建成,百姓赖此先君才得以安居乐业。当今有谁能够处理国家大事,不自以为是,而尽干一些骚扰百姓的事情呢?'《君牙》上说:'夏天酷热湿闷,老百姓只知道埋怨天。到了冬天严寒来临,老百姓还是只知道埋怨天。'"

子曰:"下之事上也,身不正,言不信,则义不壹,行无类也。①"

[注释]

①则义不壹二句:王夫之说:"壹,专也。义不壹,君不以为忠。类,得其朋类也。行无类,友不以为信也。"

[译文]

孔子说:"臣下的侍奉君上,如果自身不正,说话不讲信用,那么君上就不以为忠,朋友就不以为信。"

子曰:"言有物而行有格也,是以生则不可夺志,死则不可夺名。故君子多闻,质①而守之;多志,质而亲之;精知,略而行之。《君陈》曰:'出入自尔师虞②,庶言同。'《诗》云:'淑人君子,其仪一也。'③"

[注释]

①质:质正。提出问题,向人请教。②自:用。师:众。虞:考虑。③《诗》云二句:见《诗经·曹风·鸤鸠》。也:今《毛诗》作"兮"。

[译文]

孔子说:"讲话有根据,做事有规矩,所以活着的时候无人能够改变他的志向,死了以后也无人能够剥夺他的美名。所以君子应该博闻,在弄清楚了以后就牢记在心;应该多识,在弄清楚了以后就学而不厌;应该知识精深,求其大体而实行之。《君陈》上说:'颁布政令,接受建议,要让大家都来考虑,使大家的意见一致。'《诗经》上说:'善人和君子,言行总一致。'"

子曰:"唯君子能好其正,小人毒其正。故君子之朋友有乡①,其恶有方。是故迩者不惑,而远者不疑也。《诗》云:'君子好仇②。'"

[注释]

①乡：郑玄说："乡、方，喻辈类也。小人徼利，其友无常也。"②《诗》云句：见《诗经·周南·关雎》。仇：匹，朋友。

[译文]

孔子说："只有君子能够喜好对自己正言规劝的人，小人则仇恨对自己正言规劝的人。所以君子的朋友是有一定类型的，君子厌恶的人也是有一定类型的。由于君子的好恶有定，所以和君子交往多的人不会产生疑惑，和君子交往少的人也不会产生疑惑。《诗经》上说：'君子必得良友。'"

子曰："轻绝贫贱而重绝富贵，则好贤不坚而恶恶不著也。人虽曰不利，吾不信也。《诗》云：'朋友攸摄，摄以威仪。'①"

[注释]

①《诗》云二句：见《诗经·大雅·既醉》。引此二句的含义是，朋友应该互相切磋学问，互相勉励礼义，不管是贫贱朋友还是富贵朋友。

[译文]

孔子说："能够轻易地和贫贱的朋友绝交，而难于和富贵的朋友绝交，这说明他好贤的意志不坚定和痛恨坏人的态度不明朗。即使有人说他不是为了个人私利，我也不会相信。《诗经》上说：'朋友之间互相督促勉励，督促勉励以礼义。'"

子曰："私惠不归德，君子不自留焉。《诗》云：'人之好我，示我周行。'①"

[注释]

①《诗》云二句：见《诗经·小雅·鹿鸣》。周：忠信为周。

[译文]

孔子说："他人以小恩小惠的礼品相赠，但有违于道德，在这种情况下，君子是不会接受其馈赠的。《诗经》上说：'真正爱我的人，应当给我指出忠信之道。'"

子曰："苟有车，必见其轼。苟有衣，必见其敝①。人苟或言之，必闻其声；苟或行之，必见其成。《葛覃》曰：'服之无射。'②"

[注释]

①敝（biē）：通"袳"，衣袖。②《葛覃》：《诗经·周南》篇名。射（yì）：通"斁"，厌倦。

[译文]

孔子说："一个人如果有车子，就一定能够看到他的车轼；一个人如果有衣服，就一定能够看到他的衣袖。一个人如果说过话，就一定能够听到他的声音；一个人如果做了什么事，就一定能够看到它的后果。《葛覃》上说：'旧衣服，穿不厌。'"

子曰："言从而行之，则言不可饰也。行从而言之，则行不可饰也。故君子寡言而行，以成其信，则民不得大其美而小其恶。《诗》云：'白圭之玷，尚可磨也。斯言之玷，不可为也。'①《小雅》曰：'允也君子，展也大成。'②《君奭》曰：'昔在上帝，周田观文王之德，其集大命于厥躬？'③"

[注释]

①《诗》云四句：见《诗经·大雅·抑》。②《小雅》曰二句：见《诗经·小雅·车攻》。允：信也。展：诚也。③《君奭（shì）》曰三句：《君奭》，《尚书》篇名。周田观：郑玄说古文作"割申劝"，与今本《尚书》同。割，通"曷"，犹言为什么。申，重申，一再。集：成就。

[译文]

孔子说："说过以后紧接着就是行动，所以说话不能光放空炮。

做过以后紧接着就是议论，所以做事不能光走过场。所以君子讲究少说话而多做事，以此来成就他的信誉，这样一来，百姓就不能随便地夸大其优点和缩小其缺点。《诗经》上说：'白玉上面有污点，尚可琢磨除干净。开口说话出毛病，再想收回可不行。'《小雅》上说：'信实的君子，必定大有所成。'《君奭》上说：'过去上帝为什么一再劝勉文王注意品德修养，把治理天下的重任放在他的身上呢？'"

子曰："南人有言曰：'人而无恒，不可以为卜筮。'古之遗言与？龟筮犹不能知也，而况于人乎？《诗》云：'我龟既厌，不我告犹。'①《兑命》曰：'爵无及恶德，民立而正事，纯而祭祀，是为不敬。事烦则乱，事神则难。'②《易》曰：'不恒其德，或承之羞。'③'恒其德，侦，妇人吉，夫子凶。'④"

[注释]

①《诗》云二句：见《诗经·小雅·小旻》。郑玄说："犹，道也。言褒而用之，龟厌之，不告以吉凶之道也。"②《兑命》曰六句：《兑命》即《说命》，已见前注。今本《尚书·说命中》作"爵罔及恶，黩于祭祀，时谓弗钦。礼烦则乱，事神则难"。二者在文字上的出入较大。今译文据本篇，同时参考《尚书》。恶德：郑玄说是"无恒之德"。纯：郑玄说有的本子作"烦"。作"烦"则和《尚书》的作"黩"意思相近。③《易》曰二句：见《易经·恒卦》九三爻辞。④恒其德四句：见《易经·恒卦》六五爻辞。"侦"是问的意思。同样是在"恒其德"的条件下，妇人问则吉，男子问则凶，原因在于妇人是依附于男人的人，无自主权，事事应当问人，所以妇人问则吉；而男子是被女人依附的人，有自主权，若事事问人，有失于为男子之道，所以男子问则凶。

[译文]

孔子说："南方人有这样一句话：'作为一个人而变卦无常，那么即使卜筮，卦兆上也显示不出来是吉是凶。'这大概是古人留下来的谚语吧？龟筮那么神灵还不能定其吉凶，更何况是人呢？《诗经》上说：'我的灵龟已厌恶，不再把吉凶告诉我。'《说命》上说：'爵位不能赏给恶德之人，否则百姓将把他们树为楷模，由他们频繁地对神祭祀，这是对神的大不恭敬。其事烦则乱于典礼，侍奉鬼神也难以得到福佑。'《易经》上说：'不是长久地保持他的德行，或者要受人耻辱。'又说：'长久地保持德行，占问，这在妇人是吉，而在男子是凶。'"

奔丧第三十四

[题解]

郑玄说:"名曰《奔丧》者,以其居他国,闻丧奔赴之礼。此实逸《曲礼》之正篇也。"孔颖达认为,郑玄所说的"逸礼",即《汉书·艺文志》所载之《礼古经》,因其藏在秘府,所以叫做逸礼。

奔丧之礼①:始闻亲丧,以哭答使者②,尽哀;问故,又哭尽哀。遂行,日行百里③,不以夜行。唯父母之丧,见星而行,见星而舍。若未得行④,则成服而后行。过国至竟哭,尽哀而止。哭辟市朝⑤。望其国竟⑥哭。

[注释]

①奔丧之礼:这四个字是全篇的总纲。奔丧:王夫之说:"奔丧者,身在异国,闻讣而归服丧也。奔者,急遽疾驰之辞。"②使者:家中派出的报丧者。③日行百里:古时吉行(为吉事而行)日行五十里,奔丧事急,故倍之。④若未得行:指因有重要公务在身,如出使归来尚未向国君汇报,为将在军须等人接替,等等,所以不能马上动身。⑤哭辟市朝:担心惊动众人。辟,通"避"。市朝,偏义复词,指集市。⑥竟:通"境"。据郑玄说,这是指奔父丧者而言,而且从此以后就且哭且行。

[译文]

奔丧的礼节:刚一听到父亲(或母亲)去世的噩耗,二话不讲，只用哭泣回答使者，尽情地痛哭；然后向使者询问父母去世的原因，听过使者的叙述以后，接着又哭，尽情地痛哭。于是就动身上路。遇丧事每天的行程是一百里，白天赶路，夜间住下休息。只有奔父母之丧，在天上还可以看到星斗时就早早起身赶路，到晚上满天星斗时才停下来休息。如果由于某种原因不能马上动身奔丧，也可以在三天成服之后再动身。在奔丧的路上，每经过一个国家的国境线都要哭，哭到充分发泄了心中的悲哀为止。哭时要避开集市。望见本国的国境要哭，而且从此以后就哭不绝声了。

至于家，入门左①，升自西阶②，殡东；西面坐，哭尽哀，括发③袒；降，堂东即位，西乡哭，成踊；袭，绖于序东④，绞带⑤；反位，拜宾成踊；送宾，反位。有宾后至者，则拜之成踊，送宾皆如初。众主人⑥兄弟皆出门，出门哭止，阖门，相者告就次⑦。于又哭，括发袒成踊。于三哭，犹括发袒成踊。三日⑧成服，拜宾、送宾皆如初。

[注释]

①入门左：吉时则入门右。②升自西阶：居丧之礼，孝子上堂下堂皆不走阼阶。③括发：用一条麻绳从脖子后部前交于额，再向后缠绕发髻，以免头发下垂散乱。④袭：穿好衣服。绖（dié）：缠在头上和腰间的麻布孝带。序东：不是指堂上的东序之东，而是指堂下对着东序的直线位置之东。⑤绞带：一种用苴麻做的孝带，系于腰间，其作用相当于吉时的革带。孙希旦说："初服时即绞之，故谓之绞带。"⑥众主人：指主人的庶兄弟。⑦次：谓倚庐。古人为父母守丧时在户外居住的简陋棚屋。详见《三年问》注释。⑧三日：郑玄说："三日，三哭之明日也。"实际上就是奔丧者到家以后的第四天。

[译文]

到了家门口，从门的左面进去，从西阶登堂，走到灵柩东面，面朝西而跪，放声痛哭，尽哀而止，这时候要脱去吉冠，用麻绳束发,袒露左臂;然后从西阶下堂,在阼阶之东就位,面朝西痛哭,同时还要跺脚;然后到东序东边戴上麻绖,系上绞带;然后再回到阼阶东边主人的位置,拜谢宾客,跺脚大哭;然后将宾客送到殡宫门外,再回到阼阶东边主人的位置。如果有的宾客迟到,做主人的还要向他们拜谢,跺脚大哭,送客出门,都和刚才所作的一样。送过宾客之后,主人的庶兄弟、堂兄弟都走出殡宫门,出门以后就停止哭泣,然后阖上殡宫的门,赞礼的相就告诉主人该到倚庐去了。第二天早晨哭灵的时候,仍然用麻绳束发,袒露左臂,跺脚大哭。第三天早晨哭灵的时候,还是用麻绳束发,袒露左臂,跺脚大哭。第四天才把整套丧服穿戴齐备,但对于来吊唁的宾客的拜谢和送出,其礼数仍和第一天一样。

奔丧者非主人①,则主人为之拜宾、送宾。奔丧者自齐衰以下,入门左,中庭北面,哭尽哀;免②麻于序东,即位袒,与主人哭成踊。于又哭、三哭③,皆免袒。有宾,则主人拜宾、送宾。丈夫妇人之待之也,皆如朝夕哭④位,无变也。

[注释]

①主人:指嫡子。②免(wèn):免是一条宽一寸的布带,在去冠以后用以缠头。③于又哭、三哭:郑玄说:"又哭、三哭,亦入门左,中庭北面,如始至时也。"④朝夕哭:丧礼中的一种礼节。既殡之后,每天的早晨和傍晚,死者的亲属都要入殡宫而哭,此礼就叫朝夕哭。朝夕哭的位置是,男子都在阼阶下,妇人都在阼阶上。

[译文]

奔丧的人如果不是主人,那么对于前来吊唁的宾客,就由主人替他拜谢和送出。奔丧的人如果是齐衰以下的亲属,在到达家门以后,从门的左边进去,站在院子当中,面向北,放声痛哭,尽哀而止;然后到东序东边脱去吉冠,戴上免,系上麻腰带,再站到自己应站的位置上袒露左臂，主人跺脚痛哭，自己也跟着跺脚痛哭。在第二天早晨、第三天早晨哭灵时，其打扮、其礼数也都和第一天刚到家时一样。如果有宾客前来吊唁，就由主人替他拜宾、送宾。主人、主妇对于奔丧者的到来，都是站在朝夕哭时的位置上等待，不因奔丧者的到来而有所改变。

奔母之丧①，西面哭，尽哀，括发袒；降堂东，即位，西乡哭，成踊；袭免绖于序东。拜宾、送宾皆如奔父之礼。于又哭不括发。

[注释]

①奔母之丧：孔颖达说："此谓嫡子，故《经》云'拜宾、送宾皆如奔父之礼'；若庶子，则亦'主人为之拜宾、送宾'。"另据郑玄说，奔母之丧的礼节，除了在第二天早晨哭灵时是戴免以外，其他都和奔之丧的礼节完全相同。原文多有省略，译文则据本篇第二段做了酌情增加。

[译文]

嫡子奔母之丧，也是到了家门口，从门的左边进去，从西阶登堂，走到灵柩东面，面朝西而跪，放声痛哭，尽哀而止；然后脱去吉冠，用麻绳束发，袒露左臂；然后从西阶下堂，在阼阶之东就位，面朝西痛哭，同时跺脚；然后戴上免，腰间系上麻带。宾客前来吊唁，嫡子的拜宾、送宾之礼都和奔父丧时一样。只是在第二天早晨哭灵时就不再用麻绳束发，而是戴上免。

妇人奔丧，升自东阶，殡东，西面坐，哭尽哀。东髽①，即位，与主人拾②踊。

[注释]

①髽（zhuā）：去纚而露其髻曰髽。纚是束发的帛。②拾（jiè）：轮流。

[译文]

妇人奔丧，是从堂东的侧阶上堂，走到灵柩的东边，面朝西跪下，放声大哭，尽哀而止。然后到东序去掉裹发的缅，露出发髻，再走到自己的哭位上，与主人轮流踊脚痛哭。

奔丧者①不及殡，先之墓，北面坐，哭尽哀。主人之待之也，即位于墓左，妇人墓右。成踊尽哀，括发②；东即主人位，绖绞带，哭成踊；拜宾，反位成踊，相者告事毕。遂冠，归入门左；北面哭尽哀，括发袒，成踊；东即位，拜宾成踊。宾出，主人拜送。有宾后至者，则拜之成踊，送宾如初。众主人兄弟皆出门，出门哭止，相者告就次。于又哭，括发成踊。于三哭，犹括发成踊。三日成服。于五哭，相者告事毕。为母所以异于父者，壹括发，其余免以终事，他如奔父之礼。

[注释]

①奔丧者：此奔丧者的身份是嫡子。所以，下文的"主人"就是在嫡子未归之前临时主持丧事的人。②括发：凡括发必袒，而此处未言"袒"，大约是省文。

[译文]

为父亲奔丧的人如果没有赶在停殡待葬期间到家，那就要先到墓地上去，面向北而跪，放声痛哭，尽哀而止。在家代他主持丧事的人接待他的礼数，是在墓左就位，妇人在墓右就位。奔丧者踊脚痛哭，尽哀而止，用麻绳束发；然后到墓的东边就主人之位，戴上麻绖，系上绞带，踊脚痛哭；拜谢前来吊唁的宾客，回到原位，踊脚痛哭。这时候赞礼的相宣布哭墓的事情结束。奔丧者于是戴上帽子，回到家门口，从门的左边进去；面向北，放声痛哭，尽哀而止；然后用麻绳束发，袒露左臂，踊脚痛哭；然后到阼阶之东就位，拜谢宾客，踊脚痛哭。宾客退出，主人拜送到门外。有的宾客吊唁来晚了，主人仍然是拜谢，踊脚痛哭，送客这一套礼数，和开始的时候一样。这时候，主人的庶兄弟、堂兄弟都退出殡宫的门，出了门就要停止哭泣，赞礼的相就告诉主人该到倚庐去了。在第二天早晨哭灵的时候，用麻绳束发，跺脚痛哭。在第三天早晨哭灵的时候，仍然如此。第四天才把整套的丧服穿戴齐备。在第五天早晨哭灵的时候，赞礼的相宣告在殡宫要做的事已经结束。为母亲奔丧的人如果没有赶在停殡待葬期间到家，只有在从墓地刚回到家里时用麻绳束发一次，其余的时候都是戴着免行事，除了这一点以外，其余的礼数都和奔父之丧一样。

齐衰以下，不及殡，先之墓，西面①哭尽哀。免麻于东方，即位，与主人哭成踊，袭。有宾，则主人拜宾、送宾。宾有后至者，拜之如初。相者告事毕。遂冠，归入门左；北面哭尽哀，免袒成踊；东即位，拜宾成踊。宾出，主人拜送。于又哭，免袒成踊。于三哭，犹免袒成踊。三日成服。于五哭，相者告事毕。

[注释]

①西面：面朝西。只有主人才面向北。

[译文]

奔齐衰以下亲属之丧，如果来不及在停殡待葬期间赶回，就要先到墓地，面朝西痛哭，尽哀为止。在墓的东边脱去吉冠，戴上免，腰间系上麻带，然后就位，和主人一道痛哭跺脚，然后穿好衣服。有宾客来吊，就由主人拜宾、送宾。来吊的宾客如有迟到者，拜宾、送宾的事仍由主人承担，就像刚才一样。赞礼的相宣告哭墓的事完毕。奔丧者于是戴上帽子，回到家门口，从门的左边进去，面向北而哭，尽哀为止；然后戴上免，袒露左臂，跺脚痛哭；然后在阼阶之东就位，主人为之拜宾，而奔丧者跺脚痛哭。来吊的宾客退出，主人拜谢送出门外。在第二天哭灵的时候，戴上免，袒露左臂，跺脚痛哭。在第三天哭灵的时候，仍然如此。第四天才把丧服穿戴齐备。在第五天哭灵之后，赞礼的相就宣布奔丧礼结束。

闻丧不得奔丧①，哭尽哀；问故，又哭尽哀。乃为位②，括发袒，成踊；袭、绖、绞带，即位；拜宾，反位成踊。宾出，主人拜送于门外，反位。若有宾后至者，拜之成踊，送宾如初。于又哭，括发袒，成踊。于三哭，犹括发袒，成踊。三日成服。于五哭，拜宾、送宾如初。

[注释]

①闻丧不得奔丧：论其原因，有的是君命在身，有的是流亡国外，有的是战乱阻隔。②位：哭泣时所站的位置。每个位置都有明显的标志。

[译文]

听到父母的噩耗而又不能奔丧，在这种情况下的礼节是：放声痛哭，尽哀为止；然后向使者询问父母去世的原因，问罢，又放声痛哭，尽哀为止。于是赶忙安排灵堂，设立哭位，用麻绳束发，袒露左臂，跺脚痛哭；然后穿好衣服，戴上麻绖，系上绞带，在阼阶下就主人之位；拜谢前来吊唁的宾客，拜谢之后回到原位，跺脚痛哭。来宾退出，主人拜送于门外，然后又返回原位。如果有的宾客来吊唁时迟到了，主人照样要表示拜谢，跺脚痛哭，送客出门，就像接待没有迟到的宾客那样。在第二天哭灵的时候，用麻绳束发，袒露左臂，跺脚痛哭。在第三天哭灵的时候，还仍然如此。到第四天才把整套丧服穿戴齐备。在第五天哭灵的时候，拜宾、送宾的礼数和第一天一样。

若除丧而后归，则之墓，哭成踊；东括发袒，绖；拜宾成踊，送宾；反位，又哭尽哀，遂除。于家不哭。主人之待之也，无变于服，与之哭，不踊。自齐衰以下，所以异者，免麻。

[译文]

如果奔丧者是在家人除去丧服之后方才归家，那就要先到墓地上去，痛哭跺脚；然后到墓东就主人之位，用麻绳束发，袒露左臂，戴上麻绖，然后拜谢来吊唁的宾客，返回原位跺脚痛哭，送宾出门；然后回到原位，又痛哭到尽哀为止，于是除去孝服。回到家中就不再哭了。原先在家代为主持丧事的人在接待奔丧者时，可以不再脱下吉服而改穿孝服，可以陪着奔丧者一道哭泣，但不再跺脚。齐衰以下的亲属在家人除去丧服之后方才归家，其奔丧的礼数和上边讲的基本相同；所不同的只是在墓地上头上戴免，腰间系上麻带，而不再用麻绳束发和袒露左臂。

问丧第三十五

[题解]

郑玄说:"名曰《问丧》者,以其记善问居丧之礼所由也。"按本篇记居丧时的若干礼节,以及为什么要制定这些礼节。前半篇是暗问,没有明显的"问曰"、"答曰"字眼;后半篇则是明问,设为问答。

亲始死,鸡斯①,徒跣,扱②上衽,交手哭③,恻怛之心,痛疾之意,伤肾、干肝、焦肺④,水浆不入口,三日不举火,故邻里为之糜粥⑤以饮食之。夫悲哀在中,故形变于外也;痛疾在心,故口不甘味、身不安美也。

[注释]

①鸡斯:郑玄说:"鸡斯,当为'笄纚',声之误也。"笄是固定发髻的簪,纚是包裹发髻的帛。到了第三天,笄纚也要去掉,改成用麻绳束发。②扱(chā):插,掖。③交手哭:双手交替捶着胸口痛哭。④伤肾句:郑玄说:"五脏者,肾在下,肝在中,肺在上,举三者之焦伤,而心、脾在其中矣。"所以译文说是"五内如焚"。⑤糜粥:糜与粥都是粥,区别在于糜稠而粥稀。

[译文]

父母亲刚刚断气,孝子要脱下吉冠,露出发笄和裹髻的帛,光着脚,把深衣前襟的下摆掖在腰带上,双手交替捶着胸口痛哭,那种悲伤万分的心情,那种痛不欲生的心情,真是五内如焚,一点水也喝不进，一口饭也吃不进，一连三天都不生火，所以左右邻居只好熬点糜粥让他喝让他吃。因为内心无限悲哀，所以面色憔悴，形容枯槁；因为痛不欲生，所以不想吃也不想喝，也不讲究穿什么为好。

三日而敛，在床曰尸，在棺曰柩。动尸举柩①，哭踊无数。恻怛之心，痛疾之意，悲哀志懑气盛，故袒而踊之，所以动体安心下气也。妇人不宜袒，故发胸、击心、爵踊②，殷殷田田③，如坏墙④然，悲哀痛疾之至也！故曰："辟踊哭泣，哀以送之。"⑤送形而往　迎精而反⑥也。

[注释]

①动尸：小敛、大敛及殡时都要迁动尸体。举柩：谓启殡及葬时。②发胸：王夫之说是"开外衣前襟"。爵（què）踊：像麻雀那样双足跳跃。爵，通"雀"。③殷殷田田：象声词。像妇人捶胸、跺脚之声。④坏：王梦鸥说当作"培"。培墙，就是添土筑墙。⑤故曰二句：见《孝经·丧亲章》。辟：《孝经》作"擗"，捶胸的意思。⑥反：郑玄说："反，谓反哭及日中而虞也。"反哭，是从墓地返回祖庙而哭。日中而虞，是在日中时分举行安魂之祭。

[译文]

士在死后三天举行大敛。死人放在床上叫做尸，装进棺材叫做柩。每一次迁动尸体，每一次抬起灵柩，孝子都要尽情地痛哭跺脚。那种万分悲伤的心情，那种痛不欲生的心情，悲哀烦闷，达到了即将爆炸的地步，所以孝子才袒露左臂，跺脚痛哭，以此来安定情绪，使烦闷之气得到发泄。妇人不适合袒露左臂，所以敞开外衣前襟，双手捶胸，两脚一齐跺地，乒乒乓乓，发出的声音就像筑墙一般，这都是悲哀万分、痛不欲生的表现啊！所以《孝经》上说："捶胸跺脚，痛哭流涕，用悲伤的心情送别死者。"把死者的形骸送到墓地埋葬，把死者的灵魂迎接回来加以安顿。

其往送也,望望然,汲汲然,如有追而弗及也。其反哭也,皇皇然,若有求而弗得也。故其往送也如慕,其反也如疑。求而无所得之也,入门而弗见也,上堂又弗见也,入室又弗见也,亡矣丧矣,不可复见已矣!故哭泣辟踊,尽哀而止矣。心怅焉怆焉,惚焉忾焉,心绝志悲而已矣!祭之宗庙,以鬼飨之,①侥幸复反也。成圹而归,不敢入处室,居于倚庐,哀亲之在外也;寝苦枕块,哀亲之在土也。故哭泣无时,服勤三年,思慕之心,孝子之志也,人情之实也。

[注释]

①祭之宗庙二句:这里指的是虞祭。葬前之祭叫做奠,彼时尚以事生之礼对待死者;从虞祭开始,就把死者当做鬼神来对待了。

[译文]

孝子在往墓地送葬的时候,眼睛瞻望着前方,显出焦急的神情,就像是在追赶死去的亲人而又追赶不上的样子。葬毕哭着返回的时候,孝子的神情彷徨,就好像有什么心事没有了结似的。所以孝子在前往送葬的路上,就像幼儿思慕父母而哭泣不止;在葬毕返回的路上,又像是担心亲人的神灵不能跟着一道回来而迟疑不前。满腹心事而未曾了结,回到家里,推门一看,却怎么也见不到亲人的影子;上堂再看,还是见不到亲人的影子;进到亲人的住室再看,还是见不到亲人的影子。这样看来,亲人是真正地死了,走了,再也不能相见了!所以哭天嚎地,捶胸跺脚,要把心中的悲哀尽情发泄,只有这样才觉得心中好受点。内心无限的惆怅,无限的悲伤,无限的恍惚,无限的感叹,除了伤心和悲哀以外,还有什么办法呢!在宗庙中致祭,把亲人当做鬼神来祭飨,也不过是希望亲人的灵魂能够幸而回来罢了。孝子把亲人在墓穴中埋好以后从墓地返回家中,不敢进入自己的寝室居住,而是住在简陋的倚庐里,就是因为哀伤死去的亲人还在荒郊野外;睡在草苫上,拿土块当枕头,就是因为哀伤死去的亲人还身埋土中。所以想起来就哭,没有定时,服丧三年,忧心劳思,日夜思慕,这反映了孝子心甘情愿的志尚,也是人的感情的真实流露。

或问曰:"死三日而后敛者,何也?"曰:孝子亲死,悲哀志懑,故匍匐而哭之,若将复生然,安可得夺而敛之也?故曰:三日而后敛者,以俟其生也。三日而不生,亦不生矣,孝子之心亦益衰矣;家室之计,衣服之具,亦可以成矣;① 亲戚之远者,亦可以至矣。是故圣人为之断决,以三日为之礼制也。

[注释]

① 衣服之具二句:按《王制》:"绞、紟、衾、冒,死而后制。"这说明为死者准备装敛的衣物也需要时间。

[译文]

有人问道:"人死后三天才入敛,这是为什么呢?"回答是:孝子在父母刚刚去世时,心中悲哀,思想上一下子接受不了,所以趴在尸体上痛哭,就好像是能把父母哭活似的,人们怎么可以不顾及孝子的这点心思而强行马上入敛呢?所以说,之所以三天以后才入敛,是为了等待死者的复生。三天以后还不复生,那就说明没有复生的希望了,孝子企盼父母复生的信念也逐渐动摇了;而且在这三天之内,有关治丧花费的筹划,入敛衣物的准备,也都可以就绪了;远道的亲戚,也可以来到了。所以圣人就根据这种情况做出决断,把死后三天才入敛作为礼制定了下来。

或问曰:"冠者不肉袒,何也?"曰:冠,至尊也,不居肉袒之体也,故为之免①以代之也。然则秃者不免,伛者不袒,跛者不踊,非不悲也,身有锢疾②,不可以备礼也。故曰:丧礼唯哀为主矣。女子哭泣悲哀,击胸伤心;男子哭泣悲哀,稽颡③触地，无容④，哀之至也！

[注释]

①免（wèn）：一条宽一寸的布带，在去冠以后，用以括发缠头。②锢疾：即痼疾。不易医治的病。③稽颡：叩头。丧主拜宾之礼。④无容：不文饰仪容。

[译文]

有人问道："在戴着冠的时候不能袒露左臂，这是什么道理呢？"回答是：冠是至为尊贵的东西，当一个人赤膀露肉时是不能戴冠的，否则就是对冠的亵渎，所以特地制作免来代替冠。这样一来，秃子就不用戴免，驼背的人就不用袒露左臂，瘸子哭时就不用跺脚，但这并不意味着这些人内心就不悲哀，而是因为他们身患痼疾，没法子完成这些礼节。所以说，丧礼只是以悲哀为主。女子哭泣悲哀，捶胸伤心；男子哭泣悲哀，叩头触地，不注意仪容，这都是极度悲哀的表现。

或问曰："免者以何为也？"①曰：不冠者之所服也。《礼》曰："童子不缌，唯当室缌。"②缌者其免也，当室则免而杖矣。

[注释]

①或问曰句：孔颖达说："成人肉袒之时须着免，今非成人肉袒亦有着免，故问之。"②《礼》曰二句：大体见于《仪礼·丧服》。当室：无父无兄而主持家事者。童子当室，则以成人之礼要求之。

[译文]

有人问道："童子为什么也要戴免呢？"回答是：免是尚未加冠的童子所戴的东西。《仪礼》上说："童子不为族人有缌麻之亲的人服缌，只有当室的童子才为族人服缌。"童子当室，就要为有缌麻之亲的族人服缌，服缌就要戴免，甚至还要拄丧杖。

或问曰："杖者何也？"曰：竹、桐，一也①。故为父苴杖，苴杖，竹也；为母削杖，削杖，桐也。

[注释]

①一也：谓作用一样。即都是用来扶病的。按：本节所载不如《仪礼·丧服》所载为详。

[译文]

有人问道："丧杖是用什么做的呢？"回答是：有用竹子做的，有用桐木做的。无论用什么做的，其作用是一样的。所以为父亲用苴杖，苴杖是用竹子做成的；为母亲用削杖，削杖是用桐木削成的。

或问曰："杖者以何为也？"曰：孝子丧亲，哭泣无数，服勤三年，身病体羸，以杖扶病也。则父在不敢杖矣①，尊者在故也。堂上不杖，辟尊者②之处也。堂上不趋，示不遽也。此孝子之志也，人情之实也，礼义之经也，非从天降也，非从地出也，人情而已矣！

[注释]

①则父在不敢杖矣：据郑注孔疏，这个"不敢杖"，是指为母丧不敢杖。包括下文的"不杖"、"不趋"，也都是为母丧不杖、不趋。则，如果。②尊者：指父亲。父亲是一家之长，故称尊者。

[译文]

有人问道："孝子在居丧期间为什么要拄丧杖呢？"回答是：孝子由于死去了父母，经常哭泣，不计其数，忧劳勤苦地服丧三年，身体有病，体质很弱，需要用杖来支撑病体。如果父亲健在，就不敢为母亲拄丧杖，这是因为尊者尚健在的缘故。孝子在堂上也不拄丧杖，因为堂上是尊者所在的地方，需要避开。孝子在堂上不应快步行走，以显示从容不迫，否则就容易引起父亲的伤心。这些都是出于孝子的一颗诚心，是人情的真实流露，是合理合情的常规，不是从天上掉下来的，也不是从地下冒出来的，只不过是人情本应如此罢了！

服问第三十六

[题解]

王夫之说:"服问,犹言'问服'也。未尝有问答之文而言'问'者,条析疑义以待问也。"换句话说,服问,就是问有关丧服的事。本篇与《丧服小记》、《大传》属同类性质,可以弥补《仪礼·丧服》之所未备。

《传》曰:有从轻而重,公子之妻为其皇姑。有从重而轻,为妻之父母。有从无服而有服,公子之妻为公子之外兄弟。有从有服而无服,公子为其妻之父母。①

[注释]

①《传》曰八句:《传》,指本书《大传》篇。"有从轻而重"、"有从重而轻"、"有从无服而有服"、"有从有服而无服",这四句都是《大传》的原话。公子:国君的庶子。皇姑:谓公子之母。外兄弟:孙希旦说:"曰'外兄弟'者,以明非公子之亲昆弟,犹曰'远兄弟'云尔。"

[译文]

《大传》篇在谈到从服时曾说:有的本应跟着穿较轻的丧服而变为穿较重的丧服,例如国君的庶子为其生母仅仅头戴练冠,穿用小功布做的丧服,而且葬后即除;而庶子之妻却要为庶子的生母服齐衰期。有的本应跟着穿较重的丧服而变为穿较轻的丧服,例如妻为其娘家父母服齐衰期,是重服;而丈夫为其岳父母仅服缌麻,是轻服。有的是自己所从的人不为死者穿孝服而自己却要为死者穿孝服,例如国君的庶子不为其远房兄弟服丧,而国君的庶子之妻却要为庶子的远房兄弟服丧。有的是本来应该跟着穿孝服却变为不用跟着穿孝服了,例如国君的庶子为其妻之父母,如果他是嫡子,就可以为之服缌麻三月,但因为他是庶子,所以就从有服变为无服了。

《传》[①]曰:母出,则为继母之党服。母死,则为其母之党服。为其母之党服,则不为继母之党服。[②]

[注释]

①《传》:此《传》非指《大传》,孙希旦说是"旧《传》也"。旧《传》就是古书。②为其母之党服二句:郑玄说:"虽外亲,亦无二统。"意思是说只能有一个外祖父母,不能有两个外祖父母。

[译文]

古书上又说:如果母亲是被父亲休弃出门,做儿子的就要为继母的娘家人服丧;如果母亲是去世了,那就为母亲的娘家人服丧。凡是已为母亲的娘家人服丧的,就不再为继母的娘家人服丧。

间传第三十七

[题解]

郑玄说:"名曰《间传》者,以其记丧服之间轻重所宜。"意思是说,丧服五等,其由重到轻的顺序是:斩衰、齐衰、大功、小功、缌麻。居丧之时,穿不同丧服的人,其容貌、哭声、言语、饮食、居处也不同。总的原则是,所穿丧服要与相应的容貌、哭声、言语等相称;否则,不是失礼,便是矫情。这就叫做"丧服之间轻重所宜"。

斩衰何以服苴①?苴,恶貌也,所以首其内②而见诸外也。斩衰貌若苴,齐衰貌若枲③,大功貌若止,小功、缌麻容貌可也。此哀之发于容体者也。斩衰之哭,若往而不反。齐衰之哭,若往而反。大功之哭,三曲而偯④。小功、缌麻,哀容可也。此哀之发于声音者也。斩衰"唯"而不对,齐衰对而不言,大功言而不议,小功、缌麻,议而不及乐。此哀之发于言语者也。

[注释]

①苴(jū):苴麻。一种结子的雌麻。其色黧黑,穿斩衰丧服者的脸色似之。②首其内:本着内心的悲哀。③枲(xǐ):枲麻。一种不结子的雄麻,其颜色较苴麻差浅。④偯(yǐ):声音从容有余。

[译文]

斩衰丧服为什么要使用苴麻做的首绖和腰带呢?因为苴麻颜色

黛黑，非常难看，所以用它来把内心的悲哀表现在服饰上面。穿斩衰丧服的人，其脸色深黑，就像苴麻一样；穿齐衰丧服的人，其脸色浅黑，就像枲麻一样；穿大功丧服的人，其神情呆板；穿小功、缌麻丧服的人，其神情和平常差不多。这是悲哀表现在脸色、神情上的不同。穿斩衰丧服者的哭声，那是一口气地哭下去，直到上气不接下气；穿齐衰丧服者的哭声，虽是一口气地哭下去，但上气还可以接着下气；穿大功丧服者的哭声，听起来是时高时低，尾声从容；穿小功、缌麻丧服者的哭声，只要做出有悲哀的表情就可以了。这是悲哀表现在哭声上的不同。居丧之中，在和他人交往时，如果是斩衰之丧，那就只发出"唯唯"的声音而不回答别人的问话；如果是齐衰之丧，那就可以回答别人的问话，但不可主动问人；如果是大功之丧，那就可以主动问人，但不可以发表议论；如果是小功、缌麻之丧，那就可以发表议论，但还不可谈笑风生。这是悲哀表现在言语方面的不同。

斩衰三日不食，齐衰二日不食，大功三不食，小功、缌麻再不食。士与敛焉，则壹不食。故父母之丧，既殡食粥，朝一溢①米，莫②一溢米；齐衰之丧，疏食水饮，不食菜果；大功之丧，不食醯酱；小功、缌麻，不饮醴酒。此哀之发于饮食者也。父母之丧，既虞、卒哭③，疏食水饮，不食菜果；期而小祥，食菜果；又期而大祥，有醯酱；中月而禫④，禫而饮醴酒。始饮酒者，先饮醴酒。始食肉者，先食干肉。

[注释]

①溢：古代计量单位。二十两曰溢。②莫：古"暮"字。③虞：祭名。葬后的安神之祭。卒哭：虞后祭名。详见《曲礼上》注。④禫（dàn）：祭名。除去丧服之祭。

[译文]

穿斩衰丧服的人，头三天不吃任何东西；穿齐衰丧服的人，头两天不吃任何东西；穿大功丧服的人，三顿不吃任何东西；穿小功、缌麻丧服的人，两顿不吃任何东西。士人如果去帮助小敛，则要停吃一顿。所以父母之丧，既殡以后，只喝稀粥，早上吃一溢米，晚上吃一溢米；而齐衰之丧在既殡以后，可以吃粗米饭和喝水，但不可以吃蔬菜瓜果；大功之丧在既殡以后，虽然可以吃蔬菜瓜果，但还不可以吃醋酱一类的调料；小功、缌麻之丧在既殡以后，虽然可以吃醋酱一类的调料，但还不可以喝甜酒。这是悲哀在饮食方面表现出来的不同。为父母服丧，在虞祭、卒哭之后，就可以吃粗米饭和喝水，但还不可以吃蔬菜瓜果；满一周年时举行小祥之祭，此后就可以吃蔬菜瓜果；满两周年时举行大祥之祭，此后就可以吃醋酱一类的调料；大祥以后间隔一个月举行禫祭，禫祭之后就可以喝甜酒。开始饮酒时，要先饮甜酒；开始吃肉时，要先吃干肉。

父母之丧，居倚庐①，寝苫枕块，不说②绖带；齐衰之丧，居垩室③，芐④翦不纳；大功之丧，寝有席；小功、缌麻，床可也。此哀之发于居处者也。父母之丧，既虞、卒哭，柱楣⑤翦屏，芐翦不纳；期而小祥，居垩室，寝有席；又期而大祥，居复寝；中月而禫，禫而床。

[注释]

①倚庐：孝子居丧时所住的简陋草棚。其形制详见《三年问》注释。②说：通"脱"。③垩室：居丧时用土坯垒砌的小草屋，比倚庐的居住条件略好。④芐（xià）：蒲苹。可以制席。⑤柱楣：楣是倚庐的卧地之梁，把它用柱子支起来，可以增加倚庐的空间。详见《三年问》注释。

[译文]

居父母之丧，孝子要住在倚庐里，寝卧在草苫上，拿土块当枕头,睡觉时也不脱绖和腰绖;居齐衰之丧,就要住在垩室里,睡在剪齐了边却没有扎缘的蒲席上;为大功亲属服丧,睡觉的时候就可以睡在席子上;为小功、缌麻亲属服丧,像平常那样睡在床上也是可以的。这是悲哀表现在居处方面的不同。居父母之丧,在虞祭、卒哭之后,就可以把搭建倚庐时所用的卧地之楣用柱子支起来,遮盖倚庐的草苫也可以稍加修剪,睡觉所用的草苫也可以换成剪齐了边却还没有扎缘的蒲席;满一周年时举行小祥之祭,此后就可以搬到垩室里去住,睡觉也可以使用席子;满两周年时举行大祥之祭,此后就可以搬到自己的寝室去住;再隔一个月举行禫祭,禫祭以后就可以像平常那样睡在床上。

斩衰三升①。齐衰四升,五升,六升。②大功七升,八升,九升。小功十升,十一升,十二升。缌麻十五升去其半,有事其缕③,无事其布④,曰缌。此哀之发于衣服者也。

[注释]

①升:八十缕为升。一幅布的宽度是二尺二寸,升数愈多,布愈细密。②齐衰四升三句:齐衰丧服之所以有四升、五升、六升三种,是因为齐衰丧服分为降服、正服、义服三等。所谓降服,即由于某种原因,不以本等丧服服之而以次一等丧服服之。所谓正服,即按照亲疏关系该服哪一等丧服就服哪一等丧服。所谓义服,是与死者本无亲属关系,只是由于某种义理才为之穿孝服。三等之中,降服最重,正服次之,义服又次之。下文的大功三等、小功三等,都可以由此类推。③有事其缕:对线缕进行细加工。事,加工。④无事其布:对布加工(指捶洗)时不加灰。所用缌布洁白光滑。

[译文]

做斩衰丧服所用的布是三升。做齐衰丧服所用的布,有四升的,有五升的,有六升的。做大功丧服所用的布,有七升的,有八升的,有九升的。做小功丧服所用的布,有十升的,有十一升的,有十二升的。做缌麻丧服所用的布，其经线的缕数是十五升布的一半，线缕经过加工，织成布后捶洗时不再加灰，这样的布就叫做缌布。这是悲哀表现在衣服方面的不同。

三年问第三十八

[题解]

丧服的不同，守丧的时间长短也不同，这种守丧时间的长短，是根据与死者血缘关系的远近、哀痛程度的深浅来决定的。本篇就是通过问答的形式来说明这个道理。因为是以三年之丧的问答为主，故以《三年问》为名。

三年之丧何也①？曰：称情而立文②，因以饰群③，别亲疏贵贱之节，而弗可损益也。④故曰无易之道⑤也。创钜者其日久⑥，痛甚者其愈⑦迟。三年者，称情而立文，所以为至痛极也⑧。斩衰、苴杖、居倚庐、食粥、寝苫枕块⑨，所以为至痛饰⑩也。三年之丧，二十五月而毕⑪，哀痛未尽，思慕未忘，然而服以是⑫断之者，岂不送死有已⑬，复生有节⑭也哉？

凡生天地之间者，有血气之属必有知⑮，有知之属莫不知爱其类。今是大鸟兽，则失丧其群匹⑯，越月逾时⑰焉，则必反巡⑱，过其故乡⑲，翔回焉，鸣号焉，踯躅焉，踟蹰焉⑳，然后乃能去之㉑。小者至于燕雀，犹有啁噍之顷焉㉒，然后乃能去之。故有血气之属者，莫知于人㉓，故人于其亲也，至死不穷。㉔将由夫患邪淫之人与㉕？则彼朝死而夕忘之，然而从之㉖，则是曾鸟兽之不若也㉗，夫焉能相与㉘群居而不乱乎？将由夫修饰㉙之君子与?则三年之丧,二十五月而毕,若驷之过隙㉚,然而遂之㉛,则是无穷㉜也。故先王焉为之立中制节㉝,壹使足以成文理㉞,则释之㉟矣。

[注释]

①三年之丧何也:服丧三年的规矩是根据什么制定的呢?此处的"三年之丧",是指父亲之丧。父亲之丧,儿子要服丧三年。②称情而立文:这是衡量了服丧者的哀痛程度而确立的规定条文。③因以饰群:用来打扮服丧的亲属们。④别亲疏贵贱之节二句:方悫曰:"服君与父,皆斩衰三年。由父而降,则杀(杀,音晒,减降也。下同)焉,所以别亲疏之节也。由君而降,亦杀焉,所以别贵贱之节也。亲与贵者,不可易而损之;疏而贱者,不可易而益之:故曰弗可损益。"⑤无易之道:不可改变的规矩。⑥创钜者其日久:创伤巨大,康复的时间就长。⑦愈:痊愈。⑧至痛:无以复加的悲痛。极:用作动词,立个标准,立个限度。意思是说,父母之丧,儿子服丧的时间最多不能超过三年。⑨斩衰(cuī):五种丧服中最重的一种。斩衰丧服用粗麻布制成。据段玉裁《说文解字注》说:"衰,本作'縗'。衰,其假借字也。"《说文·糸部》:"縗,丧服衣。"之所以称"斩",是因为剪裁下来用以制丧服的麻布不缝毛边。苴(jū)杖:古代居父丧时孝子所用的竹杖。看起来很粗糙。倚庐:古人为父母守丧时在户外居住的简陋棚屋。聂崇义《三礼图集注》卷十五:"倚庐,谓倚木为庐。在中门外,东方,北户。居门外之庐,哀亲之在外也。"意谓倚庐的位置在二门外,倚东墙而搭建,朝北留个门。之所以要住在倚庐里,是因为想到死去的亲人也是露宿在外。食粥:按照礼的规定,斩衰之丧,孝子由于痛不欲生,头三天不吃不喝,到了第四天殡殓了以后,才食粥,即喝点稀饭。寝苫枕块:睡在草苫上,以土块作枕头。古时居父母丧之礼。《仪礼·既夕礼》:"居倚庐,寝苫枕块。"贾公彦疏:"孝子寝卧之时,寝于苫,以块枕头。必寝苫者,哀亲之在草;枕块者,哀亲之在土云。"⑩为至痛饰:为了表示无以复加的悲痛。⑪二十五月而毕:二十五个月就结束了。吴澄解释说:"重丧虽名三年,实则二十五月也。盖二十四月则两期(按:即两周年)矣。其第二十五月者,第三年之月也。大祥(按:即父母之丧的两周年祭)后除练服,去经杖,则丧服毕矣。其丧后所服,至二十七月禫祭(按:即除

去孝服之祭）毕而除者，此非丧之正服也。故丧之正服，止于二十五月而已。"⑫是：指代三年。⑬送死有已：怀念死者总得有个头。已，停止，结束。⑭复生有节：让活着的人恢复正常生活也总得有个时刻。节，时刻。⑮血气：犹言"生命"。因为血液和气息是人和动物体内维持生命活动的两种要素。知：感情。下同。⑯则：连词。表假设。犹若，如果。群匹：同类，同伴。⑰逾时：超过一季。时，四时之时。⑱反巡：拐回来察看。⑲故乡：家乡。此指鸟之旧巢，兽之旧穴。⑳翔回：盘旋。鸣号：嚎叫。蹢躅（zhí zhú）：以足击地，顿足。踟躕（chí chú）：不忍离去貌。㉑去之：离开那里。㉒犹有啁啾（zhōu jiū）之顷焉：也要唧唧喳喳地哀鸣一会儿。啁啾，也作"啁啾"，鸟之哀鸣声。顷，片刻。㉓莫知于人：没有比人更有感情的了。㉔故人于其亲也二句：所以人对于其死去的父母，怀念到死也没有终止。㉕将：如果。患邪淫之人：王引之说："患邪淫之人，当作'愚陋邪淫之人'。'愚'字与古文'患'字相似，故'愚'误为'患'，又脱'陋'字。《荀子·礼论》正作'愚陋邪淫之人'。"详《经义述闻》卷十六。愚陋，愚蠢无知。邪淫，心术不正。与："欤"的古字。本句意谓如果由着那些愚蠢无知、心术不正的人的意思去做呢？㉖从之：谓按照愚陋邪淫的人的意思去做。㉗曾：连。不若：不如。㉘相与：互相。㉙修饰：谓讲究礼仪。㉚若：如同。驷之过隙：形容三年的时间转眼之间就过去了。㉛遂之：与上文"从之"同义。此谓如果按修饰的君子的意思去做。㉜无穷：谓服丧的时间无穷。㉝焉：于此。立中制节：谓制定与生者哀痛心情轻重相称的五服年月。㉞壹使足以成文理：能够使所有的人都感到合情合理。㉟释之：谓（该什么时间就什么时间）除去丧服。

[译文]

守丧三年是根据什么来制定的呢？回答是：这是根据内心哀痛程度而制定的与之相称的礼文，借此来表明亲属的关系，区别亲疏贵贱的界限，因而是不可随意增减的。所以说，这是不可改变的原则。创伤深重，复原的日子就长；悲痛得厉害，平复的时间就慢。守丧三年的规定，就是根据内心哀痛程度而制定的与之相称的礼文，用来表示无以复加的悲痛。身穿斩衰，手持苴杖，住在倚庐，进食稀粥，睡在草苫上，用土块当枕头，凡此种种，都是为了表示无限的悲痛。三年的守丧期限，实际上二十五个月就结束了。虽然孝子的哀痛还没有结束，对父母的思念仍然存在，可是守丧的期限却到此为止，这岂不是说明了对于死者的怀念总得有个停止、对于活着的人也总得恢复正常生活吧？

天地之间的一切生物，只要是高等的动物，必定都有感情。凡是有感情的动物，没有不知道爱护自己同类的。就说大的鸟兽吧，如果丧失了自己的同伴，过了一月，过了一季，还要拐回来巡视，经过过去居住的巢穴时，必定要盘旋，要号叫，要徘徊良久，然后才能依依不舍地离开。即使像燕子、麻雀一类的小鸟，在这种情况下，也要唧唧喳喳地哀鸣一阵，然后才能依依不舍地离开。在所有的高等动物之中，没有比人更富于感情的了。所以，人对于死去的双亲，至死也不会忘怀。如果由着那些愚蠢无知或者放荡无羁者的意思去办，他们就会早上死了父母，晚上就会忘掉。如果对他们放任不管，那岂不成了连鸟兽也不如了吗？还怎么能够让大家过集体生活而不发生混乱呢？如果由着那些讲究礼仪的君子的意思去办，则三年的丧期，二十五个月就宣告结束，就像弹指一挥间那样迅速。如果成全他们的心愿，那将是哀痛永远没有结束之日。所以先王为贤人与小人制定了一个折中的礼节，是大家都感到合情合理，然后按时除去丧服。

然则何以至期也[①]？曰：至亲以期断[②]。

[注释]

①然则何以至期（jī）也：那么服丧一年的规矩又是怎么回事呢？期，"期服"之略，持丧一年的孝服。②至亲以期断：郑玄注："言服之正，虽至亲，皆期而除也。"意思是说，按照正规的丧服来说，即使是父亲那样的至亲，也是满一年就除去孝服了。

[译文]

那么丧期为一年的丧服是根据什么制定的呢？回答是：为某些

至亲而不至尊的亲属服丧满一年就应除服。

是何也①？曰：天地则已易矣，四时则已变矣，其在天地之中者，莫不更始焉，以是象之也。②

[注释]

①是何也：此话怎讲？②天地则已易矣五句：意谓一年之中，天地都已经发生了变化，四季也都已经发生了变化，生活在天地之间的万物莫不除旧布新，重新开始，所以就制定出持丧时间为一年的丧服来效法它。

[译文]

这是什么道理呢？回答是：一年之中，天地已经运行了一周，四季已经循环了一遍，天地之间，万象无不更新，所以制定出一年的丧服来效法它。

然则何以三年也①？曰：加隆焉尔也②，焉③使倍之，故再期④也。

[注释]

①然则何以三年也：郑玄注："言法此变易可以期，何以乃三年为？"意谓：既然一年就行了，为什么又有三年的规定呢？②加隆：加多。隆，多。尔也：复音语助词。③焉：于是，于此。④再期：两周年。实谓三年。因为三年之丧，二十五月而毕，是过了两个周年。

[译文]

那么为什么有的丧期是三年呢？回答是：这是为了更加隆重其事，于是使丧期延长一倍，所以要过两个周年才除去丧服。

由九月以下何也①？曰：焉使弗及也②。故三年以为隆③，缌、小功以为杀④，期、九月以为间⑤。上取象于天，下取法于地，中取则于人，⑥人之所以群居和壹⑦之理尽矣。

[注释]

①由九月以下何也：持丧期限又有九个月、五个月、三个月的规定又是怎么回事儿呢？按：五服中的大功持丧九月，小功持丧五月，缌麻持丧三月，故有此问。②焉使弗及也：这里是有意识让它们（九月、五月、三月）赶不上（一年）。此与上文"加隆焉尔也"一句相对。③隆：增多。请注意，这个增多是对"期、九月"而言。④缌：谓缌麻。古代丧服名。五服中之最轻者，孝服用细麻布制成，服期三月。缌是细麻布，用来做衰裳；麻是整治过的麻，用来做绖带。小功：古代丧服名，五服之第四等。其服以熟麻布制成，视大功为细，较缌麻为粗。服期五月。因为此种丧服用布加工，较大功用布细密，故称小功。杀（shài）：减少。请注意，这个减少也是对"期、九月"而言。⑤期（jī）：谓齐衰一年的丧服。此等丧服用粗麻布制成，以其缉边缝齐，故称齐衰。九月：谓持丧九月的大功丧服。间：中间。蒙上文，谓隆与杀之间。⑥上取象于天三句：孔颖达疏云："上取象于天，下取法于地者，天地之气，三年一闰，是三年者取象于一闰。天地一期物终，是一期者取象于一周。九月者，以象阳之数，又象三时而物成也。五月以象于五行。三月者，取象天地一时而气变。言五服之节，皆取法于天地。中取则于人者，则，法也，天地之中，取则于人。若子生三年，然后免于父母之怀，故服三年。人之一岁，情意变改，故服一期。九月、五月、三月之属，亦逐人情而减杀，是中则于人。"
⑦和壹：和谐一致。

[译文]

那么丧期是九月以下的又是何道理呢？因为有的亲属赶不上至亲那么亲，于是丧期也就达不到一年。所以五服之中，斩衰三年是最为隆重的丧服，缌麻三月和小功五月是最轻的丧服，齐衰一周年和大功九月是二者之间的丧服。这种规定，上则取法于天，下则取法于地，中间则取法于人情，人们之所以能够集体生活而又和谐一致的道理都表现出来了。

故三年之丧，人道之至文者也①。夫是之谓至隆②，是百王之所同③，古今之所壹④也，未有知其所由来者也⑤。孔子曰："子生三年，然后免于父母之怀。夫三年之丧，天下之达丧也。"⑥

[注释]

①人道之至文者也：人情味十足的一种礼仪。②夫：发语词。是之：即此之。之，指代三年之丧。至隆：最隆重。③百王：历代天子。同：遵循。④壹：与上句之"同"为互文，也是遵循之义。⑤未有知其所由来者也：郑玄注："不知其所从来，喻此三年之丧，前世行之久矣。"⑥孔子曰四句：见《论语·阳货》。达丧：上自天子，下至庶人，对谁都适用的丧礼。

[译文]

所以三年之丧，是人情味十足的一种礼仪。这种叫做最为隆重的礼仪，是历代天子所共同遵循的，是古往今来无人违背的，也不知道究竟已经实行了多长的时间了。孔子说："孩子生下三年以后才能离开父母的怀抱，所以，父母去世，孩子为之服丧三年，这也是普天之下通行的丧礼。"

深衣第三十九

[题解]

郑玄说:"名曰《深衣》者,以其记深衣之制也。"按深衣,古代上衣与下裳相连缀的一种服装(类似后世的长袍),一般都镶以花边,是诸侯、大夫、士夕时所着之服,庶人也用作祭服。本篇不仅记深衣之制,而且也记为什么这样制作的含义。

古者深衣,盖有制度,以应规、矩、绳、权、衡①。短毋见肤②,长毋被土。续衽③钩边。要缝半下④。袼⑤之高下,可以运肘。袂之长短,反诎之及肘。带,下毋厌⑥髀,上毋厌胁,当无骨者。

[注释]

①以应句:规是圆规,矩是曲尺,绳是墨线,权是秤锤,衡是秤杆。如何应法,见下文。②肤:通"趺",足背。③续衽:一本作"裕衽"。裕衽,以多余的布幅作衽。④要缝半下:即《玉藻》所说的"缝齐倍要"。缝,通"丰",大也。⑤袼(gē):袖子当腋处,俗称挂肩。⑥厌:通"压",压住。下同。

[译文]

古人穿的深衣,是有一定的尺寸样式的,以合乎规、矩、绳、权、衡的要求。深衣的长度即使再短,也不能够露出脚背;即使再长,也不能够拖拉住地。裳的两旁都有宽大的余幅作衽,穿着时前后两衽交叠。深衣腰围的宽度,是深衣下缉的一半。袖子与上衣在腋下连合处的高低,以可以运肘自如为原则。袖子的出手部分的长度,以反折过来刚好到肘为合度。腰间大带的位置,下面不要压住大腿骨,上面不要压住肋巴骨,要束在大腿骨之上、肋巴骨之下的无骨部位。

制:十有二幅,以应十有二月。袂圆以应规,曲袷①如矩以应方,负绳及踝以应直,下齐②如权衡以应平。故规者,行举手以为容;负绳、抱方者,以直其政、方其义也。故《易》曰:坤六二③之动,直以方也。下齐如权衡者,以安志而平心也。五法已施,故圣人服之。故规、矩取其无私,绳取其直,权、衡取其平,故先王贵之。故可以为文,可以为武,可以摈相,可以治军旅,完且弗费④,善衣⑤之次也。

[注释]

①袷(jié):衣服的交领。②下齐(zī):深衣的下摆。③六二:《易经》六十四卦三百八十四爻中,以数字"六"代表阴爻。故凡是阴爻居卦第二位者,均称六二。④弗费:深衣用十五升的白布来做,只需要镶边,不需要绣绘任何图案。⑤善衣:指朝服与祭服。

[译文]

深衣裁制的方式:上衣用布六幅,下裳用布六幅,共十二幅,以象征一年有十二个月。圆形的袖口,用以象征圆规。方形的交领如矩,用以象征品行方正。背缝像墨线似的从后背直到脚后跟,用以象征品行正直。裳的下缉如秤杆秤锤,用以象征公平。袖口之所以象征圆规,是为了举手抬脚都合乎礼貌;背缝如墨线与领口如曲尺,是表示为政要正直、品行要端方。所以《易经》上说:坤卦六二爻的动态,不但表示直,而且表示方。裳的下缉像秤杆秤锤,是表示没有偏颇而把心放平。因为深衣符合规、矩、绳、权、衡五个方面的要求，所以圣人要穿它。规与矩，取其大公无私之义；绳，取其正直之义；权与衡，取其公平之义，所以先王很看重深衣。穿着深衣，可以习文，可以练武，可以作为摈相，可以带领部队，穿起来结实，做起来省力，是朝服、祭服以外最好的衣服了。

具父母、大①父母，衣纯以缋②。具父母，衣纯以青。如孤子③，衣纯以素。纯袂、缘、纯边，广各寸半④。

[注释]

①大：读作"太"。②纯（zhǔn）：镶边。下同。缋（huì）：有五彩花纹的缯帛。郑玄说："尊者存，以多饰为孝。"③孤子：三十以下无父称孤。④广各寸半：这是就外表一面说的，表里共三寸。只有领口的镶边是二寸，表里四寸。

[译文]

如果父母及祖父母都双双健在，所穿的深衣就用带有五彩花纹的布来镶边。如果只有父母健在，所穿的深衣就用青布来镶边。如果是个父亡母存的孤儿，就用白布来镶边。深衣袖口的镶边，深衣下摆的镶边，深衣裳边的镶边，都是寸半宽。

投壶第四十

[题解]

投壶是古代的一种游戏,与射箭相类似。古时候,主人宴请宾客,为了尽兴,或比赛射箭,或比赛投壶,以决胜负。负者饮以罚酒。这比后世的酒令、猜枚似乎显得高雅。本篇为逸礼之一,其文体仿《仪礼》。孔颖达说,从篇首至"正爵既行,请彻马"是经,是正篇;其后才是"记者之言"。《大戴礼》也有《投壶》篇,较本篇完好,可以对照来看。但是本篇也有为《大戴礼》所不载者,例如鲁、薛二国击鼓击鼙的乐谱就是。

投壶之礼:主人奉矢①,司射奉中②,使人执壶③。主人请曰:"某有枉矢哨壶④,请以乐宾。"宾曰:"子有旨酒嘉肴,某既赐矣⑤,又重以乐,敢辞。"主人曰:"枉矢哨壶,不足辞也,敢固以请⑥。"宾曰:"某既赐矣⑦,又重以乐,敢固辞。"主人曰:"枉矢哨壶,不足辞也,敢固以请。"宾曰:"某固辞不得命,敢不敬从。"宾再拜受,主人般还,曰:"辟。"主人阼阶上拜送,宾般还⑧,曰:"辟⑨。"已拜,受矢,进即两楹间。退反位,揖宾就筵。

[注释]

①奉:通"捧"。矢:形似筷子,以木为之,无羽、镞之属,与射箭所用

之矢不同。因投壶与射箭相类，故也叫做矢。②司射：投壶礼的主持者。中：盛算器。算即射筹，是用来记投中次数的筹码。中，用木刻制，形似伏兽，背上开有孔以插放筹码。简言之，中即投壶计分器。③壶：是一种嘴小颈长肚大的壶。下文有说明。④某有枉矢哨壶："某"，用来称代"我"或说话人的名字。表谦让。郑玄说："枉、哨，不正貌，为谦辞。"⑤某既赐矣：《大戴礼》无此四字，考之上下文，疑衍。⑥敢固以请：《大戴礼》无"固"字。王树楠认为不应有。⑦某既赐矣：疑"既"下脱"受"字。⑧般还（pán xuán）：转身回避貌。⑨辟：通"避"。

[译文]

投壶之礼的做法是：筵席进行到一定的阶段，主人立在阼阶上，手中捧着矢；司射立在西阶上，手中捧着中；主人又派个下人捧着壶，也是立在西阶上，靠近宾客之处。主人邀请说："我有歪歪扭扭的矢和歪嘴歪脖的壶，希望用来娱乐宾客。"宾客回答道："足下用美酒佳肴招待，我已经很领情了。现在又要用娱乐招待，真不敢当。"主人又说："歪歪扭扭的矢，歪嘴歪脖的壶，不值得您这样客气地推辞，请足下赏脸答应。"宾客又说："承蒙足下已经用美酒佳肴招待过了，现在又要用娱乐招待，坚决不敢当。"主人又邀请说："歪歪扭扭的矢，歪嘴歪脖的壶，实在不值得您这样地客气，请足下一定赏脸答应。"宾客说："我再三地推辞，而您就是不答应，那就只好敬听尊命了。"于是宾客行了再拜之礼，从主人手里接过了矢；而主人见到宾客施礼，急忙退后转身，口中说道："免礼，免礼。"主人在阼阶上行拜送礼时，宾客见状，也急忙转身，口中说道："免礼，免礼。"宾主施礼已毕，宾客从主人手里接过矢，主人从赞礼者手中接过矢，主人前进到两楹间，察看一下将要进行投壶的地方，然后退回阼阶上的原位，向宾客作揖，请他就座。

司射进度壶,间以二矢半①。反位,设中,东面,执八算兴。请②宾曰:"顺投③为入,比投不释④,胜饮不胜者。正爵⑤既行,请为胜者立马⑥。一马从二马⑦。三马既立,请庆多马。"请主人亦如之。命弦者曰:"请奏《狸首》⑧,间若一。"大师曰:"诺。"

[注释]

①间以二矢半:王念孙说这五个字是衍字,是。②请:郑玄说:"请,犹告也。"③顺投:矢有头有尾,头先进入壶中为顺投。④比投:连续地投。投壶的规则是,宾主轮流地投,否则就算犯规。不释:不释算。不为立得胜的筹码,也就是不计分。⑤正爵:郑玄说:"所以正礼之爵也。"或指罚酒,或指庆贺别人得胜的酒。⑥马:胜算,得胜的筹码。⑦一马从二马:《大戴礼》无此五字。陆德明《释文》和孔颖达疏也认为不应有此五字。⑧《狸首》:乐曲名。已失传。

[译文]

司射从下人手中接过壶,上堂来至宾主席前丈量放壶的位置。壶放好后,退回西阶的原位,再把"中"放好,在"中"中插入八只筹码,面向东方,手执八只筹码站起。司射向宾宣布投壶的规则说:"箭头一端投入壶中才算投进,主人与宾客一递一只地投,如果一方连续地投,就是投进也不算数;胜者要斟一杯罚酒让不胜者来饮。饮过罚酒之后,输者要为胜者放上一个得胜的筹码。如果有一方首先得到三个胜的筹码,另一方就要饮一杯庆贺的酒。"司射又把同样的规则宣布给主人。司射又命令鼓瑟的乐工:"比赛进行时,要奏《狸首》这支伴奏曲,演奏的速度要不快不慢,始终如一。"乐队的领队回答说:"是。"

左右告矢具,请拾①投。有入者,则司射坐而释一算焉。宾党于右,主党于左。

[注释]

①拾（jié）：轮流，交替。

[译文]

司射向宾主双方报告矢已经准备好，可以开始轮流投矢了。有哪一方将矢投进者，司射就跪下为他记一分。投壶的时候，宾客一方坐在司射的右边，主人一方坐在司射的左边。

卒投，司射执算①曰："左右卒投，请数。"二算为纯②，一纯以取，一算为奇③。遂以奇算告曰④："某贤于某若干纯。"奇则曰"奇"，钧则曰"左右钧"。

[注释]

①司射执算：《大戴礼》作"司射执余算"，是。孔广森《补注》说："执余算者，司射初执八算，每入一矢，则委一算于地，八矢不皆中，故手有余算也。"②纯（quán）：全；一双。③奇（jī）：单数，一只。④遂以奇算告曰：据《释文》和《大戴礼》，此句应作"有胜者，司射遂以其算告"。此处有脱误。

[译文]

投壶结束，司射就手中执着剩余的筹码宣布说："宾主双方投壶结束，现在开始计算分数。"计算的方法是，两个筹码算作一纯，一次取一纯，取够十纯，放成一堆，摆在地上。计算到最后如果只剩一个筹码，那就叫"奇"。计算的结果出来以后，司射就报告说："某一方的成绩超过了另一方若干纯。"如果胜算中还有奇数，还要把奇数报告出来。如果双方积分相等，就说双方不分胜负。

命酌①曰："请行觞。"酌者曰："诺。"当饮者皆跪奉觞曰："赐灌②。"胜者跪曰："敬养③。"

[注释]

①酌：郑玄说："酌者，胜党之弟子。"②灌：郑玄说："灌犹饮也。"

③敬养：孙希旦说："敬养者，酒所以养老、养病也。此实罚爵，而曰'赐灌''敬养'者，皆谦敬之辞也。"

[译文]

司射对胜利一方的子弟说："请为失败的一方斟罚酒。"胜利一方的子弟说："是。"斟好罚酒以后，失败的一方都跪下来捧着酒杯说："承蒙赐饮。"胜利的一方也跪下来说："请以此酒为养。"

正爵既行，请立马①。马各直其算。一马从二马②，以庆。庆礼曰："三马既备，请庆多马。"宾主皆曰："诺。"正爵既行，请彻马。

[注释]

①马：胜算。②一马从二马：按照投壶的规则，比赛总共进行三盘。每取胜一盘，为胜家立一马（等于记一分）。如果一方三盘皆胜，另一方三盘皆输，胜输分明，问题简单。如果一方只胜一盘，得一马，而另一方胜两盘，得二马。这时要按照多吃少的原则，将一马并入二马，凑成三马，并判得二马者为胜家。

[译文]

行过罚酒礼后，就为胜利的一方立下一马。哪一方得胜就把马立在哪一方算筹的前面。立马以三马为胜。如果有一方得一马，而另一方得二马，则得一马的一方应将自己的一马并入另一方的二马，并庆祝对方的得胜。举行庆礼时，司射说："比赛的最后结果已经出来，让我们为得胜者庆贺。"宾主双方都回答说："好的。"喝过庆贺的酒，司射就让人把已立的马撤掉。

算多少①，视其坐。筹②，室中五扶，堂上七扶，庭中九扶。③算，长尺二寸。壶，颈修七寸，腹修五寸，口径二寸半，容斗五升。壶中实小豆焉，为其矢之跃而出也。壶去席二矢半。

矢,以柘若棘④,毋去其皮。

[注释]

①算多少:每个参加投壶的人发四根矢,也每人发四个筹码。②筹:指投壶所用的矢。③室中五扶三句:投壶的地点不固定,根据早晚光线的好坏而定。中午光线好,就在室内;下午光线差点,就在堂上;再晚光线更差,就在庭中。光线好时用短矢,光线差时用长矢。扶,通"肤"。一肤是四指宽,相当于四寸。④柘(zhè):木名。又名黄桑。若:或也。棘:木名。即酸枣树。

[译文]

需要准备多少筹码,这要根据座中参加比赛的人数来决定。矢的长度,如果是在室内投壶,就用两尺长的;如果是在堂上投壶,就用两尺八寸长的;如果是在庭中投壶,就用三尺六寸长的。筹码的长度是一尺二寸。投壶所用的壶,颈长七寸,腹长五寸,口径是二寸半,容积是一斗五升。壶中盛着小豆,为的是防止投进的矢又重新跳出。放壶的地方,距坐席有两矢半的距离。投壶所用的矢,用柘木或棘木制成,木皮不要剥掉。

鲁令弟子①辞曰:"毋帱②,毋敖,毋偝③立,毋逾言。偝立、逾言,有常爵!"薛令弟子辞曰:"毋帱,毋敖,毋偝立,毋逾言。若是者浮④!"

[注释]

①弟子:指宾党、主党的年幼者。投壶时,担心他们在堂下扰乱秩序,所以特地由司射警告他们。②帱(hū):孙希旦说通"吴",喧哗也。③偝(bèi):后世多写作"背"。④浮:罚酒。

[译文]

投壶时,鲁国的司射是这样警告立在堂下的宾主双方的子弟:"不要喧哗,不要傲慢,不要背转身而立,不要远距离谈话。如果违反,必按规矩罚酒!"薛国的司射则是这样警告宾主双方子弟的:

"不要喧哗，不要傲慢，不要背转身而立，不要远距离谈话。倘有上述行为，罚酒无赦！"

鼓：○□①○○○□○○○□半○□○○○□○○□○○鲁鼓。○□○○○□○○□○○□○□○○□半○□○○○□□○薛鼓。取"半"以下为投壶礼，尽用之为射礼。

[注释]

①○：击鼙的符号。□：击鼓的符号。

[译文]

投壶时敲击鼓鼙的乐谱：○□○○○□□○○□—半○□○□○○○□○○○——这是鲁国击鼓的乐谱。○□○○○□○○□□○○□○□○○□—半○□○○○□□○——这是薛国击鼓的乐谱。"半"字以下的乐谱用于投壶礼，全部乐谱则用于射礼。

司射、庭长①及冠士立者，皆属宾党。乐人②及使者、童子，皆属主党。

[注释]

①庭长：即司正。宴会时负责纠察众人的仪容，防止醉酒失态。②乐人：如击鼓、击鼙者。非指瞽矇之人习乐者。按：在划分宾党、主党时，以尊而长者为宾党，以卑而幼者为主党，含优宾之意。

[译文]

司射、庭长以及立着观礼的成年人，都算作宾客一方参加投壶。奏乐的人、仆人以及小孩子，都算作主人一方参加投壶。

鲁鼓①：○□○○○□□○ 半 ○□○□○○○□○○○。
薛鼓：○□○○○○□○□○○□○○□○○□半○□○

投壶第四十　353

□○○○○□○。

[注释]

①鲁鼓：本节所记的鲁鼓乐谱和薛鼓乐谱与上节所记不同，记者也不知道究竟哪个对，以疑传疑，所以兼记之。

[译文]

鲁鼓的另外一份乐谱是○□○○□□○○一半○□○□○○○○□○□○。薛鼓的另外一份乐谱是○□○○○○□○□○○○□○□○○□○一半○□○□○○○○□○。

儒行第四十一

[题解]

《儒行》，记儒者值得称道的品行。全篇通过哀公问、孔子答的形式，历述儒者十六项值得称道的品行。

鲁哀公①问于孔子曰："夫子之服，其儒服与？②"孔子对曰："丘③少居鲁，衣逢掖之衣④；长居宋⑤，冠章甫⑥之冠。丘闻之也：君子之学也博，其服也乡⑦。丘不知儒服⑧。"

[注释]

①哀公（？—前468）：春秋时鲁国国君，名蒋。②夫子之服二句：先生您的衣服，大概是儒者特有的衣服吧？郑玄注："哀公馆孔子，见其服与士大夫异，又与庶人不同，疑为儒服而问之。"与："欤"的古字。③丘：孔子自称。古礼，自称称名，称人以字。④衣逢掖之衣：穿袖子宽大的衣服。第一个"衣"字是动词。逢掖，宽大的衣袖。⑤长居宋：长大后住在宋国。孔子的祖先来自宋国。⑥章甫：殷人所戴冠名。因为宋国是殷人之后，所以这句话也可理解为戴宋国之冠。⑦其服也乡：儒者的穿衣戴帽是入乡随俗。⑧丘不知儒服：我不懂得什么是儒服。这句话实际上是给鲁哀公一个软钉子碰：怎么一见面就问这么一个无关紧要的问题。哀公也意识到了，所以下面就改换了话题。

[译文]

鲁哀公向孔子问道："先生的衣服，大概是儒者特有的衣服吧?"孔子回答说:"我小时候住在鲁国,就穿鲁国的逢掖之衣;长大了住在宋国,就戴殷代的章甫之冠。我听人们说:君子对自己的要求是,学问要广博,衣服则入乡随俗,不求与众不同。我不知道天底下还有什么儒服。"

哀公曰:"敢问儒行①。"孔子对曰:"遽数之不能终其物,悉数之乃留,更仆未可终也。②"

[注释]

①敢问儒行:请问儒者的行为有何特点。②遽数之不能终其物三句:仓促地列举,短时间不能说得完。全部列举要费很长时间,恐怕值班的仆人到了换班的时间也说不完。物:事也。留:久也。

[译文]

哀公碰了个软钉子,就换个话题问道:"请问儒者的行为有哪些特点呢?"孔子答道:"仓促地列举,短时间难以说完。全部说完要费很长时间,恐怕值班的仆人到了换班时间也未必说完。"

哀公命席①。孔子侍②,曰:"儒有席上之珍以待聘③,夙夜强学④以待问,怀忠信以待举⑤,力行以待取⑥。其自立有如此者。

[注释]

①命席:命人给孔子安排坐席。②侍:此谓陪侍哀公坐着。③儒有席上之珍以待聘:孔颖达疏:"席,犹铺陈也。珍,谓美善之道。言儒能铺陈上古尧、舜美善之道,以待君上聘召也。"④夙夜强学:早起晚睡地努力学习。⑤待举:等待举荐。⑥力行:未详。孔颖达解释作"言已修身励,力行之",也不达意。取:郑玄注:"进取位也。"

[译文]

哀公于是命人给孔子设席。孔子陪侍哀公坐着,说:"儒者的德行就像筵席上的珍宝,等待着诸侯的聘用;早起晚睡地努力学习,等待着别人的询问;心怀忠信,等待着别人的举荐;身体力行,等待着别人的录取。儒者的修身自立有如此者。

"儒有衣冠中①,动作慎;其大让如慢②,小让如伪③;大则如威,小则如愧。④其难进而易退也⑤,粥粥⑥若无能也。其容貌有如此者。

[注释]

①衣冠中(zhòng):穿衣戴帽合乎要求。②大让:在大事情上的谦让。如让国、让天下。如慢:如同傲慢似的。③小让:在小事情上的谦让。如饮食、升降之让。如伪:好像矫情似的。④大则如威二句:郑玄注:"如威、如愧,如有所畏。"意谓无论是处理大事还是处理小事,都是战战兢兢,如履薄冰似的。⑤其难进而易退也:让他们去争取点什么有点难办,让他们放弃点什么倒是比较容易。⑥粥粥:卑谦貌。

[译文]

"儒者的衣冠和寻常人一样,做事非常谨慎;在大事情上的谦让,让人觉得有傲慢之感;在小事情上的谦让,让人觉得有做作之感;在处理大问题时,战战兢兢,如履薄冰;在处理小问题时,毫不马虎,好像心中有愧。让他们去争取点什么有点难办,让他们放弃点什么倒比较容易,自卑谦让得像是无能之辈。儒者的容貌有如此者。

"儒有居处齐难①,其坐起恭敬;言必先信②,行必中正③;道途不争险易之利④,冬夏不争阴阳之和⑤;爱其死⑥以有待也,养其身以有为也。其备豫⑦有如此者。

[注释]

①齐难(zhāi nǎn):与下文的"恭敬"是同义词。齐,通"斋"。难,

王引之说通"慗",《说文》:"慗,敬也。"②先信:以诚信为先。③中(zhòng)正:合乎正道,合乎规矩。④险易之利:指路途的难走好走带来的方便。⑤冬夏不争阴阳之和:意谓夏天不与人争阴凉处,冬天不与人争太阳地儿。⑥爱其死:惜其死。与下文的"养其身"同义。⑦备豫:此谓考虑问题能瞻前顾后。

[译文]

"儒者的日常生活相当严肃,其一起一坐都恭恭敬敬,说话一定要讲究信用,做事一定要讲究公正。在路上不因路的好走难走这等小事就和别人争吵,冬天不和别人争有太阳的地方,夏天不和别人争阴凉的地方。这样做的目的,是为了爱惜生命以等待时机,养精蓄锐以备有所作为。儒者瞻前顾后有如此者。

"儒有不宝金玉①,而忠信以为宝;不祈②土地,立义以为土地;不祈多积③,多文④以为富。难得而易禄也⑤,易禄而难畜⑥也。非时不见⑦,不亦难得乎?非义不合⑧,不亦难畜乎?先劳而后禄⑨,不亦易禄乎?其近人⑩有如此者。

[注释]

①不宝金玉:不以金玉为宝。②不祈:不贪图。③积:谓积累财富。④文:孙希旦说是"《诗》、《书》六艺之文"。果然,则如今日所谓之"书本知识"。⑤难得:谓儒者难以得到,难以邀请出山。易禄:轻视高官厚禄。⑥难畜:难以畜养,留不住。⑦非时不见(xiàn):不是能够作为的时候,就不出山。⑧非义不合:不尊重儒者的正确意见,他就辞职不干。⑨先劳而后禄:先说工作而后说报酬。⑩近人:接人待物。

[译文]

"在儒者的心目中,金玉并不值得宝贵,忠信才值得宝贵。他们不祈求土地,树立起道义就是他们的土地;他们不祈求多有积蓄,多掌握知识就是他们的财富。请他们出来做官很困难,因为他们不在乎高官厚禄;因为他们不在乎高官厚禄,就是请出来也难长期留住。不是可以有所作为的时候,就隐居不仕,这难道不是很难请出来做官吗?即使出仕,如果国君不尊重他的正确意见,他就辞职不干,这难道不是很难长期留住吗?他们先说工作而后说俸禄,这难道不是并不在乎俸禄吗?儒者待人接物有如此者。

"儒有委①之以货财,淹之以乐好②,见利不亏其义;劫之以众③,沮之以兵④,见死不更其守⑤;鸷虫攫搏⑥,不程勇者⑦;引⑧重鼎,不程其力⑨;往者不悔,来者不豫;⑩过言不再⑪,流言不极⑫;不断其威,不习其谋⑬。其特立⑭有如此者。

[注释]

①委:积聚。②淹之以乐好:谓不间断地用声色犬马去诱惑儒者。③劫之以众:谓用人多势众去胁迫他。④沮之以兵:用武器来恐吓他。⑤更:改变。守:指信仰。⑥鸷虫:猛鸟猛兽。攫搏:(与猛鸟猛兽)搏斗。⑦不程勇者:王引之说,当作"不程其勇"。意谓也不估量一下自己的本领咋样。⑧引:犹举也。⑨不程其力:不自量力。⑩往者不悔二句:认准了的事,做过之后从不后悔;尚未做的也不考虑过多。⑪过言不再:说错的话不再说。⑫不极:谓不穷追流言从哪里来。⑬不习其谋:俞樾说:"习之言重(chóng)也。不习其谋,犹不重其谋。言谋定则行,不重习也。"然则意谓拿定主意的事,说干就干,不优柔寡断。⑭特立:特立独行。

[译文]

"有些儒者,即使把许多金银财宝赠送给他,即使用声色犬马去引诱他,他也不会见利而忘义;即使用人数众多来威胁他,用武器来恐吓他,他宁愿去死也不会改变节操;和邪恶势力作斗争,他也不估量一下自己的本领;领受艰巨的任务,他也不估量一下自己的能耐,只要认准了就坚决去做;认准了的事,做过了从不后悔,尚未做的也不考虑那么多;说错了的话就不再说,对于流言飞语也不去穷究;时刻保持威严,拿定主意的事说干就干,绝不优柔寡断。儒者做事与众不同有如此者。

"儒有可亲而不可劫也，可近而不可迫也，可杀而不可辱也。其居处不淫①，其饮食不溽②，其过失可微辨而不可面数也③。其刚毅有如此者。

[注释]

①淫：谓奢侈豪华。②溽：谓追求滋味。③微辨：在私下予以指出。面数：当面数落。

[译文]

"儒者可以亲密而不可以威胁，可以亲近而不可以强迫，可以杀头而不可以羞辱。儒者住处不讲究豪华，儒者的饮食不讲究丰厚，儒者的过失可以委婉地批评而不可以当面责备。儒者刚毅有如此者。

"儒有忠信以为甲胄①，礼义以为干橹②；戴仁而行，抱义而处；③虽有暴政，不更其所④。其自立有如此者。

[注释]

①忠信以为甲胄：以忠信为甲胄。甲胄，铠甲和头盔。②干橹：干和橹都是盾牌，区别在于干小而橹大。干橹和上文的甲胄，都是自卫的武器。③戴仁而行二句：这两句话是互文，应当理解作"戴仁抱义而行，抱义戴仁而处"，意谓无论是行走，还是驻足休息，须臾离不开仁义。④不更其所：不改变其所守。所守，指仁义。

[译文]

"儒者把忠信当做甲胄，把礼义当做盾牌；无论是出门，或者是在家，都时时刻刻谨守着仁义；即使受到暴政的迫害，也不改变自己的操守。儒者在操守上的自立有如此者。

"儒有一亩之宫①，环堵②之室，筚门圭窬③，蓬户瓮牖④；

易衣而出⑤，并日而食⑥，上答之不敢以疑⑦，上不答不敢以谄⑧。其仕⑨有如此者。

[注释]

①一亩之宫：一亩大小的院子。宫，院子四周的围墙。②环堵：四周环绕着每面一丈高的土墙。形容狭小、简陋的居室。堵，古代筑墙的计量单位名。古以版筑法筑土墙，一版之长，五版之高，为一堵。③筚门：用荆条或竹枝编织成的门。圭窬（yú）：在墙上打出的圭形门洞。圭之形，上锐下方。④蓬户：用蓬草做成的门。瓮牖：用破瓮做成的窗户。⑤易衣而出：全家只有一件衣服，谁出门谁穿。易衣，轮换着穿衣。⑥并日而食：两天只吃一天的饭。⑦上答之不敢以疑：受到国君的赏识重用，不敢怀疑自己的才能不足。此用王夫之说。⑧谄：谄媚，奉迎巴结。⑨仕：做官。

[译文]

"尽管儒者的居住条件很差：宅院只有十步见方，住室四面的墙只有一堵高，在墙上打个圭形小洞就当做进进出出的门，门是用荆条和竹枝编织而成，有的门则是用蓬草编成，把破瓮嵌在墙上当做窗户。全家只有一套比较体面的衣服，谁出门谁穿。为了节约，两天只吃一天的粮食。受到上边的赏识重用，不敢怀疑自己的能力不足；受不到上边的赏识重用，也不敢谄媚以求进。儒者的做官态度有如此者。

"儒有今人与居，古人与稽；①今世行之，后世以为楷；适弗逢世②，上弗援，下弗推，谗谄之民有比党而危之者；③身可危也，而志不可夺也；④虽危⑤，起居竟信其志⑥，犹将不忘百姓之病⑦也。其忧思有如此者。

[注释]

①儒有今人与居二句：当读作"儒有与今人居，与古人稽"，意谓虽然与当代人生活在一起，但其言行却与古人吻合。②适弗逢世：生不逢时，命运乖舛。③上弗援三句：当国君的不说拉他一把，当部下的不说帮他一下，那些

说坏话、拍马屁的人还要勾结起来算计他。④身可危也二句：《论语·子罕》："子曰：'三军可夺帅也，匹夫不可夺志也。'"⑤虽危：虽然处境险恶。⑥起居竟信其志：一举一动还想着伸展自己的抱负。郑玄注："起居，犹举事动作。信，读如'屈伸'之伸，假借字也。"⑦病：痛苦。

[译文]

"儒者虽然和当代的人生活在一起，但他的言行却和古代的君子相合；他现在做的事情，后世将奉为楷模。命运乖舛，生不逢时，在上位的不说拉他一把，在下位的也不推荐一下，那些说坏话善拍马的家伙，还要勾结起来算计他。但这只能危害他的身体，却绝对改变不了他的志向。虽然处境险恶，一举一动还想着施展自己的抱负，还念念不忘老百姓的痛苦。儒者的忧民意识有如此者。

"儒有博学而不穷①，笃行而不倦；幽居而不淫②，上通而不困③；礼之以和为贵，忠信之美④，优游之法⑤；慕贤而容众⑥，毁方而瓦合⑦。其宽裕⑧有如此者。

[注释]

①不穷：谓不停止学习。②幽居而不淫：虽然一人独处，也不做邪辟之事。③上通而不困：虽然飞黄腾达，也不背离正道。参陈澔说。④忠信之美：即美忠信，以忠信为美德。⑤优游之法：即法优游。效法从容不迫。⑥慕贤而容众：不但见贤思齐，而且接纳一般民众。⑦毁方而瓦合：郑玄注："去己之大圭角，下与众人小合也。必瓦合者，亦君子为道不远人。"然则盖谓儒者不孤芳自赏，能与民众打成一片也。⑧宽裕：谓胸襟开阔。

[译文]

"儒者虽然已经博学，但仍然学习不止；虽然操行淳厚，但仍然力行不息。隐居独处时不做坏事，飞黄腾达时力行正道。礼的运用，以和为贵，以忠信为美德，效法和柔。既能推举贤人君子，又能容纳凡夫俗子；既有原则性，又有灵活性。儒者的胸襟宽阔有如此者。

"儒有内称不辟亲①，外举不辟怨；程功积事，推贤而进达之，不望其报；②君得其志③，苟利国家，不求富贵。其举贤援能有如此者。

[注释]

①内称不辟亲：意谓举荐贤能，只要他有真才实学，哪怕是自己的亲属也不回避。内，指亲属。称，举荐。辟，通"避"。②程功积事三句：意谓在充分考虑到被荐举者的才能和实际表现以后，才向国君举荐并使之得到任用。但这并不是为了得到对方的回报。程功积事，谓程其功，积其事。③君得其志：只要国君实现了他的愿望。

[译文]

"有这样的一种儒者，他在向朝廷推举贤能时，只考虑被推举者有无真才实学，而不管他是否是自己的亲属，还是自己的仇人。在充分考虑到被推举者的业绩和才能以后，然后才向朝廷举荐并使之得到任用，但这并不是为了得到对方的回报。只要国君能因此而得遂其志，只要能为国家造福，自己并不希望得到什么赏赐。儒者推举贤能有如此者。

"儒有闻善以相告也，见善以相示也，爵位相先①也，患难相死②也；久相待也③，远相致也④。其任举⑤有如此者。

[注释]

①相先：郑玄注："犹相让也。"②患难相死：灾难临头，争先恐后地赴死。③久相待也：郑玄注："久相待，谓其友久在下位不升，己则待之乃进也。"④远相致也：谓己得明君而仕，而朋友在远方他国不得志，则要设法将朋友招来一同出仕。⑤任举：保举和推荐。

[译文]

"有这样一种儒者，他在对待朋友的问题上，听到了有益的话便要告诉他，见到了有益的事便要指给他。爵位有了空缺，首先考虑到朋友；灾祸临头，首先考虑自己献身。朋友长期不得志，自己就不单独出来做官；如果朋友是在远方他国不得志，自己也要设法把他招来一同出仕。儒者对待朋友有如此者。

"儒有澡身而浴德①，陈言而伏②，静而正之③；上弗知也④，粗而翘之，又不急为也；⑤不临深而为高，不加少而为多；⑥世治不轻，世乱不沮；⑦同弗与，异弗非也。⑧其特立独行⑨有如此者。

[注释]

①澡身而浴德：洁身自好，注意品德修养。②陈言而伏：向国君陈说其言而伏听君命。③静而正之：谓不露痕迹地向国君进谏。④上弗知也：国君不理会自己的进谏。⑤粗而翘之二句：郑玄注："粗，犹疏也，微也。君不知己有善言正行，则观色缘事而微翘发其意使知之，又必舒而脱脱焉。己为之疾，则君纳之速；君纳之速，怪妒所由生也。"盖谓察言观色，在适当的时候再提醒国君，又不能操之过急。否则又会产生副作用。⑥不临深而为高二句：郑玄注："不临深而为高，临众不以己位尊自振贵也。不加少而为多，谋事不以己小胜自矜大也。"⑦世治不轻二句：遇到盛世，不自惭形秽；遇到乱世，不放弃信念。⑧同弗与二句：对观点相同的人不随便吹捧，对观点不同的人不妄加非议。与：赞扬。⑨特立独行：孙希旦说："前言'特立'，以行己言；此言'特立独行'，以事君言也。"

[译文]

"有这样一种儒者，他洁身自好，重视道德修养。陈述己言，伏听君命，安静地恪守臣道。如果国君对自己的善言未加重视，就在适当的时候委婉地加以提醒，但又不可操之过急。不在地位较低的人面前自高自大，不在功劳较少的人面前自夸功高。遇到盛世，不自惭形秽；遇到乱世，也不放弃信念。对观点相同的人不随便吹捧，对观点不同的人不妄加非议。儒者品德的不同一般有如此者。

"儒有上不臣天子，下不事诸侯；慎静而宽①，强毅以与人②，博学以知服③；近文章④，砥厉廉隅⑤；虽分国，如锱铢，⑥不臣不仕。其规为⑦有如此者。

[注释]

①慎静而宽：《唐石经》作"慎静而尚宽"，诸本多从之。尚宽，崇尚宽大。②以：连词，用同"而"。下同。与人：称许他人。与，称许。句意谓性格强毅而能从善如流。③博学以知服：学问渊博而能服膺胜于己者。④近文章：盖谓多读圣经贤传。⑤砥厉廉隅：磨炼品行气节。⑥虽分国二句：郑玄注："虽分国，如锱铢，言君分国以禄之，视之轻如锱铢矣。"然则颇有粪土万户侯之意。锱铢（zī zhū）：古代重量单位。六铢等于一锱，四锱等于一两。形容微小。⑦规为：方正的行为。

[译文]

"有这样一种儒者，他上不臣事天子，下不侍奉诸侯。性情慎静而崇尚宽大，性格强毅而能从善如流，学问渊博而能服膺胜于己者。多读圣贤之书，以磨炼自己的品行气节。即使是要把整个国家分给他，在他看来也不过是芝麻般的小事而不为动心，不会因此就出来称臣做官。儒者的行为方正有如此者。

"儒有合志同方①，营道同术②；并立③则乐，相下不厌④；久不相见，闻流言不信⑤；其行本方立义⑥，同而进，不同而退。⑦其交友有如此者。

[注释]

①合志同方：志同道合。②营道同术：做学问的路子相同。术，道路。③并立：彼此都取得了成就。④相下：彼此有了差距。不厌：不嫌弃。⑤闻流言不信：郑玄注："不信其友所行如毁谤也。"⑥其行本方立义：他们的行为基础建立在方正和道义上。⑦同而进二句：有此相同基础者，就进而结交；没有此共同基础者，就退而远之。

[译文]

"有这样一种儒者，和朋友志同道合，做学问的路子也一样；

彼此皆有成就则皆大欢喜，彼此有了差距也互不嫌弃；彼此久不相见，如果听到了有关对方的流言飞语，也绝不相信。友谊的基础建立在方正、道义上，合乎这一点就是朋友，违背这一点就敬而远之。儒者的交友有如此者。

"温良者，仁之本也；敬慎者，仁之地①也；宽裕②者，仁之作③也；孙接④者，仁之能⑤也；礼节者，仁之貌⑥也；言谈者，仁之文⑦也；歌乐⑧者，仁之和也；分散⑨者，仁之施也。儒皆兼此而有之，犹且不敢言仁也。其尊让有如此者⑩。"

[注释]

①地：落脚点。②宽裕：胸襟开阔。③作：发作。④孙接：谦逊地接人待物。孙，同"逊"。⑤能：才能。⑥貌：外表。⑦文：文采。⑧歌乐（yuè）：音乐。⑨分散：谓有福同享。⑩其尊让有如此者：郑玄注："此兼上十有五儒，盖圣人之儒行也。孔子嫌若斥己，假仁以为说。仁，圣之次也。"

[译文]

"温厚善良是仁的根本，恭敬谨慎是仁的落脚点，胸襟广阔是仁的发扬，谦逊待人是仁的能力，礼节是仁的外表，言谈是仁的文采，唱歌跳舞是仁的和谐，有福同享是仁的施行。儒者具备了上述的种种美德，尚且不敢说自己合乎仁。儒者的重视谦让有如此者。

"儒有不陨获①于贫贱，不充诎②于富贵，不恩君王，不累长上，不闵有司③，故曰'儒'。今众人之命儒也妄，常以儒相诟病。④"

[注释]

①陨获：困顿失志的样子。②充诎：欢喜失节的样子。③不恩（hùn）君王三句：郑玄注："恩，犹辱也。累，犹系也。闵，病也。言不为天子、诸侯、卿、大夫、群吏所困迫而违道。孔子自谓也。"④今众人之命儒也妄二

句：现在许多人自命为儒但却有名无实，所以儒者才常常遭到羞辱。

[译文]

"儒者不因贫贱而困顿失志，不因富贵而骄奢失节，不因为国君的侮辱、卿大夫的掣肘、官员们的刁难而改变节操，所以才叫做'儒'。现在很多人自命为儒但却有名无实，所以才往往被作为笑料来讲。"

孔子至舍①，哀公馆之②，闻此言也，言加信③，行加义④："终没吾世，不敢以儒为戏。"

[注释]

①孔子至舍：此谓孔子回到鲁国。②哀公馆之：哀公将孔子安排在宾馆中。③言加信：对儒者的话更加相信。④行加义：对儒者的行为更加赞许。

[译文]

孔子从国外返回鲁国，鲁哀公在宾馆里接见了他，听了孔子的这一席话，对儒者的话更加相信，对儒者的行为更加看重，并且说："我这一辈子，再也不敢拿儒者来开玩笑了。"

大学第四十二

[题解]

郑玄《三礼目录》云:"名曰《大学》者,以其记博学可以为政也。"在郑玄那里,"大"是"博"的意思,大学即博学。宋代学者则不然。朱熹《大学章句序》:"《大学》之书,古之大学所以教人之法也。"把大学看做与小学相对的教育机构。本文择善而从,此处采用郑说。本篇为朱熹所编《四书》之一。

大学之道,在明明德,在亲民,在止于至善。①知止而后有定②,定而后能静③,静而后能安④,安而后能虑⑤,虑而后能得⑥。物有本末,事有终始,知所先后,则近道⑦矣。

[注释]

①大学之道四句:意谓博学的目的有三,一是彰明自身的光明之德,二是亲爱民众,三是将以上二事做到至善的境界。司马光曰:"明明德,所以修身也。亲民,所以治天下国家也。君子学斯二者,必至于尽善然后止。"②知止而后有定:知道了止于至善这个目标才会志有定向。③静:朱熹说:"谓心不妄动。"犹今云心无杂念。④安:司马光说:"安者,学而时习之也。"⑤虑:司马光说:"虑者,专精致思以求之也。"⑥得:谓达到至善境界。⑦道:即上文的"大学之道"。

[译文]

大学的宗旨在于彰明自身的光明之德,在于亲爱民众,在于使自己达到至善的境界。知道达到至善的境界而后才能确定志向,确定了志向才能心无杂念,心无杂念才能专心致志,专心致志才能虑事周详,虑事周详才能达到至善。万物都有其本末,凡事都有其终始。知道了应该先做什么,后做什么,那就接近于大学的宗旨了。

古之欲明明德于天下者①,先治其国;欲治其国者,先齐②其家;欲齐其家者,先修③其身;欲修其身者,先正其心④;欲正其心者,先诚其意;欲诚其意者,先致其知⑤。致知在格物⑥。物格而后知至⑦,知至而后意诚,意诚而后心正,心正而后身修,身修而后家齐,家齐而后国治,国治而后天下平。自天子以至于庶人,壹是⑧皆以修身为本,其本乱而末治者否矣⑨。其所厚者薄,而其所薄者厚,未之有也。⑩此谓知本,此谓知之至⑪也。

[注释]

①古之欲明明德于天下者:孔颖达说:"言欲章明己之明德,使遍于天下者。"②齐:治理。③修:修理,整治。④心:朱熹说:"心者,身之所主也。"⑤知:郑玄注:"知,谓知善恶吉凶之所终始也。"盖谓知道所以善有善报、恶有恶报之理。⑥格物:郑玄注:"格,来也。物犹事也。其知于善深则来善物,其知于恶深则来恶物,言事缘人所好来也。"盖谓善恶报应之不爽。⑦知至:善恶能够辨别。⑧壹是:一概。⑨本:指修身。末:指齐家、治国、平天下。⑩其所厚者薄三句:比喻本应下大力气的地方却没有下,而本应不下什么力气的却下大力气,这样做而希望得到好的结果,是没有的事。⑪知之至:最高的智慧。

[译文]

古代的想要把自己的光明之德推广于天下的人,首先要治理好自己的国家；要治理好自己的国家，就要先整顿好自己的家庭；要整顿好自己的家庭，就要先修养好自身的品德；要修养好自身的品德，就要先端正内心；要端正内心，就要先意念真诚；要意念真诚，就要先知道什么是善恶吉凶。行善则有善报，行恶则有恶报。报应的不爽才能使其辨别善恶，能辨别善恶才能使其意念真诚，意念真诚才能使内心端正，内心端正才能使品德好生修养，品德好生修养才能使家庭整顿得好，家庭整顿得好才能使国家得到治理，国家得到治理才能使天下太平。上自天子，下至普通百姓，都要把修养自身品德的问题当做根本问题来抓，这个根本问题没有抓好，而要使家庭、国家、天下的问题解决好，那是不可能的。该下力气的地方没有下，不该下力气的地方却下了力气，这样做而希望得到好的结果，也是没有的事。这就叫做知道根本，这就叫做最高的智慧。

所谓诚其意者，毋自欺也。如恶恶臭①，如好好色②，此之谓自谦③。故君子必慎其独也。小人闲居为不善，无所不至，见君子而后厌然④，掩其不善而著其善⑤。人之视己，如见其肺肝然，则何益矣！⑥此谓诚于中，形于外，故君子必慎其独也。

[注释]

①如恶（wù）恶臭（xiù）：就像厌恶难闻的气味。②如好（hào）好色：就像喜欢漂亮的女人。③自谦（qiè）：朱熹注："自快足于己。"谦，通"慊"，满足。④厌（yǎn）然：掩饰真相的样子。厌，通"黶"，闭藏貌。⑤掩其不善而著其善：掩盖他做过的坏事而宣扬他做过的好事。⑥人之视己三句：任何一个人对自己干的是好事或者坏事，自己心里最清楚，瞒过别人瞒不过自己，掩饰或者宣扬有什么好处呢？

[译文]

所谓意念真诚，就是不要自己欺骗自己。这就好比厌恶臭秽的气味而嘴上不讲,又好比喜欢漂亮的女人而佯装讨厌,这叫做自我掩饰。所以君子一定谨慎自己的独处。小人在一人独处时做起坏事来,什么坏事都做得出来,只有在见到君子时才躲躲藏藏,掩盖他做过的坏事,炫耀他做过的好事。可是在他人看来,就如同见到了他的五脏六腑那样清清楚楚,这样做又有什么好处呢?这就叫做内心有什么想法,必然要从行动上表现出来,所以君子一定要谨慎自己的独处。

曾子曰:"十目所视,十手所指,其严乎!"① 富润屋,德润身,心广体胖,②故君子必诚其意。

[注释]

①曾子曰四句:(尽管你是一人独处,但要想到)众多的眼睛在看着你,众多的指头在指着你,多么让人敬畏啊! ②富润屋三句:郑玄注:"胖(pán),犹大也。三者言有实于内,显见于外。"大意谓:人的贫富可以从其住所看得出来,人的道德水平可以从其行动看得出来,人的心胸宽广与否可以从其身体舒泰与否上看得出来。

[译文]

曾子说过:"很多眼在看着你,很多手在指着你,这多么让人敬畏啊!"人的贫富可以从其住室看得出来,人的道德可以从其行动看得出来,心胸宽广自然身体舒泰,所以君子一定要意念真诚。"

《诗》云:"瞻彼淇澳,菉竹猗猗。有斐君子,如切如磋,如琢如磨。瑟兮僩兮,赫兮喧兮。有斐君子,终不可谖兮!"①"如切如磋"者,道学也②;"如琢如磨"者,自修也③;"瑟兮僩兮"者,恂栗也④;"赫兮喧兮"者,威仪也;"有斐君子,终不可喧兮"者,道盛德至善,民之不能忘也。

[注释]

①《诗》云九句:见《卫风·淇奥》,有个别文字与今本《诗经》不同。

淇：水名。澳（yù）：弯曲的河岸。菉竹：草名。即荩草。一名王刍。其叶片似竹，故名。猗猗（yī）：茂盛的样子。有斐：即斐斐，有文采的样子。据《尔雅·释器》，对骨头进行加工叫做切，对象牙进行加工叫做磋，对玉进行加工叫做琢，对石头进行加工叫作磨。瑟：矜持端庄的样子。僩（xiàn）：威武的样子。咺：通"宣"，坦荡的样子。諠：今《诗》作"谖"，又作"萱"，忘记。②道学也：是说君子的研究学问。③自修也：是说君子的自我修养。④恂栗也：是说君子的外貌严厉。

[译文]

《诗经》上说："看那弯弯的淇水岸边，菉竹郁郁葱葱。有位风度高雅的君子，好像切磋过的象牙，好像琢磨过的美玉。庄严而又威武，显赫而又坦荡。风度高雅的君子，教人始终难忘。""如切如磋"是说君子的研究学问，"如琢如磨"是说君子的修养品德，"瑟兮僩兮"是说君子的内心恭敬戒惧，"赫兮喧兮"是说君子的外表威严，"有斐君子，终不可諠兮"是说君子的道德尽善尽美，让老百姓难以忘怀。

《诗》云："於戏前王不忘！"①君子贤其贤而亲其亲，小人乐其乐而利其利，此以没世不忘也。②

[注释]

①《诗》云句：见《周颂·烈文》。於戏：感叹词，音义俱同"呜呼"。前王不忘：先王的美德使人难忘。②君子贤其贤而亲其亲三句：这三句是解释为什么"前王不忘"的。因为君子从先王那里尊重贤人和热爱亲人，小人从先王那里享受到快乐和得到实惠，因此才到死不忘。

[译文]

《诗经》上又说："呜呼！先王的美德使人难忘。"君子从先王那里学到了尊重贤人和热爱亲人，小人从先王那里享受到快乐和得到实惠，因此，在先王去世以后，无论是谁都对他念念不忘。

《康诰》曰:"克明德。"①《大甲》曰:"顾諟天之明命。"②《帝典》曰:"克明峻德。"③皆自明也④。

[注释]

①《康诰》:《尚书·周书》篇名。据说为周公封康叔而作。克:能够。②《大甲》:《尚书·商书》篇名,有上中下三篇。据说为伊尹告诫殷高宗大甲而作。大,读作"太"。顾諟(shì):据郑玄注:"顾,念也。諟,犹正也。"犹今言关注并端正。天之明命:犹言天赐予你之明德。③《帝典》:指《尧典》,《尚书·虞书》篇名。峻德:大德。④皆自明也:意谓以上三句引经据典,讲的都是勉励人君要自明己德啊。

[译文]

《康诰》上说:"文王能彰明德行。"《大甲》上说:"你应当关注上天赋予你的光明德行。"《尧典》上说:"帝尧能够彰明崇高的道德。"说的都是人君要自明其德。

汤之《盘铭》曰:"苟日新,日日新,又日新。"①《康诰》曰:"作新民②。"《诗》曰:"周虽旧邦,其命惟新。"③是故君子无所不用其极④。《诗》云:"邦畿千里,惟民所止。"⑤《诗》云:"缗蛮黄鸟,止于丘隅。"⑥子曰:"于止⑦,知其所止,可以人而不如鸟乎?"《诗》云:"穆穆文王,於缉熙敬止!"⑧为人君,止于仁⑨;为人臣,止于敬;为人子,止于孝;为人父,止于慈;与国人交,止于信。

[注释]

①汤之《盘铭》曰四句:商汤在他的洗澡盘子上镌刻着自勉的铭文:"如果每日都能够洗去身上的污垢,使身体焕然一新,就能够日日自新,每日自新。"表面上说的是身体的自新,实际上隐含着精神上的自新。②作新民:谓鼓励殷人化纣恶俗,使弃恶从善,重新做人。③《诗》曰二句:见《大雅·文王》。意谓周虽然本来是殷的诸侯国,但已经接受天命取代殷商成为新朝的天子。④是故君子无所不用其极:朱熹注:"自新、新民,皆欲止于至善

也。"⑤《诗》云二句：见《商颂·玄鸟》。意谓天子辖地千里，都是百姓安居之所。邦畿：王城及其所属周围千里的地域。⑥《诗》云二句：见《小雅·缗蛮》。意谓小小的黄鸟，止息在山角。缗蛮：毛传："小鸟貌。"黄鸟：鸟名。⑦于止：鸟止息于何处。于鬯说："于，盖'乌'字之误，乌初误为'鸟'，而鸟又写作'於'耳。於者，'乌'之古文也。"⑧《诗》云二句：见《大雅·文王》。穆穆：毛传："美也。"文王：周文王。於（wū）：叹美声。缉熙：郑玄注："光明也。"止：本是语尾助词，无义。此处断章取义，作为"止息"讲。所以郑玄说："此美文王之德光明，敬其所以自止处。"⑨止于仁：字面意思是止息于仁，深层意思是要把"仁"字做到止于至善的地步。下文的"止于敬"、"止于孝"、"止于慈"、"止于信"，都当作如是解。

[译文]

商汤的《盘铭》上说："如能一日自新，就能日日自新，每日自新。"《康诰》上说："要洗心革面，重新做人。"《诗经》上说："姬周虽然原来是殷商的诸侯国，但已受天命取代殷商为天子。"所以君子在日新其德方面是十分努力的。《诗经》上说："天子辖地千里，皆是百姓所居。"《诗经》上又说："黄鸟声声鸣，止息在山麓。"孔子说："鸟儿的止息，都知道应该止息于何处，难道人反而不如鸟吗？"《诗经》上说："端庄恭敬的文王啊！光明磊落，知其所当自处。"当国君的，要达到仁的境界；当臣子的，要达到敬的境界；当子女的，要达到孝的境界；当父母的，要达到慈的境界；与国人交往，要达到信的境界。

子曰："听讼，吾犹人也，必也使无讼乎！"①无情者不得尽其辞，大畏民志。②此谓知本③。

[注释]

①子曰三句：见《论语·颜渊》。意谓孔子说："审理案件，我和别人差不多；一定要说有什么不同的话，那就是我想让案件从根本上不再发生。"②无情者不得尽其辞二句：让没有真凭实据的一方不得肆意狡辩，让他们感到

非常胆怯心虚。郑玄注:"情,犹实也。大畏其心志,使诚其意,不敢讼。"③本:郑玄说:"本,谓诚其意也。"

[译文]

孔子说:"审理诉讼,我和别人差不多;一定要说有什么不同的话,那就是我想使诉讼从根本上不再发生。"要使无理的一方不敢凭借狡辩取胜,德行张大到使民众从内心敬畏。这就叫做知道事情的根本。

所谓修身在正其心者:身有所忿懥,则不得其正;有所恐惧,则不得其正;有所好乐,则不得其正;有所忧患,则不得其正。①心不在焉②,视而不见,听而不闻,食而不知其味。此谓修身在正其心。

[注释]

①身有所忿懥(zhì)八句:朱熹注:"程子曰:'身有'之身当作'心'。忿懥:怒也。盖是四者,皆心之用而人所不能无者。然一有之而不能察,则欲动情胜,而其用之所行,或不能不失其正矣。"总而言之,心要时刻保持平常态,一动感情,心就不得其正。②心不在焉:字面意思是如果心不在其位。承上文,意谓如果心不得其正。"心不在焉"是条件,"视而不见"三句是结果。

[译文]

所谓要修养好自身的品德首先要端正内心:是因为自身有所愤怒,内心就不能端正;自身有所恐惧,内心就不能端正;自身有所嗜好,内心就不能端正;自身有所忧患,内心就不能端正。当你心不在焉的时候,就会视而不见,就会听而不闻,就会吃东西不知道滋味。这就叫做要修养好自身的品德首先要端正内心。

所谓齐其家在修其身者:人之其所亲爱而譬焉①,之其所贱恶而辟焉，之其所畏敬而辟焉，之其所哀矜而辟焉，之其所敖惰②而辟焉。故好而知其恶，恶而知其美者，③天下鲜矣！故谚有之曰："人莫知其子之恶，莫知其苗之硕。"④此谓身不修不可以齐其家。

[注释]

①人之其所亲爱而辟焉：人对于其所亲爱的人的看法往往会有所偏颇。辟，一本作"僻"。朱熹注："之，犹于也。辟，读为僻。僻，犹偏也。"下文"之其所贱恶而辟焉"等四句，与此同理。这是人之常情，不难理解。②敖惰：傲慢怠惰。犹今言瞧不起。敖，通"傲"。③故好而知其恶二句：与《曲礼上》的"爱而知其恶，憎而知其善"异曲同工。④故谚有之曰两句：没有一个人知道自己儿子的毛病，没有一个人认为他种的庄稼已经长得够好了。恶、硕押韵，二字古音同在铎部。朱熹注："谚，俗语也。溺爱者不明，贪得者无厌，是则偏之为害，而家之所以不齐也。"

[译文]

所谓要整顿好家庭首先要修养好自身：是因为人的看法往往对自己所亲爱的人会有所偏颇，对自己所厌恶的人会有所偏颇，对自己所敬畏的人会有所偏颇，对自己所怜悯的人会有所偏颇，对自己所轻视的人会有所偏颇。所以，喜爱一个人而能知道他的缺点，厌恶一个人而能知道他的优点，世上少有。所以有句谚语说："没有一个人知道自己儿子的毛病，没有一个人认为他的庄稼长得已经够好了。"这就叫做自身的修养不搞好，也就难以整顿好家庭。

所谓治国必先齐其家者，其家不可教而能教人者，无之。故君子不出家而成教于国：孝者，所以事君也；①弟者，所以事长也；②慈者，所以使众也。③《康诰》曰："如保赤子④。"心诚求之，虽不中不远矣⑤。未有学养子而后嫁者也。一家仁，一国兴仁；⑥一家让，一国兴让；一人⑦贪戾，一国作乱。其机⑧如此。

此谓一言偾事，一人定国。⑨尧、舜率天下以仁，而民从之；桀、纣率天下以暴，而民从之。其所令反其所好，而民不从。⑩是故君子有诸己而后求诸人⑪，无诸己而后非诸人⑫。所藏乎身不恕，而能喻诸人者，未之有也。⑬故治国在齐其家。《诗》云："桃之夭夭，其叶蓁蓁。之子于归，宜其家人。"⑭宜其家人，而后可以教国人。《诗》云："宜兄宜弟。"⑮宜兄宜弟，而后可以教国人。《诗》云："其仪不忒，正是四国。"⑯其为父子兄弟足法，而后民法之也。此谓治国在齐其家。

[注释]

①孝者二句：家庭中的孝，可以移来侍奉君主。《说文》："孝，善事父母者。"②弟（tì）者二句：家庭中的悌，可以移来侍奉官长。弟，通"悌"，顺从和敬爱兄长。③慈者二句：家庭中的慈，可以移来使唤百姓。慈：仁慈。④如保赤子：如同爱护婴儿那样。⑤虽不中（zhòng）不远矣：虽然不能完全做到，但也差不多。中，及。⑥一家仁二句：国君一家讲究仁爱，就会影响到全国讲究仁爱。⑦一人：谓国君一人。⑧机：关键。⑨此谓一言偾（fèn）事二句：这叫做国君一言不慎就会坏事，国君一人做到齐家就能使国治。偾：败坏。⑩其所令反其所好二句：国君命令大家做到的与国君自己喜好的不一致，老百姓就不会听从。郑玄注："言民化君行也。君若好货而禁民淫于财利，不能止也。"⑪有诸己而后求诸人：好事，自己首先做到了，然后才能要求别人做到。⑫无诸己而后非诸人：毛病，自己首先没有，然后才能批评别人。⑬所藏乎身不恕三句：自己身上看不出一点恕的影子，而能晓谕别人什么是恕，这是从来没有的事。恕：己所不欲，勿施于人。⑭《诗》云四句：见《周南·桃夭》。夭夭：美好的样子。蓁蓁（zhēn）：茂盛的样子。之子：即是子。此指出嫁的女子。妇人谓嫁曰归。宜其家人：能使其婆家家人和顺。⑮《诗》云句：见《小雅·蓼萧》。⑯《诗》云二句：见《曹风·鸤鸠》。意谓自己的仪容没有偏差，才被四方各国来效法。忒：偏差。正：榜样。

[译文]

所谓治理好国家首先要整顿好家庭，是因为自己的家人都不能管好而能管好别人的事是没有的。所以，如果每个君子都管好了自己的家人，那就等于管好了全体国民。家庭中的"孝"，可以移来侍奉君主；家庭中的"悌"，可以移来侍奉官长；家庭中的"慈"，可以移来爱护百姓。《康诰》上说："如同爱护婴儿那样。"只要诚心诚意去追求，虽然不能完全做到，但也差不多。没有先学会了养儿育女然后才出嫁的。国君一家讲究仁爱，整个国家就会讲究仁爱；国君一家讲究谦让，整个国家就会讲究谦让；国君一人贪暴，全国百姓就会作乱。事情的关键就是这样。这叫做国君一言不慎就会坏事，国君一人做到齐家就能使国治。尧、舜给天下做出仁爱的表率，天下的百姓也就跟着仁爱；桀、纣给天下做出残暴的表率，天下的百姓也就跟着残暴。如果君主说的是一套，而做的是又一套，百姓们就不会听从。所以，君子自己做到的才能要求别人做到，自己没有这种缺点才能批评别人。自己身上就看不出有什么仁爱的影子，却要教训别人做到仁爱，这是从来没有的事。所以说，治理好国家的前提是整顿好家庭。《诗经》上说："桃花多么好看，枝叶多么茂盛。这个姑娘出嫁，定会使全家和顺。"能够使全家和顺，然后才能教育国人。《诗经》上说："兄弟和睦相处。"兄弟能够和睦相处，然后才能教育国人。《诗经》上说："自己的言行如一不走样，才是四方各国的好榜样。"国君自己是个好的父亲、好的儿子、好的哥哥、好的弟弟，做出了榜样，然后百姓们才会效法他。这就叫做治理好国家首先要整顿好家庭。

所谓平天下在治其国者：上老老而民兴孝①，上长长而民兴弟②，上恤孤而民不倍③，是以君子有絜矩之道④也。所恶于上，毋以使下；⑤所恶于下，毋以事上；所恶于前，毋以先后；所恶于后，毋以从前；所恶于右，毋以交于左；所恶于左，毋以交于右。此之谓絜矩之道。《诗》云："乐只君子，民之父母。"⑥民之所好好之，民之所恶恶之，此之谓民之父母。《诗》云："节彼南山，维石岩岩。赫赫师尹，民具尔瞻。"⑦有国者不可以不慎，辟则为天下僇矣⑧。《诗》云："殷之未丧师，克配上帝。仪监于殷，峻命不易。"⑨道⑩得众则得国，失众则失国。

是故君子先慎乎德。有德此有人⑪，有人此有土⑫，有土此有财，有财此有用⑬。德者本也，财者末也。外本内末，争民施夺。⑭是故财聚则民散，财散则民聚。是故言悖而出者，亦悖而入；货悖而入者，亦悖而出。⑮《康诰》曰："惟命不于常！"⑯道善则得之，不善则失之矣。《楚书》曰："楚国无以为宝，惟善以为宝。"⑰舅犯曰："亡人无以为宝，仁亲以为宝。"⑱《秦誓》⑲曰："若有一介臣⑳，断断兮㉑无他技，其心休休㉒焉，其如有容㉓焉。人之有技，若己有之；人之彦圣㉔，其心好之，不啻若自其口出。实能容之，以能保我子孙，黎民尚亦有利哉！㉕人之有技，媢疾㉖以恶之。人之彦圣，而违之俾不通㉗。实不能容，以不能保我子孙，黎民亦曰殆哉㉘！"唯仁人放流之㉙，迸㉚诸四夷，不与同中国㉛。此谓唯仁人为能爱人，能恶人。见贤而不能举，举而不能先，命㉜也；见不善而不能退，退而不能远，过㉝也。好人之所恶，恶人之所好，是谓拂㉞人之性，菑必逮夫身㉟。是故君子有大道㊱，必忠信以得之，骄泰以失之。生财有大道㊲：生之者众，食之者寡，为之者疾，用之者舒，㊳则财恒足矣。仁者以财发身，不仁者以身发财。㊴未有上好仁而下不好义者也，未有好义其事不终者也，未有府库财非其财者也。㊵孟献子曰："畜马乘，不察于鸡豚；伐冰之家，不畜牛羊；百乘之家，不畜聚敛之臣。与其有聚敛之臣，宁有盗臣。"㊶此谓国不以利为利，以义为利也。长国家㊷而务财用者，必自小人矣。彼为善之㊸，小人之使为国家，菑害并至。虽有善者，亦无如之何矣！此谓国不以利为利，以义为利也。

[注释]

①上老老而民兴孝：只要国君尊老，国人就会孝顺成风。老老，第一个"老"字是名词的意动用法，即以老为老。②长长（zhǎng zhǎng）：以长者为长，即敬长。弟：通"悌"。③上恤孤而民不倍：只要国君体恤孤儿，国人就不会遗弃孤儿。倍：通"背"，背道而驰。④絜（xié）矩之道：作出表率的法则。郑玄说："絜，犹结也，挈也。君子有挈法之道，谓常执而行之，动作不失之。"⑤所恶于上二句：你所厌恶的上级的行为，就不要再用来对待你的下级。以下的五组同类句式，均可仿照此组来理解。其实质就是自己要首先作出表率。⑥《诗》云二句：与民同乐的君子，才是民之父母。⑦《诗》云四句：节：毛传："高峻貌。"岩岩：毛传："积石貌。"师尹：指西周的太师尹氏。民具尔瞻：国人都在看着你的一言一行。具，通"俱"。总的意思是，在上者人所瞻仰，言行不可不慎。⑧辟则为天下僇矣：郑玄注："邪辟失道，则有大刑。"僇：通"戮"，杀戮。⑨《诗》云四句：见《大雅·文王》，文字小异。意谓殷在纣王以前尚未丧失民众之心，所以能得到上帝保佑。及纣为恶，民怨神怒，以失天下。应该以殷代的兴亡为鉴，天之大命才不可改易。师：众也。仪：《诗》作"宜"。监：通"鉴"，镜子。峻：《诗》作"骏"，大也。⑩道：言。⑪有德此有人：国君有德就会有民众拥护。⑫有土：有国，得国。⑬有用：有国用。⑭外本内末二句：轻本重末，就会造成与民争利，发生抢夺。⑮是故言悖而出者四句：所以国君如果有违背正道的话出口，百姓也就会有违背正道的话传入其耳；国君的财货如果不是从正道取得，也就会从不是正道流失。⑯《康诰》曰句：天命并不总是保佑某一个人。⑰《楚书》曰二句：郑玄注："《楚书》，楚昭王时书也。言以善人为宝。时谓观射父、昭奚恤也。"⑱舅犯曰二句：朱熹注："舅犯，晋文公舅狐偃，字子犯。亡人：文公时为公子，出亡在外也。仁：爱也。事见《檀弓》。"⑲《秦誓》：《尚书》篇名。秦穆公派兵远道偷袭郑国，大臣劝阻不听，结果遭晋军伏击，大败而回。痛定思痛，乃作此篇。此处引文与《尚书》小异。⑳若：假如。一介：犹言一个。㉑断断兮：诚恳的样子。㉒休休：宽容乐善的样子。㉓其如有容：《尚书》孔传："其如是，则能有所容。言将任之。"㉔彦圣：美圣。据下文，盖指嘉言

懿行而言。㉕以能保我子孙二句：不仅能够保护我的子孙，而且百姓也能跟着沾光。㉖媢（mào）疾：嫉妒。㉗违之俾不通：（对于别人的美德）压着盖着，不让国君知道。㉘黎民亦曰殆哉：百姓也会感到危险。曰，句中助词，无义。㉙之：代词。指代上文的媢疾之人。㉚迸：朱熹注："犹逐也。"㉛不与同中国：不与媢疾之人同住中国。㉜命：郑玄注："命，读为慢，声之误也。举贤而不能使君以先己，是轻慢于举人也。"㉝过：错过，错误。㉞拂：违背。㉟菑：同"灾"，灾害。逮：及。㊱大道：孔颖达疏："大道，谓所由行孝悌仁义之大道也。"㊲大道：此指规律、方法。㊳生之者众四句：朱熹注引吕氏曰："国无游民，则生者众矣。朝无幸位，则食者寡矣。不夺农时，则为之疾矣。量入为出，则用之舒矣。"生之者：指生产者、劳动者。食之者：指享受劳动成果者。为之者：犹言干活时。用之者：犹言消费时。㊴仁者以财发身二句：朱熹注："发，犹起也。仁者散财以得民。不仁者亡身以殖货。"㊵未有上好仁而下不好义者也三句：郑玄注："言君行仁道，则其臣必义。以义举事，无不成者。其为诚然（按：谓其行为确实如此）如己府库之财为己有也。"㊶孟献子曰八句：郑玄注："孟献子，鲁大夫仲孙蔑也。畜马乘，谓以士初试为大夫也。伐冰之家，卿大夫以上，丧祭用冰。百乘之家，有采地者也。鸡豚、牛羊，民之所畜养以为财利者也。国家利义不利财。盗臣损财耳，聚敛之臣乃损义。"总的意思是，卿大夫之家，不应与民争利。所以，士初试为大夫之家就不关心自家养了多少小鸡、小猪；有资格用冰的卿大夫之家就不必畜养牛羊。有百乘兵车的大夫之家，就不要养活有本领聚敛财富的家臣。欲其养活聚敛之臣，还不如养活吃里扒外的盗臣。㊷长（zhǎng）国家：身为一国之长、一家之长。㊸彼为善之：朱熹注："此句上下，疑有阙文误字。"

[译文]

所谓平治天下的前提在于治理好自己的国家，是因为只要国君尊敬老人，国人就会孝顺成风；只要国君尊重长者，国人就会悌道成风；只要国君体恤孤幼，国人就不会遗弃孤幼。所以君子有絜矩之道。所厌恶上级的行为，就不再用来对待下级；所厌恶下级的行为，就不再用来对待上级；所厌恶前人的行为，就不再用来对待后人；所厌恶后人的行为，就不再用来对待前人；所厌恶在自己右边的人的行为,就不再用来对待在自己左边的人;所厌恶在自己左边的人的行为,就不再用来对待在自己右边的人。这就叫做絜矩之道。《诗经》上说:"与民同乐的君子,乃是民之父母。"老百姓喜欢什么自己就喜欢什么,老百姓讨厌什么自己就讨厌什么,这就叫做民之父母。《诗经》上说:"巍峨的南山啊,山石高又高。显赫的太师啊,万民齐瞩目。"治理国家的人不可以麻痹大意,出了问题就要受到天下人的惩罚。《诗经》上说:"殷商未曾丧失民心时,上帝还保佑。我们应该借鉴殷商灭亡的教训,上帝才会永远保佑。"讲的就是这样一个道理:得到民众就得到国家,失去民众就失去国家。

所以君子首先要考虑的是德行。有了德行就有了民众,有了民众就有了国土,有了国土就有了财富,有了财富就有了国用。德行是本,财富是末。轻本重末,就会从老百姓手上抢夺财富。所以说,国君聚敛财富,百姓就背离而去;国君布施财富,百姓就络绎而归。所以,国君既然有不中听的话出口,百姓就会有不中听的话进入其耳;国君的财货既然不是正道而得,也就会不从正道而失。《康诰》上说:"天命并不总是保佑某一个人。"意思是说,有好的德行就能得到它,没有好的德行就会失掉它。《楚书》上说:"楚国不把别的什么东西当做宝贝,只把德行当做宝贝。"舅犯说:"流亡者没有什么可以当做珍宝的,只有把珍视仁义作为珍宝。"《秦誓》上说:"假如有这样一位大臣,诚恳忠实,无他特长,但其品德高尚,心地宽厚,能够容人容物。别人有了什么本领,就好像他自己有了;别人的才能,别人的美德,他都衷心地赞美,不但口头上加以称道,而且还能包容推荐他们,这就使我的子孙黎民得到保护,也有利于国家。别人有了什么本领,他就嫉妒厌恶;别人的才能,别人的美德,他压着盖着不让国君知道,不能包容推荐,因而使我的子孙黎民不能得到保护,对国家也很危险。"只有仁爱的国君能够流放此辈嫉贤妒能之人，把他们驱逐到四夷，不和他们同居国中。这就是说，只有仁人才懂得要热爱什么样的人，厌恶什么样的人。见到贤人而不能推荐，推荐以后而不能重用，这是怠慢。见到坏人而不能斥退，斥退以后又不能流放远方，这是错误。喜欢人民所讨厌的，讨厌人民所喜欢的，这叫做违背人的本性，其结果势必灾祸临头。所以君子有一条治国大道，一定要忠信才能得到它，骄傲放纵就会失去它。生财有条大道，这就是干活的要多，吃饭的要少，生产效率要高点，消费速度要慢点，那么财富就永远充裕了。仁者把自己的财富分给别人，赢得令名；不仁者宁要财富，不要令名。没有听说过国君爱好仁而臣下却不爱好义的，也没有听说过臣下爱好义而事情却办不成的，也没有听说过臣下不把国家府库的财富当做自己的财富加以爱护的。孟献子说："畜马乘之家，就不必再计较养鸡养猪之利；伐冰之家，就不必再计较养牛养羊之利；百乘之家，就不该再养活一个专门敛财的部下。与其养活一个专门敛财的部下，还不如养活一个强盗做部下。"这就是说，国家不应该以利为利，而应该以义为利。当了国君而一心想着如何敛财，必定陷入小人行径。国君想要施行仁义，却让小人来管理国家，那就要闹到祸不单行、灾害并至的地步。到了这时候，即使有善人帮助，对此也无可奈何了。这就是说，国家不应该以利为利，而应该以义为利啊！

冠义第四十三

[题解]

郑玄《三礼目录》云:"名曰《冠义》者,以其记冠礼成人之义。"按《仪礼》有《士冠礼》,记冠礼的具体仪式,本篇则说明那些仪式的含义。

凡人之所以为人者,礼义也。礼义之始,在于正容体、齐颜色、顺辞令。①容体正,颜色齐,辞令顺,而后礼义备。以正君臣、亲父子、和长幼。君臣正,父子亲,长幼和,而后礼义立。故冠而后服备②,服备而后容体正、颜色齐、辞令顺。故曰:冠者礼之始也。是故古者圣王重冠。

[注释]

①在于正容体三句:郑玄称此三句为"三始"。②故冠而后服备:郑玄说:"服未备,未可求以三始。"按:人在未冠之前,穿的是童子服装,即《仪礼》所说的"采衣",并束发为髻。而在行过冠礼以后,就有了三套完整的成人服装,即爵弁服、皮弁服、玄端服(冠也包括在内)。

[译文]

人之所以成其为人,在于有礼义。礼义从哪里做起呢?应从举止得体、态度端庄、言谈恭顺做起。举止得体,态度端庄,言谈恭顺,然后礼义才算完备。以此来使君臣各安其位,父子相亲,长幼和睦。君臣各安其位，父子相亲，长幼和睦，然后礼义才算确立。所以说，只有行过冠礼以后才算服装齐备，服装齐备以后才能做到举止得体、态度端庄、言谈恭顺。所以说，冠礼是礼的开始。所以古时候的圣王很重视冠礼。

古者冠礼：筮日、筮宾，所以敬冠事。敬冠事所以重礼，重礼所以为国本也。故冠于阼，以著代也。醮于客位，三加弥尊，加有成也。① 已冠而字之，成人之道也。见于母，母拜之，见于兄弟，兄弟拜之，成人而与为礼也。玄冠玄端②，奠挚③于君，遂以挚见于乡大夫、乡先生④，以成人见也。成人之者，将责成人礼焉也。责成人礼焉者，将责为人子、为人弟、为人臣、为人少者之礼行焉。将责四者之行于人，其礼可不重与！

[注释]

①醮于客位三句，据《郊特牲》和《仪礼·士冠礼》，当作"醮于客位，加有成也；三加弥尊，谕其志也"。此处不但脱掉了"谕其志也"一句，而且句子前后顺序也有错乱。醮：冠礼中的一个仪式。即加冠之后，宾向冠者敬酒，冠者先祭酒，然后尝饮一口，礼成。三加：第一次加的是缁布冠，第二次加的是皮弁，第三次加的是爵弁。②玄端：一种礼服。即头戴玄冠，上身玄衣，下身黄裳。③奠挚：把见面礼放在地上。这是卑者见尊者之礼，表示不敢亲授。挚，俗作"贽"。④乡大夫：乡人之在朝为大夫者。乡先生：乡人居官之已退休者。

[译文]

古人在举行冠礼时，要先通过占筮选定吉日，通过占筮选择一位可以为子弟加冠的宾，以此来表示对加冠之事的重视。对加冠之事的重视也就体现了对礼的重视，对礼的重视体现了礼是治国的根本。在阼阶上为嫡子加冠，这表示嫡子是未来的继承人。在客位对冠者行醮礼，这表示他已受到了成人的尊重。三次加冠，一次比一次加的冠尊贵，这是要启发冠者立志向上。行过冠礼以后，对冠者要称字而不称名，这因为他已经是个成年人了。加冠以后去拜见母亲，母亲答拜；去见兄弟，兄弟对他再拜：这都是因为他已是成人而与之施礼。戴上缁布冠，穿上玄端服，拿着礼品去拜见国君，把礼品放在地上，表示不敢直接授受；接着又拿着礼品去拜见乡大夫和乡先生，都是以成人的身份前去拜见。既然是成人的身份，那就要以成人的礼数来要求他。所谓以成人的礼数来要求他，也就是将要要求他做一个合格的儿子，做一个合格的弟弟，做一个合格的臣子，做一个合格的后辈。将要要求他具备这四个方面的德行，冠礼能不重要吗？

故孝弟忠顺之行立，而后可以为人。可以为人，而后可以治人也。故圣王重礼。故曰：冠者礼之始也，嘉事①之重者也。是故古者重冠，重冠故行之于庙。行之于庙者，所以尊重事。尊重事，而不敢擅重事。不敢擅重事，所以自卑而尊先祖也。

[注释]

①嘉事：即嘉礼。嘉礼是五礼之一。五礼，即吉礼、凶礼、宾礼、军礼、嘉礼。

[译文]

一个人做到了对父母孝顺，对兄弟友爱，对国君忠诚，对长辈顺从，然后才能被称为真正的人。能被称为真正的人，然后才可以治理别人。所以圣王很重视礼。所以说，冠礼是成人之礼的开始，是嘉礼当中重要的一项。所以古人很重视冠礼。因为重视冠礼，所以冠礼要在宗庙之内进行。在宗庙之内进行，是表示郑重其事。由于郑重其事，所以不敢擅自处理此事。因为不敢擅自处理此事，所以要在宗庙之内进行，表示自卑，表示对先祖的尊重。

昏义第四十四

[题解]

郑玄《三礼目录》云:"名曰《昏义》者,以其记娶妻之义,内教之所由成也。"按《仪礼》有《士昏礼》,记婚礼的具体仪式,本篇则说明那些仪式的含义。

昏礼者,将合二姓①之好,上以事②宗庙,而下以继后世也,故君子重之。是以昏礼纳采、问名、纳吉、纳征、请期③,皆主人筵几于庙④,而拜迎⑤于门外,入,揖让⑥而升,听命⑦于庙,所以敬慎重正⑧昏礼也。

[注释]

①二姓:两个不同的姓。之所以结婚必异姓,是因为古人已经知道"男女同姓,其生不蕃"(《左传》僖公二十三年)。②事:此谓祭祀。《春秋》宣公八年:"有事于太庙。"杜预注:"有事,祭也。"③纳采、问名、纳吉、纳征、请期:这是婚礼"六礼"中的前五礼。纳采:婚礼之第一步。男方派遣使者向女方献纳求婚礼品。郑玄注《士昏礼》云:"纳其采择之礼。"这是在男方已经选定女方之女,派遣媒人通话,并得到女方家长同意后才采取的步骤。问名:婚礼之第二步。孔颖达疏云:"问其女之所生母之姓名。"贾公彦《士昏礼》疏云:"问女之姓氏。"孙希旦认为孔、贾之说皆不可通,认为:"问名者,问女之名,将以加诸卜也。故《曲礼》曰:'男女非有行媒,不相

知名。'"纳采与问名虽然是两个步骤,但是在同一天进行。所以孔颖达疏:"此二礼,一使而兼行之。"纳吉:婚礼之第三步。男方卜得吉兆,备礼通知女方。郑玄注《士昏礼》:"归卜于庙,得吉兆。复使使者往告,婚姻之事于是定。"纳征:婚礼之第四步。郑玄注《士昏礼》:"征,成也。使使者纳币,以成昏礼。"所谓"币",就是财礼。财礼的品种和数量,据孔颖达疏,平民只送黑缯五匹。卿大夫虽然也是五匹,但其中三匹是玄色,象征阳;二匹是浅绛色,象征阴;外加两张鹿皮。至于诸侯和天子,还要层层加码,详见《周礼·考工记·玉人》。因为要纳财礼,所以纳征又叫纳币。请期:婚礼之第五步。男方派遣使者把迎娶的吉日通知女方。之所以称"请",孔颖达疏云:"男家不敢自专,执谦敬之辞,故云请也。"④皆主人筵几于庙:意谓以上五礼都是在女方祢庙(父庙)进行的。这是女方家长郑重其事的表现。郑玄注《士昏礼》云:"将以先祖之遗体(谓其女儿)许人,故受其礼于祢庙也。"主人,谓女之父。筵几,铺筵设几。筵是席子,可以坐;几是几案,可以凭依。筵几是为祢庙之神而设。⑤拜迎:拜迎的对象是男方派来的使者。⑥揖让:这是宾主双方进门以后到走到堂下准备登阶升堂的礼仪。《士昏礼》:"三揖,至于阶,三让。"详彼处注疏。⑦听命:郑玄注:"听命,谓主人听使者所传婿家之命。"⑧重正:郑重,庄重。

[译文]

婚礼,这是一种将要结合两姓之好、对上关系到祭祀宗庙、对下关系到传宗接代的礼仪,所以君子很重视它。所以,在婚礼的纳采、问名、纳言、纳征、请期这五个步骤中,每逢男方的使者到来时,女方家长都是在庙里铺设筵几,然后拜迎使者于门外。进入庙门,宾主揖让升阶登堂,在庙堂上听使者传达男方家长的意见。之所以这样做,就是为了表示对婚礼的敬慎和郑重其事。

父亲醮子而命之迎①,男先于女也②。子承命以迎,主人筵几于庙,而拜迎于门外。婿执雁③入,揖让升堂,再拜奠雁④,盖亲受之于父母也⑤。降出⑥,御妇车,而婿授绥,御轮三周。⑦

先俟于门外⑧，妇至，婿揖妇以入。共牢而食⑨，合卺而酳⑩，所以合体、同尊卑，以亲之⑪也。

[注释]

①醮：古代冠礼、婚礼中的一种敬酒礼，其做法是，由尊者向卑者敬酒，卑者将酒饮尽而不回敬。所以郑玄注云："酌而无酬酢曰醮。"迎：迎亲。②男先于女也：男子先到女家亲迎，而后女子跟随男子来到夫家。③雁：昏礼中男方送给女方的礼物。贾公彦《士昏礼》疏云："昏礼有六，五礼用雁，纳采、问名、纳吉、请期、亲迎是也。唯纳征不用雁，以其自有币帛可执故也。"用雁的含义，孔颖达疏引《白虎通义》说："雁，取其随时而南北，不失节也。又是随阳之鸟，妻从夫之义也。"④再拜：据《士昏礼》，"再拜"是"再拜稽首"的省文。再拜稽首，是礼之最隆重者，一般用于臣对君，子对夫。这是婿向岳父行再拜礼。奠雁：置雁于地。⑤盖亲受之于父母也：这句话来的有点突兀。孔颖达疏为之补充说："婿既拜讫，旋降出。女出房，南面，立于母左，父西面诫之；女乃西行，母南面诫之。是婿亲受之于父母。但亲受之，非是分明手有亲受，示有亲受之义，故云'盖'以疑之。"⑥降出：降谓婿从西阶而下，妇随之；出谓婿与妇出门。⑦御妇车三句：婿亲自驾驶妇乘之车，又把挽以登车的绳索递给妇。等到车轮转动三圈后，再由仆人驾驶。按：这三个动作本应由仆人来做，现在由婿来做，是婿为了表示对妇的亲爱而有意自降身份。所以郑玄注《士昏礼》："婿御者，亲而下之。"⑧先：谓夫乘车先导。门：夫家大门。⑨共牢而食：夫妇共食同一俎中之牲。牢，俎也。说得准确点，这个牢，主要是指一个分作两半的小猪，盛放在一个俎上。请注意，绝对不能把左右两半分置于两俎，那样的话，就做不到夫妇同尊卑了。因为周人的习惯，以牲牢的左半体为贵，右半体为贱。左右半体分置二俎，势必造成有一个俎贵，有一个俎贱。不论夫妇谁得到贵俎或贱俎，总有一人是贵，一人是卑。而左右半体共置一俎，则无此弊。这个道理，清人郑珍《仪礼私笺》讲得最为明白。共牢而食，象征下文的"同尊卑"。⑩合卺（jǐn）而酳（yìn）：孔颖达疏云："酳，演也，谓食毕饮酒，演安其气。卺，谓半瓢。以一瓠分为两瓢，谓之卺。婿之与妇，各执一片以酳，故云合卺而酳。"演安其气，谓清洁口腔。合卺而酳，象征下文的夫妇"合体"。共牢而食和合卺而酳都在寝室

举行。⑪亲之：谓夫妇相亲。

[译文]

父亲亲自向儿子敬酒而命其迎亲，这表示男方处于主导地位。儿子奉命前去迎娶，女方的父母在庙里铺筵设几，然后到庙门外拜迎女婿。婿执雁进入庙门，宾主揖让升阶登堂，婿行再拜稽首之礼，把雁放在地上，这表示是从新妇父母手里领回了新妇。然后妇随婿下堂出门，婿亲自驾驶妇所乘坐之车，又将挽以登车的绳索递给妇，这都是有意表示亲爱的举动。婿为妇驾车，待车轮转动三圈后，再由仆人代婿驾驶。婿乘己车前导，在自家的大门外等候。妇到达，婿向妇作揖，请她一同进门。进入婿家之寝室，婿与妇共食同一俎中的牲肉，又各执一瓢以饮酒，这表示夫妇一体，不分尊卑，希望他们相亲相爱。

敬慎重正而后亲之①，礼之大体，而所以成男女之别，而立夫妇之义②也。男女有别，而后夫妇有义；夫妇有义，而后父子有亲；父子有亲，而后君臣有正。故曰：昏礼者，礼之本也。③

[注释]

①敬慎重正而后亲之：婚礼六礼中的前五礼，即纳采、问名、纳吉、纳征、请期，表现了婚礼的敬慎重正；其最后一步亲迎，表现了婚礼的亲之。②夫妇之义：按《礼记·郊特牲》："出乎大门而先，男帅女，女从男，夫妇之义，由此始也。"然则，夫妇之义的含义，就是夫唱妇随的夫妇关系。③昏礼者二句：孔颖达疏云："所以昏礼为礼本者，昏姻得所，则受气纯和，生子必孝，事君必忠。孝则父子亲，忠则朝廷正，是昏礼为诸礼之本也。"

[译文]

通过敬慎、郑重其事的婚礼而后夫妇相亲，这是婚礼的基本原则，也从而确定了男女之别，建立起夫唱妇随的夫妇关系。正因为男女有别，所以才会有夫唱妇随的夫妇关系；正因为有夫唱妇随的夫妇关系，所以才会有父子相亲；正因为有父子相亲，所以君臣才能各正其位。所以说，婚礼是各种礼的根本。

夫礼始于冠，本于昏，重于丧、祭，尊于朝、聘，和于射、乡。①此礼之大体也。

[注释]

①夫礼始于冠五句：冠：冠礼。丧：丧礼。祭：祭礼，也叫吉礼。朝：朝礼。诸侯朝见天子之礼。聘：聘礼。诸侯互相聘问之礼。射：射礼。乡：乡饮酒礼。卫湜《礼记集说》引马晞孟曰："冠所以成人，故为礼之始。昏所以继后世，故为礼之本。丧以慎终，祭以追远，故曰重。朝所以教诸侯之臣，聘所以成诸侯之好，故曰尊。习射尚功，习乡尚齿，皆有饮，故曰和。"

[译文]

在众礼当中，冠礼是礼的开始，婚礼是礼的根本，丧礼、祭礼最为隆重，朝礼、聘礼最能体现尊敬，射礼、乡饮酒礼最能体现和睦，这就是礼的大概情况。

"夙兴，妇沐浴以俟见。质明，赞见妇于舅姑。妇执笲枣、栗、段修以见。赞醴妇。妇祭脯醢，祭醴"，①成妇礼也②。

[注释]

①"夙兴"至"祭醴"：皆《仪礼·士昏礼》文。夙兴：早早起床。这是指亲迎的第二天。以俟见：等待拜见公婆。赞：赞礼者。有如今日之司仪。见（xiàn）：介绍，通报。舅姑：公婆。《尔雅·释亲》："妇称夫之父曰舅，称夫之母曰姑。"笲（fán）：用竹子编制的容器，内放枣、栗、段修。枣、栗、段修：枣子、栗子和加入姜桂后经过捶治的干肉。段，同"腶"。枣、栗是送给公公的见面礼，段修是送给婆婆的见面礼。其象征意义，据贾公彦《士昏礼》疏："枣、栗，取其早自谨敬。段修，取其断断自修正。"断断，守善之貌。以上是妇见舅姑之礼。赞醴妇：孙希旦说："赞醴妇者，妇既见，宜有以答之，故赞为舅姑酌醴以礼妇也。但舅姑尊，故不自醴而使赞代之也。"

祭脯醢：这是一种食前之祭。脯是肉干，醢是肉酱。所谓祭，就是祭古代首先造出此种食品的人。祭的方法，将该食品取出少许置之于地即可。祭醴：也是食前之祭。祭法，以少量甜酒注地即可。按：妇祭脯醢，祭醴，表示新妇接受了舅姑的答礼。②成妇礼也：成全她作为新妇之礼。主要指两件事，一是新妇拜见舅姑，二是舅姑醴妇。

[译文]

成婚的第二天，新妇早早起床，洗头洗澡，准备拜见舅姑。天大亮时，赞礼的人将妇引见给舅姑。妇手捧容器，内盛枣子、栗子和肉干，以此作为进见之礼。赞礼的人代表舅姑向妇赐以甜酒。妇先以脯醢祭先人，又以甜酒祭先人。行过以上的礼节，就表示做媳妇的礼完成了。

舅姑入室，妇以特豚馈，明妇顺也。①"厥明，舅姑共飨妇以一献之礼，奠酬。舅姑先降自西阶，妇降自阼阶"②，以著代③也。

[注释]

①舅姑入室三句：郑玄注："以馈明妇顺者，供养之礼，主于孝顺。"特豚：一只小猪，此小猪已经煮熟。馈：进食于长者尊者。明妇顺：表明新妇的孝顺主要就表现在对舅姑的供养上。按：此三句所述之事，习惯上称作盥馈之礼，即伺候舅姑洗手吃饭之礼。②"厥明"至"妇降自阼阶"：也是《士昏礼》文。厥明：孙希旦说："谓盥馈之明日也。"舅姑共飨妇以一献之礼：郑玄注《士昏礼》："以酒食劳人曰飨。"一献之礼：贾公彦《士昏礼》疏云："舅献姑酬，共成一献。"凌廷堪《礼经释例》卷三："凡主人进宾之酒谓之献，凡宾报主人之酒谓之酢，凡主人先饮以劝宾之酒谓之酬。"具体到此处，主人是舅姑二人，宾则新妇一人。其做法是：舅先向妇敬酒，这叫献。妇饮过后，以酒回敬舅姑，这叫酢。然后，姑先自饮一杯，而后再向妇敬酒，这叫酬。妇接过此酒不饮，把酒杯放在席上，这就是下文的"奠酬"。至此，一献之礼成。因为此礼是由舅姑二人共同完成，故曰"共飨"。舅姑先降自西阶二

句:郑玄注《士昏礼》:"授之室,使为主,明代己。"按:所谓"授之室",郑玄注《郊特牲》云:"明当为家事之主也。"阼阶:本为舅姑升降之阶,今由新妇升降,明舅姑已将处理家事之权转交。③著代:表明交接班。

[译文]

舅姑进入室内,妇以一只煮熟的小猪向舅姑进食,这是表示新妇开始履行孝养的职责。第二天,舅姑共同用一献之礼慰劳妇,而妇应把姑酬己之酒放下不再饮。舅姑先从西阶下堂,然后妇从东阶下堂,这表示新妇已有资格代姑主持家中内务了。

成妇礼,明妇顺,又申之以①著代,所以重责②妇顺焉也。妇顺者,顺于舅姑,和于室人③,而后当于夫④,以成丝麻⑤布帛之事,以审守委积盖藏⑥。是故妇顺备⑦而后内和理,内和理而后家可长久也。故圣王重之。

[注释]

①申之以:继之以。②重责:强调。③和于室人:与室人和睦相处。室人,指丈夫的姊妹和妯娌。④当(dāng):郑玄注:"当,犹称(chèn)也。"即称心。之所以把"当于夫"放到后面才说,郑玄注云:"不顺舅姑,不和室人,虽有善者,犹不为称夫也。"⑤成:完成。丝麻:治丝绩麻。麻可以织布,丝可以织帛。⑥审守:谨慎地守护。委积:孙诒让《周礼正义》卷十九:"凡储聚禾米薪刍之属,通谓之委积。"盖藏:储藏。⑦妇顺备:郑玄注:"行和、当,事成、审也。"换言之,做到了上文的四点,才算是完全做到了妇顺。

[译文]

成就了妇礼,表明了妇顺,又进一步表明了妇有代姑主持家务的资格,所有这些,就是为了强调对妇在顺从上的要求。所谓妇的顺从,首先是要顺从舅姑,其次是要和家中其他女性和睦相处,然后才是让丈夫称心满意,从而完成妇女应做的女工,谨慎地守护柴米油盐等物的储藏。所以,上述对妇顺的要求都做到了,家庭内部才能和谐安定;内部和谐安定了,然后家才会长久。所以圣王很重视妇顺。

是以古者妇人先嫁三月①,祖庙未毁②,教于公宫③;祖庙既毁,教于宗室④。教以妇德、妇言、妇容、妇功⑤。教成祭之⑥,牲用鱼,芼之以蘋藻,⑦所以成妇顺也。

[注释]

①先嫁三月:出嫁三个月之前。②祖庙未毁:谓出嫁女与国君还是五服以内的亲属。这一节讲的是贵族妇女的出嫁,所以郑玄注《士昏礼》:"祖庙,女高祖为君者之庙也。"贾公彦疏:"共承高祖,是四世缌麻之亲;若三世,共曾祖,是小功之亲;若共祖,是大功之亲;若共祢庙,是齐衰之亲。"换言之,就是出嫁女与当时在位的国君,或同高祖,或同曾祖,或同祖,或同父,总而言之,血缘关系还在五服以内。毁,迁也,指将神位迁到始祖庙内。《礼记·祭法》:"诸侯立五庙。"即始祖庙、高祖庙、曾祖庙、祖庙、父庙。始祖庙永远不毁。高祖庙一下四庙称为四亲庙。如果四亲庙中的任何一庙与当时的国君超过了缌麻亲的血缘关系,就要将其神位迁到始祖庙内。③公宫:君之祖庙。《诗·召南·采蘩》:"公侯之宫。"毛传:"宫,庙也。"但要注意,与国君是缌麻亲,则教于高祖庙;与国君是小功亲,则教于曾祖庙。其余类推。④宗室:郑玄注:"宗子之家也。"宗子,古代宗法制度称大宗的嫡长子。⑤教以妇德、妇言、妇容、妇功:据郑玄注,负责此项教育的是女师。郑注又云:"妇德,贞顺也。妇言,辞令也。妇容,婉娩也。妇功,丝麻也。"贞顺,谓安分顺从;辞令,谓应对说话;婉娩,谓服饰整洁,讲究卫生;丝麻,谓针黹女工。⑥教成祭之:王引之《经义述闻》卷十六引其父王念孙说,认为此四字当作"教成之祭",盖传写者误倒。俞樾《群经平议》也赞成王说。教成之祭的对象,郑注云:"祭其所出之祖也。"也就是说,此女若与国君同出于高祖,则祭高祖;同出于曾祖,则祭曾祖。其余类推。⑦牲用鱼二句:郑玄注:"鱼、蘋藻,皆水物,阴类也。鱼为俎实,蘋藻为羹菜。祭无牲牢,告事耳,非正祭也。"大意是说,这是告祭,不是正祭,所以祭品的礼数较轻。为什么使用蘋藻为羹菜,《诗·召南·采蘋》孔疏云:"祭不以余菜,独以蘋藻者,蘋之言宾,宾,服也,欲使妇人柔顺服从。藻之言澡,澡,浴也,欲使妇

人自洁清。"

[译文]

因此，古时候妇女在出嫁前的三个月，如果该妇女与国君还是五服以内的亲属，就在国君的祖庙里接受婚前教育；如果已经出了五服，就在大宗子的家里接受这种教育。由女师教以妇德、妇言、妇容、妇功。教成以后，要举行教成之祭，这是向祖先禀告，婚前教育已经完成。祭时用鱼作俎实，用蘋、藻这两种水草作羹菜，这些祭品都属于阴性一类，所以用来造成妇人的顺从。

古者天子后立六宫①，三夫人、九嫔、二十七世妇、八十一御妻②，以听天下之内治③，以明章妇顺，故天下内和而家理。天子立六官④，三公、九卿、二十七大夫、八十一元士⑤，以听天下之外治⑥，以明章天下之男教，故外和而国治。故曰：天子听男教，后听女顺；天子理阳道，后治阴德；天子听外治，后听内职。⑦教顺成俗，外内和顺，国家理治，此之谓盛德。

[注释]

①天子后：王后。六宫：王后理事和居住之处。郑玄注《周礼·天官·内宰》："妇人称寝曰宫。后象王，立六宫而居之，亦正寝一，燕寝五。"按：于正寝理事，于燕寝休息。②三夫人句：夫人、嫔、世妇、御妻：都是妇官名。夫人最尊，其下依次而降。夫人是王后的最高顾问，所以郑玄注《周礼·天官·九嫔》云："夫人之于后，犹三公之于王，坐而论妇礼，无官职。"御妻：孙希旦认为是《周礼》的女御。嫔、世妇、御妻的职掌，笼统地讲，都是负责妇女的教育。分开来说，详见《周礼·天官》的有关部分。③听：管理。内治：妇女的教育。④六官：据《周礼》，六官是天官冢宰、地官司徒、春官宗伯、夏官司马、秋官司寇、冬官司空。⑤三公句：此句与上文的"三夫人"句相对应，是一个男官系统。元士：天子之士。孔颖达《王制》疏云："天子之士所以称元者，异于诸侯之士也。"⑥外治：政事、国事。⑦天子听男教六句：这是三组排比句，总的意思是天子与王后分治内外，但用词不

一。从性别的角度讲,就用"男女";从刚柔的角度讲,就用"阴阳";从分工的角度讲,就用"外内":实际上,意思基本一样。阴德:即妇德。孙诒让《周礼正义·内宰》云:"以事涉妇人,故谓之阴。"

[译文]

古代王后设立六官,妇官有三夫人、九嫔、二十七世妇、八十一御妻,以管理普天之下对妇女的教育,以显扬妇女应有的顺从,所以天下家庭和睦安定。天子设立六官,男官有三公、九卿、二十七大夫、八十一元士,以管理天下的政事,以显扬男子应有的教化,所以政事和谐,国家安定。所以说:天子管理对男子的教化,王后管理对妇女顺从的教育;天子治理政务,王后治理妇女事务;天子审察三公等官是否尽职,王后审察三夫人等官是否尽职。男教与妇顺形成风俗,内外协调一致,国与家都安定有序,做到了这一步,就叫做盛德。

是故男教不修,阳事不得①,適见于天②,日为之食;妇顺不修,阴事不得,適见于天,月为之食。是故日食则天子素服而修六官之职③,荡天下之阳事④;月食则后素服而修六宫之职,荡天下之阴事。故天子之与后,犹日之与月、阴之与阳,相须而后成者也。天子修男教,父道⑤也;后修女顺,母道也。故曰:天子之与后,犹父之与母也。故为天王服斩衰⑥,服父⑦之义也;为后服资衰⑧,服母之义也。

[注释]

①阳事不得:政事失当。②適见于天:天的谴责就表现出来了。適,通"谪",谴责。见,"现"的古字。③素服:身穿白色的衣服。这是罪己的表示。修:改进,整顿。④荡天下之阳事:郑玄注:"荡,荡涤,去秽恶也。"意谓将弊政革除。⑤父道:父亲的行辈。⑥为天王服斩衰(cuī):《周礼·天官·司服》:"凡丧,为天王斩衰,为王后齐衰。"孙诒让《正义》解释说,只

有诸侯和诸臣为天王服斩衰,为王后服齐衰。至于士民百姓,则不服此丧服。斩衰,五种丧服中最重的一种。服制三年。父死,儿子服斩衰。斩衰丧服用粗麻布制成。据段玉裁《说文解字注》说:"衰,本作'縗'。衰,其假借字也。"《说文·糸部》:"縗,丧服衣。"之所以称"斩",是因为剪裁下来用以制丧服的麻布不缝毛边。⑦服父:为父亲服丧。⑧资衰:郑玄注:"资,当为齐(zī),声之误也。"齐衰,五种丧服中次于斩衰的一种。又分为齐衰三年、齐衰杖期、齐衰不杖期、齐衰三月四种。父卒则为母三年,父在则为母杖期。服亦用粗麻布制成,以其缉边缝齐,故称齐衰。

[译文]

　　所以,如果男子的教化没有搞好,政事失当,上天就会表示谴责,发生日食;如果妇人的顺从没有搞好,妇人的事务处理失当,上天就会表示谴责,发生月食。所以,发生日食的时候,天子就身穿白色衣服,表示自我反省,还要督促六官改进工作,彻底除掉政事中的错误;发生月食的时候,王后就身穿白色衣服,表示自我反省,还要督促六官改进工作,彻底除掉在妇女问题上发生的错误。所以,天子和王后,就好比日之与月,阳之与阴,是相辅而后相成的关系。因为天子掌管男教,所以属于父辈;因为王后掌管女顺,所以属于母辈。所以说,天子和王后,就好比父亲和母亲。因此,天子死了,诸侯和大臣就要为他服斩衰,这和为父亲服斩衰是同样道理;王后死了,就要为她服齐衰,这和为母亲服齐衰是同样道理。

乡饮酒义第四十五

[题解]

按《仪礼》有《乡饮酒礼》，记乡饮酒礼的具体仪式，本篇则说明那些仪式的含义，故名《乡饮酒义》。

乡饮酒之义：主人拜迎宾于庠门之外，入，三揖而后至阶，三让而后升，所以致尊让也。盥洗、扬觯，所以致洁也。拜至，拜洗，拜受①，拜送②，拜既，所以致敬也。尊让、洁、敬也者，君子之所以相接也。君子尊让则不争，洁、敬则不慢。不慢不争，则远于斗辩矣；不斗辩，则无暴乱之祸矣。斯君子之所以免于人祸也，故圣人制之以道。

[注释]

①拜受：凡受物前先行拜礼，叫做拜受。②拜送：凡授物而后行拜礼，叫做拜送。

[译文]

乡饮酒礼的含义是这样的：主人走出乡学门外迎宾，并向宾行再拜礼；主人与宾入门后，彼此先后行了三次作揖之礼才来到堂阶前；在升阶之前，主人与宾又互相谦让了三次，然后才主人升堂，宾也升堂。这都是为了表示对对方的尊重和谦让。洗过手以后再洗酒杯，然后才举杯饮酒，这是为了表示清洁。宾至而主人拜迎，主人洗酒杯而宾拜洗，主人献酒而宾拜受，宾接受献酒而主人拜送，宾饮酒毕而主人拜谢。这些都是为了表示对对方的敬意。彼此尊重和谦让，饮食清洁卫生，互相致敬，君子的交往就应当如此。君子彼此尊重谦让，就不会有争斗之事；饮食清洁、互相致敬，就不会有怠慢之事。没有怠慢，没有争斗，自然就不会有斗殴和打官司一类的事。没有斗殴和打官司一类的事，自然也就没有暴乱的灾祸了。这就是君子避免人为灾祸的办法。所以圣人才制订了乡饮酒礼。

乡人、士、君子①，尊②于房户之间，宾主共之也。尊有玄酒③，贵其质也。羞出自东房，主人共之也。洗当东荣④，主人之所以自洁，而以事宾也。宾主，象天地也。介僎⑤，象阴阳也。三宾⑥，象三光也。让之三也，象月之三日而成魄⑦也。四面之坐，象四时也。⑧天地严凝之气，始于西南而盛于西北，此天地之尊严气也，此天地之义气也。天地温厚之气，始于东北而盛于东南，此天地之盛德气也，此天地之仁气也。主人者尊宾，故坐宾于西北而坐介于西南以辅宾。宾者，接人以义者也，故坐于西北。主人者，接人以仁、以德厚者也，故坐于东南；而坐僎于东北，以辅主也。仁义接，宾主有事，俎豆有数，曰圣。圣立而将之以敬，曰礼。礼以体长幼，曰德。德也者，得于身也。故曰：古之学术道者，将以得身也。是故圣人务焉。

[注释]

①乡人、士、君子：郑玄说："乡人，乡大夫也。士，州长、党正也。君子，谓卿大夫也。"②尊：指设酒樽。也就是设酒壶。据《仪礼》，所设酒壶是两个，二者之一盛玄酒。③玄酒：就是水。上古无酒，以水当酒，名曰玄酒。④洗：盛水器，形似今之洗脸盆用以承接盥洗时下注之弃水。荣：屋檐两端翘

起的部分。又叫屋翼，谓如鸟之张其两翼。⑤介僎（zūn）：介是陪客。僎，通"遵"，被主人请来观礼的乡绅，辅助主人行礼。⑥三宾：行乡饮酒礼时，众宾人数较多，其中多数是立于堂下，而推出三位年长者在堂上就坐，坐在正宾之西，是谓三宾。⑦成魄：生魄。魄是月亮圆而始缺时的不明亮处，月朔后三日，魄乃重新受明发光。⑧四面之坐二句：孔颖达说："主人东南，象夏始；宾西北，象冬始；僎东北，象春始；介西南，象秋始。"

[译文]

乡大夫、州长、党正以及卿大夫在举行乡饮酒礼时，酒壶放在东房门与室门之间的地方，这是表示宾主共同享用此酒。两只壶中有一只壶盛的是玄酒，这是表示看重玄酒的质朴。菜肴从东房端出，而东方是主人之位，这表示菜肴是主人提供的。在东边屋檐下设洗，这表示本来是主人自己洗手洗脸的用具，现在也拿来敬事宾客了。宾与主人，象征天与地。介与僎，象征阴与阳。众宾之长三人，象征日月星。彼此谦让三次才一齐升堂，这象征月朔后三日方重现光明。主人、宾、介、僎四面对坐，象征四季。天地之间的严凝之气，从西南方向开始，而到了西北方向最为强盛，这是天地之间的尊严之气，是天地之间的义气。天地之间的温厚之气，从东北方向开始，而到了东南方向最为强盛，这是天地之间的盛德之气，是天地之间的仁气。主人为了表示尊敬来宾，所以将宾安排在西北的席位上，而将介安排在西南的席位上以辅助宾。所谓宾，在接人待物上的突出特点是义，所以被安排在西北的席位上，以与义气相应。所谓主人，在接人待物上的突出特点是仁厚德厚，所以在位于东南的席位上就坐，以与仁气相应；而让僎坐在东北的席位上以辅助主人。仁义互相交接，宾主各得其所，待客的俎豆合乎要求的数目，这就叫圣明。在此圣明的基础上又持之以敬，这就叫礼。以礼作为规范，使大家都能身体力行，这就叫德。所谓德，就是这种身体力行的所得。所以说，古时学习道艺的人，就是要在身体力行上有所得。所以圣人都努力去实行。

祭荐①、祭酒,敬礼也。哜②肺,尝礼也。啐③酒,成礼也。于席末④,言是席之正,非专为饮食也,为行礼也,此所以贵礼而贱财也。卒觯致实⑤于西阶上,言是席之上,非专为饮食也,此先礼而后财之义也。先礼而后财,则民作敬让而不争矣。

［注释］

①荐:指进献的脯醢。②哜(jì):尝,入口至齿的尝。③啐(cuì):尝,入口的尝。④席末:席的西端。⑤卒觯致实:干杯。"卒觯"、"致实"都是干杯。郑玄说:"致实,谓尽酒也。酒为觯实。"

［译文］

主人向宾进献酒食,先献脯醢,宾取脯醢以祭先人;又献酒,宾取酒以祭先人,这是表示敬重主人之礼。宾又尝一尝肺,表示接受了主人的敬意。宾又尝了一口酒,表示成就了主人的献酒之礼。宾在尝酒时,坐在席的末端,这是表示此席的真正意义并不在于吃吃喝喝,而在于行礼,这是重礼轻财的表现。宾的干杯是在西阶上,也是表示坐在此席之上并不是只为了吃吃喝喝,这是先礼后财的表现。人人做到了先礼后财,人民就会兴起恭敬谦让的风气,而没有争斗之事了。

乡饮酒之礼①:六十者坐,五十者立侍,以听政役,所以明尊长也。六十三豆,七十者四豆,八十者五豆,九十者六豆,所以明养老也。民知尊长养老,而后乃能入孝弟。民入孝弟,出尊长养老,而后成教。成教而后国可安也。君子之所谓孝者,非家至而日见之也;合诸乡射②,教之乡饮酒之礼,而孝弟之行立矣。孔子曰:"吾观于乡,而知王道之易易也。"

[注释]

①乡饮酒之礼：上文的乡饮酒之礼，主旨在于敬贤；本节所讲的乡饮酒之礼，主旨在于养老。②乡射：指乡射礼。这是一种加上了射箭比赛的乡饮酒礼。

[译文]

乡饮酒之礼：60岁以上的人坐着，50岁的人站着侍候，听候使唤，这表示对年长者的尊敬。60岁的人上三个菜，70岁的人四个菜，80岁的人五个菜，90岁的人六个菜，这表示对老人的奉养。百姓懂得尊敬年长者，懂得奉养老人，然后才能在家里孝顺父母、敬事兄长。在家里能够孝顺父母、敬事兄长，到社会上才能尊敬年长的人和奉养老人，然后才能形成教化。形成了教化，然后国家才能安定。君子教导人们做到孝顺父母、敬事兄长的办法，并不是挨家挨户地每天不断地去耳提面命，而是只要在举行乡射礼时把人们召集起来，把乡饮酒礼演示给他们看，就可以培养他们养成孝顺父母、敬事兄长的风气。孔子说："我参观过乡饮酒礼以后，就知道了王者的教化得到推行是很容易的事。"

主人亲速宾及介，而众宾自从之。至于门外，主人拜宾及介，而众宾自入。贵贱之义别①矣。三揖至于阶，三让以宾升，拜至、献酬，辞让之节繁。及介，省矣。②至于众宾，升受，坐祭，立饮，不酢而降。隆杀之义辨矣。工入，升歌三终③，主人献之。笙入三终④，主人献之。间歌三终⑤，合乐三终⑥。工告乐备，遂出。一人扬觯，乃立司正⑦焉。知其能和乐而不流也。宾酬主人，主人酬介，介酬众宾，少长以齿，终于沃洗者焉。知其能弟长而无遗矣。"降，说屦，升坐，修爵无数。"⑧饮酒之节，朝不废朝，莫不废夕。宾出，主人拜送，节文终遂⑨焉。知其能安燕而不乱也。贵贱明，隆杀辨，和乐而不流，弟长而无遗，安燕而不乱，此五行者，足以正身安国矣。彼国安而天下安，故曰："吾观于乡，而知王道之易易也。"

[注释]

①别：郑玄说："别犹明也。"②及介，省矣：据《仪礼·乡饮酒礼》，介省去的礼节有：不拜洗，不啐肺，不啐酒，不告旨（不赞扬主人的酒美）。③升歌三终：升堂唱了三首歌曲，即《鹿鸣》、《四牡》、《皇皇者华》，都是《诗经·小雅》篇名。唱时，二人歌唱，二人鼓瑟伴奏。一曲结束为一终。④笙入三终：用笙吹奏的三只曲子是《南陔》、《白华》、《华黍》。据郑玄说，都是《小雅》的篇名，但在汉代已经佚失，其义未闻。⑤间歌三终：间指交替。据《仪礼》，堂上歌唱《鱼丽》，堂下吹奏《由庚》；堂上歌唱《南有嘉鱼》，堂下吹奏《崇丘》；堂上歌唱《南山有台》，堂下吹奏《由仪》。都是《小雅》篇名。⑥合乐三终：孔颖达：若工歌《关雎》，则笙吹《雀巢》合之；若工歌《葛覃》，则笙吹《采蘩》合之；若工歌《卷耳》，则笙吹《采蘋》合之。⑦司正：因为旅酬是众人互相劝酒，担心有人失仪，特设司正纠察之。⑧降五句：见《仪礼·乡饮酒礼》。说：通"脱"。修：进也。⑨终遂：郑玄说："终遂，犹充备也。"

[译文]

乡饮酒礼开始之前，主人亲自前往邀请正宾和介；至于众宾，则不须邀请，由他们自己跟着正宾和介而来。到了主人门外，主人向宾行拜礼，向介行拜礼；至于众宾，主人不拜，只是作一个揖，就请他们进来了。谁贵谁贱，由此不难看出。进门以后，主人与正宾彼此行了三次揖礼才来到堂阶前；升阶之前，主人与正宾又互相谦让了三次才一齐升堂；升堂以后，主人又拜谢正宾的光临；入席以后，主人要酌酒献宾，宾又回敬主人，主人又要先斟酒自饮而后斟酒劝宾再饮：你推我让的礼节非常复杂。至于主人对介的招待，礼数就减省多了。至于主人招待众宾，那就更简单了，堂上没有他们的座位，他们只能登上西阶接受献酒，就在西阶上跪着祭，站着饮，饮毕也不用回敬主人就可下堂。招待规格的高低，由此不难看出。乐队进来，先由歌唱队员演唱了三首歌曲。演唱完毕，主人向歌唱队员献酒。然后吹笙的队员进来，吹奏了三首乐曲。吹奏完毕，主人向吹笙者献酒。然后堂上鼓瑟一歌，堂下吹笙一曲，这样交替地各自吹奏了三首。然后堂上的歌、瑟与堂下的笙、磬一齐合奏，各奏了三首。然后乐队的领队报告说："应该演奏的歌曲都已演奏完毕。"然后就下堂立在西阶之东，面朝北。这时主人的一个部下对宾举杯，表示旅酬就要开始。于是设立司正一人，负责监察饮酒失仪者。由此可知，乡饮酒礼能够使大家既玩得高兴、和谐而又不流于放肆失礼。旅酬开始，宾先自饮一杯而后斟酒劝主人饮，主人又先自饮一杯而后斟酒劝介饮，介又先自饮一杯而后斟酒劝众宾饮，都是按照年龄的大小行事，直到侍候宾主盥洗的人为止。由此可知，乡饮酒礼能够使大家无论长幼皆被恩泽而无所遗漏。撤俎之后，大家下堂脱掉鞋子，然后重新升堂入座。下酒菜端上来以后，大家就开始彼此劝酒，不计其数，尽兴为止。饮酒时间的掌握，以早上不耽误早朝、晚上不耽误办事为原则。乡饮酒礼结束，来宾退出，主人拜送于门外，自始至终，礼节毫无差错。由此可知，乡饮酒礼能够使大家玩得痛快而又井然有序。来宾中的贵贱分明了，招待规格的高低清楚了，和睦快乐而又不失礼仪，长幼皆被恩泽而无所遗漏，玩得痛快而又井然有序。做到了这五条，就足以使自己不犯错误，国家得到安定。国家得到安定，天下也就自然安定了。所以孔子说："我参观过乡饮酒礼以后，就知道了王者教化的推行是很容易的事。"

乡饮酒之义：立宾以象天，立主以象地，设介僎以象日月，立三宾以象三光①。古之制礼也，经之以天地，纪之以日月，参之以三光，政教之本也。亨狗于东方②，祖阳气之发于东方也。洗之在阼③，其水在洗东，祖天地之左④海也。尊有玄酒，教民不忘本也。宾必南乡。东方者春，春之为言蠢也，产万物者圣⑤也。南方者夏，夏之为言假也。养之，长之，假之，仁也。西方者秋，秋之为言愁⑥也。愁之以时察⑦，守义者也。北方者冬，冬之为言中⑧也，中者藏也。是以天子之立也：左圣，乡仁；右义，偝藏也。介必东乡，介宾主也。主人必居东方。东方者春，春之为言蠢也，产万物者也。主人者造之，产万物者也。月者三日则成魄，三月则成时，是以礼有三让，建国必立三卿。三宾者⑨，政教之本，礼之大参也。

[注释]

①三光：谓二十八宿中的房、心、尾三宿。②亨：通"烹"，烹调。东方：实际上是堂的东北。③洗之在阼：和上文的"洗当于东荣"一个意思，只是换个说法而已。④左：东。⑤圣：郑玄说："圣之言生也。"⑥愁：收敛。⑦察：郑玄说："察，或为杀。"⑧中：内也。⑨三宾者：王夫之说："三宾者"之下有阙文。

[译文]

乡饮酒礼的象征意义：设立正宾以象征天，设立主人以象征地，设立介和僎以象征日月，设立三宾以象征三光。古人在制礼时，以天地为原则，以日月为总纲，以三光为辅佐，构成了政教的根本。乡饮酒礼的牲用狗，在堂的东方加以烹煮，这是效法阳气的发自东方。洗放在阼阶的东南，要用的水又放在洗的东边，这是效法天地的东方是海。酒樽里装有玄酒，这是教育百姓不要忘本。正宾一定面南而坐。从五行上来说，东方是春的位置，所谓春，就是万物蠢蠢欲动萌芽发生的意思，东方产育万物，这就是圣，也就是生。南方是夏的位置，所谓夏，就是大的意思。南方养育万物，使他长大，这就是仁。西方是秋的位置，所谓秋，就是收敛的意思。按照节令进行收敛进行杀戮，这就是守义。北方是冬的位置，所谓冬，就是中的意思，而中是收藏的意思。所以天子在站立的时候，总是左边傍着圣，面朝南而向着仁；右边傍着义，背朝北而依着藏。介一定面向东而坐，因为他要在宾主之间起沟通作用。主人一定要坐在东方。因为东方是春的位置，而春是萌动的意思，是生产万物的。主人之所以就东方之位，是因为招待宾客的一切饮食也是由主人提供的。月朔后三日，月亮的阴暗部分才恢复光明，三个月成为一季，所以宾主有互相谦让三次之礼，建国也一定要设立三个卿位。乡饮酒礼的设立三位宾长，也是这个意思。这是政教的根本，也是制礼的重要依据。

射义第四十六

[题解]

《仪礼》有《乡射礼》、《大射》两篇，前者是州长召集民众习礼于州序之射，后者是诸侯将要举行大的祭祀活动，就举行射箭比赛来选拔有资格参加祭祀的人。《乡射礼》、《大射》两篇是记其仪，本篇则是记其义，故名《射义》。

古者诸侯之射也，必先行燕礼①。卿、大夫、士之射也，必先行乡饮酒之礼。故燕礼者，所以明君臣之义也；乡饮酒之礼者，所以明长幼之序也。故射者，进退周还②必中礼。内志正，外体直，然后持弓矢审固。持弓矢审固，然后可以言中。此可以观德行矣。

[注释]

①燕礼：诸侯为了慰劳臣子而举行的一种饮酒礼。举行燕礼时，主人并不是国君，而是宰夫（太宰的属官，掌为宾客进献饮食）。之所以以宰夫为主人，是因为君尊，怕臣子不敢与之抗礼，所以让宰夫代行主人之事。尽管如此，臣子仍以敬事国君之礼来敬事宰夫。②周还（xuán）：周旋。

[译文]

古代诸侯举行射礼，一定要先举行燕礼；卿、大夫、士举行射礼，一定要先举行乡饮酒之礼。之所以先举行燕礼，是为了明确君臣的名分；之所以先举行乡饮酒之礼，是为了明确长幼的顺序。所以射箭的人，不论前进还是后退，左旋还是右转，动作一定要符合规矩。从内心来说，沉着冷静；从外表来说，身体挺直，然后才可以把弓箭拿得紧、瞄得准。把弓箭拿得紧、瞄得准，然后才可以指望射中。所以说，从人的外部射箭动作就可以看出他的内在德行。

其节：天子以《驺虞》为节，诸侯以《狸首》为节，卿、大夫以《采蘋》为节，士以《采蘩》为节。《驺虞》者，乐官备也；《狸首》者，乐会时也；《采蘋》者，乐循法也；《采蘩》者，乐不失职也。①是故天子以备官为节，诸侯以时会天子为节，卿、大夫以循法为节，士以不失职为节。故明乎其节之志，以不失其事，则功成而德行立。德行立，则无暴乱之祸矣。功成则国安。故曰：射者，所以观盛德也。是故古者天子以射选诸侯、卿、大夫、士。②射者，男子之事也，因而饰之以礼乐也。故事之尽礼乐而可数为以立德行者，莫若射，故圣王务焉。

[注释]

①《驺虞》者八句：《驺虞》、《采蘋》、《采蘩》都是《诗经·召南》篇名，《狸首》则汉时已佚。这几首诗歌的含义，既不是完全如本节所说，也不是和本节所说的全不沾边，这就是所谓的断章取义。②是故句：王夫之说："此谓射宫之射也。选者，选其德行以与于祭。"

[译文]

射箭时的节拍：天子射时，以《驺虞》为节拍；诸侯射时，以《狸首》为节拍；卿、大夫射时，以《采蘋》为节拍；士射时，以《采蘩》为节拍。《驺虞》这首诗，是赞美朝廷百官齐备的；《狸首》这首诗，是赞美诸侯以时勤王而修职贡；《采蘋》这首诗，是赞美卿大夫遵循法度；《采蘩》这首诗，是赞美士恪尽职守的。所以天子用赞美百官齐备的曲子为节拍，诸侯用赞美按时朝王进贡的曲子为节拍，卿、大夫用赞美遵循法度的曲子为节拍，士用赞美恪尽职守的曲子为节拍。所以明白了各自伴射歌曲的含义，从而做好各自的工作，才能功业成就和德行树立。德行一旦树立，就不会有杀人越货、为非作歹的不轨行为了。功业成就，国家也就安定了。所以说，从射箭这件事上就可以看出人的德行如何。所以古时候的天子通过射箭比赛来选拔有资格参加助祭的诸侯、卿、大夫、士。射箭，这是男子的事，所以才用礼乐来修饰它。所以说，在所有的事情当中，要寻一件既有礼乐的修饰而又可以经常进行并从而又能树立起德行的，非射箭这件事莫属，所以圣王很重视它。

是故古者天子之制：诸侯岁献，贡士①于天子，天子试之于射宫。其容体比于礼，其节比于乐，而中多者，得与于祭。其容体不比于礼，其节不比于乐，而中少者，不得与于祭。数与于祭而君有庆，数不与于祭而君有让。数有庆而益地，数有让而削地。故曰：射者，射为诸侯也。是以诸侯君臣尽志于射，以习礼乐。夫君臣习礼乐而以流亡者，未之有也。故《诗》曰："曾孙侯氏，四正具举。大夫君子，凡以庶士，小大莫处，御于君所。以燕以射，则燕则誉。"②言君臣相与尽志于射，以习礼乐，则安则誉也。是以天子制之，而诸侯务焉。此天子之所以养诸侯而兵不用，诸侯自为正之具也。

[注释]

①贡士：郑玄说："三岁而贡士。旧说云：大国三人，次国二人，小国一人。"②故《诗》曰八句：郑玄认为就是上文《狸首》之诗的内容，孔颖达从之。后世学者多持异议。例如，王夫之说："诗，逸诗，盖以赋诸侯燕射之事。旧说以为《狸首》，则未见其然也。"曾孙：凡远孙、裔孙皆可曰曾孙。此谓初祖之曾孙。侯氏：诸侯。四正具举：行燕礼时，四度正爵，即献宾、献君、献卿、献大夫之爵皆献完毕。此后才开始射箭。

[译文]

所以古代的天子做出规定：诸侯每年都要向天子报告国计、贡献方物，还要向天子推荐人才，天子便在射宫里考核他们的箭术。其仪容体态合乎礼的要求，其射箭节奏合乎乐曲的节拍，而且射中的又多，那就有资格参加天子的祭祀。其仪容体态不合乎礼的要求，其射箭节奏不合乎乐曲的节拍，射中的又少，就没有资格参加天子的祭祀。获准参加祭祀的次数较多，天子就有奖励；获准参加祭祀的次数较少，天子就要责备。奖励的次数多了就增加他的封地，责备的次数多了就削减他的封地。所以说，射箭比赛这件事，关系到诸侯的黜陟荣辱。所以诸侯君臣对箭术都非常用心，对于练习射箭的礼节、练习射箭的乐曲也非常用心。诸侯君臣在练习礼乐上如此尽心而导致被流放、被灭国，那是绝不可能的事。所以有篇逸诗说："身为宗室的诸侯，当燕礼进行到四度正爵献过之后，有德行的君子，从大夫到众士，不论官大官小，都不要呆坐在官衙内，都到国君那里去侍候。既参加燕礼，又参加射礼。既获得国安，又获得名誉。"诗的意思是说，君臣都对射箭非常尽心，对练习射箭所需的礼乐也非常尽心，所以不但获得国安，而且获得声誉。所以天子制定了射礼，而诸侯认真实行。这就是天子为什么不用武力就能够驾驭诸侯而使诸侯有了自己管理好自己的办法。

孔子射于矍相之圃①，盖观者如堵墙。射至于司马②，使子路执弓矢出延射，曰："贲③军之将，亡国之大夫，与为人后者，不入。其余皆入。"盖去者半，入者半。又使公罔之裘、序点扬觯而语。④公罔之裘扬觯而语曰："幼壮孝弟，耆耋⑤好礼，不从流俗，修身以俟死者不⑥？在此位也！"盖去者半，处者半。序点又扬觯而语曰："好学不倦，好礼不变，旄期称道不乱者不⑦？在此位也！"盖麐有存者⑧。

[注释]

①矍(jué)相：古地名。在山东省曲阜市城内阙里西。圃：泽宫。即学宫中习射的场所。②射至于司马：在射箭比赛开始之前，先举行乡饮酒礼。乡饮酒礼进行到旅酬阶段，立一人为司正，纠察饮酒失礼者。在旅酬之前进行射箭比赛，而司正本为旅酬而设，在射箭比赛时他又闲着无事，所以就让他先充司马，主持射礼。所以，说"射至于司马"，就等于说到了要比赛射箭的时候。③贲：通"偾"，败也。④公罔之裘：人名。孔子的学生。公罔是姓，裘是名，之是语助词。序点：人名。孔子的学生。姓序，名点。扬觯：举起酒杯。在射礼进行过程中，司正使一人举觯是旅酬即将开始的礼仪。语：发表议论。古时举行射礼，只有到了旅酬的时候才可以发表议论。⑤耆耋(qí dié)：六七十岁的老人。⑥不：通"否"。下同。⑦旄：通"耄"。八十、九十曰耄。期：百岁老人。称道：言行。⑧盖厪有存者：孙希旦说：公罔之裘与序点二人所言，只有孔门高足才能做到，今乃要求普通观众做到，未免不近情理，因疑此节乃附会之言，不足凭信。

[译文]

孔子在矍相的泽宫演习射礼，围观的人很多，形成了一道人墙。射前先举行饮酒礼，到了该射箭的时候，孔子叫子路手持弓矢出列延请射箭的人说："败军之将，使国君亡国的大夫，为了贪财而过继给他人做儿子的，没有资格进来参加射箭比赛。其他的人都有资格进来参加比赛。"听到这话之后，有一半人自以为合格而留下，另外的一半人都走开了。比赛结束，到了旅酬的时候，孔子又叫公罔之裘和序点举起酒杯对在场的人讲话。公罔之裘举杯说："幼年壮年时能够孝顺父母敬事兄长，到了老年还讲究礼法，不随波逐流，洁身自好而至死不变，有这样的人吗？如果有，就请在宾位落座。"听到这话以后，人又走了一半。序点又举杯说："爱好学习而不厌倦，爱好礼法而不改变，活到了八十、九十乃至一百岁也言行毫不糊涂，有这样的人吗？如果有，就请在宾位落座。"听到这话之后，人差不多就走光了。

射之为言者，绎也，或曰舍也。①绎者，各绎己之志也。故心平体正，持弓矢审固；持弓矢审固，则射中矣。故曰：为人父者，以为父鹄；为人子者，以为子鹄；为人君者，以为君鹄；为人臣者，以为臣鹄。故射者各射己之鹄。故天子之大射，谓之"射侯"。射侯者，射为诸侯也。射中则得为诸侯，射不中则不得为诸侯。

[注释]

①射之为言者三句：这是用声训来释义。"射"、"绎"、"舍"三个字古音相近。

[译文]

所谓射，就是寻绎的意思，或者说是释放的意思。所谓寻绎，就是寻绎自己志向之所在。所以在射箭的时候，如果心平气和、身体端正，就可以把弓矢拿得紧、瞄得准；把弓矢拿得紧、瞄得准，自然就射中目标了。所以说，做父亲的在射箭时，就要把远处的目标当做是自己作为父亲应该达到的目标；做儿子的在射箭时，就要把远处的目标当做是自己作为儿子应该达到的目标；做国君的在射箭时，就要把远处的目标当做是自己作为国君应该达到的目标；作臣子的在射箭时，就要把远处的目标当做是自己作为臣子应该达到的目标。这也就是说，各人所瞄准的都是各自应该达到的目标。所以天子的大射叫做"射侯"。所谓"射侯"，也就是向诸侯应该达到的目标射去。射中目标就配当诸侯，射不中目标就不配当诸侯。

天子将祭，必先习射于泽。泽者，所以择士也。已射于泽，而后射于射宫。射中者得与于祭，不中者不得与于祭。不得与于祭者有让，削以地。得与于祭者有庆，益以地。进爵绌地是也。故男子生，桑弧蓬矢六①，以射天地四方。天地四方者，男子之所有事也。故必先有志于其所有事，然后敢用谷也，饭食之谓也。

[注释]

①桑弧：上古时用桑木制造的弓。桑木是众木之本。蓬矢：上古时用蓬草茎制造的箭。蓬是御乱之草。六：谓蓬矢六支，以射天地四方。

[译文]

天子在举行祭祀之前，一定要先在泽宫演习射箭。泽宫之所以称"泽"，是因为要在这里选择可以参加祭祀的诸侯。在泽宫射毕，然后再在射宫中射。射中的诸侯可以参加祭祀，没有射中的诸侯不得参加祭祀。不得参加祭祀的诸侯要受到责备，并削减封地；可以参加祭祀的诸侯，将受到褒奖，并增加封地。受到褒奖的先进爵，受到责备的先削地。所以男孩子出生以后，要让射人用桑木之弓射出六只蓬草之箭：一箭射天，一箭射地，四箭分射东南西北，表示敬天敬地，威服四方。有天地四方的雄心大志，乃是男子分内之事。所以一定要先立下这样的雄心大志，然后才敢享用谷物，这就像是先干活而后吃饭那样。

射者，仁之道也。射求正诸己，己正而后发。发而不中，则不怨胜己者，求反诸己①而已矣。孔子曰："君子无所争，必也射乎？揖让而升下②，而饮。其争也君子。"孔子曰："射者何以③射？何以听？循声而发，发而不失正鹄④者，其唯贤者乎！若夫不肖之人，则彼将安能以中？"《诗》云："发彼有的，以祈尔爵。"⑤祈，求也。求中以辞爵也。酒者，所以养老也，所以养病也。求中以辞爵者，辞养也。

[注释]

①求反诸己：王念孙说当作"反求诸己"，是，今从之。②揖让而升下：郑玄说："下，降也。饮射爵者亦揖让而升降。"所谓"射爵"，就是罚酒。

③何以：郑玄说："何以，言其难也。"④正鹄（zhēng gǔ）：正是靶心，鹄是箭靶。⑤《诗》云二句：见《诗经·小雅·宾之初筵》。有：语助词。尔：你。

[译文]

　　比赛射箭这件事，其中含有求仁之道。射箭时先要求自己做到心平气和、身体端正，自己做到了心平气和、身体端正之后才开始发射。发射而没有射中目标，则不应埋怨胜过自己的人，而应拐回头来检查一下自己。孔子说："君子没有什么可争的，要说有的话，那就是在射箭比赛这件事上。虽然比赛结束时胜负的双方还是客客气气地揖让而升揖让而降，但最后仍免不了由胜者使不胜者饮罚酒。君子以不胜为耻，所以要争，而且不争就是没有君子风度。"孔子又说："射箭的人怎样使射箭和音乐相配合？又使音乐和射箭相配合？这是难做的事。按照音乐的节拍发射，发射出去而正中靶心的，大概只有贤者才能做到吧！如果是不肖之人，他哪里能够谈得上射中呢？"《诗经》上说："射箭时心中默祝一定要射中目标，以求不喝对方的罚酒。"祈，求也。祈求射中目标以免去罚酒。酒是用来养老的，用来养病的。祈求射中而免去罚酒，实际上就是免去非老非病而受他人奉养。

燕义第四十七

[题解]

《仪礼》有《燕礼》一篇,记诸侯国君与其臣下燕饮之仪,本篇则记其义。燕,本字是"宴"。

诸侯燕礼之义:君立阼阶之东南,南乡尔卿,大夫皆少进。①定位也。君席阼阶之上,君主位也。君独升立席上,西面特立,莫敢適之义也。设宾主,饮酒之礼也。使宰夫②为献主,臣莫敢与君亢礼也。不以公卿为宾,而以大夫为宾,③为疑④也,明嫌之义也。宾入中庭,君降一等而揖之,礼之也。

[注释]

①南乡尔卿二句:按《仪礼·燕礼》作"南乡尔卿,卿西面。尔大夫,大夫皆少进"。较此处语意详明。今译文从之。②宰夫:原是太宰的属官,掌为宾客进献饮食。此时代替国君为主人,代替国君向宾客献酒,宾客就不会感到局促不安。③不以公卿为宾二句:这里所说的"宾",是为了礼仪的需要而临时设置的,并非国君举行燕礼的主要酬劳对象。④疑:通"拟",比拟。此谓公卿比拟国君。

[译文]

诸侯举行燕礼的含义:国君站在阼阶的东南方,面朝南向卿作揖,使卿近前,卿稍北进,然后面朝西而立;国君又揖请大夫近前，大夫也都稍向北进，面朝北而立。这是要确定群臣的位置。国君的席位设在阼阶之上，这表示国君的席位是主位。国君单独升堂站立在自己的席上，面朝西方独自站立，这是表示没有人敢与他匹敌的意思。是君臣关系而按宾主落座，这表示用的是饮酒致欢的礼数。国君让宰夫代表自己向宾客敬酒，这是因为臣下没有人敢与国君对等行礼。不以公卿为宾，而以大夫为宾，这是因为公卿本来已经够尊贵了，现在再让他为宾，就有与国君匹敌之嫌，之所以这样做含有避嫌之意。作为臣下的宾客进入庭中，国君要走下一级台阶拱手相迎，这是以宾相待之礼。

君举旅于宾①，及君所赐爵，皆降，再拜稽首，升成拜②，明臣礼也。君答拜之，礼无不答，明君上之礼也。臣下竭力尽能以立功于国，君必报之以爵禄，故臣下皆务竭力尽能以立功，是以国安而君宁。礼无不答，言上之不虚取于下也。上必明正道以道③民，民道之而有功，然后取其什一，故上用足而下不匮也。是以上下和亲而不相怨也。和宁，礼之用也。此君臣上下之大义也。故曰：燕礼者，所以明君臣之义也。

[注释]

①旅：旅酬。众人依次互相劝酒叫旅酬。这是燕礼进行中的一种礼数。②升成拜：臣下对君上，应当在堂下行再拜稽首之礼，今被国君派人劝阻，所以臣下又升堂再拜稽首，以完成拜礼，这就叫"升成拜"。升成拜一则表示国君的谦让，二则表示臣下的不敢失礼。③道：古"导"字。下同。

[译文]

旅酬时，国君首先举杯向宾客劝酒，以及国君特赐的酒，宾客在饮酒之前都要下堂向国君行再拜稽首的大礼。国君谦让，命小臣前去阻止，于是宾客和臣下又升堂再拜稽首，完成拜礼。这是表明臣下应有的礼数。国君以再拜作为答礼，礼无不答，这是表明君上应有的礼数。臣下竭尽自己的能力为国立功，君上一定要以爵位和俸禄作为回报,这样臣下就会都乐于竭尽其能去立功,因此就能使国家安宁、国君安宁。礼无不答,意思是说,做君上的不会让臣下白白地效力。君上必须说明了正道以引导百姓,百姓跟随引导而取得收获,然后国家抽取十分之一作为赋税,其结果是君上用度充足,百姓生活也不匮乏。所以上下和睦亲密,没有互相怨恨。上下和睦亲密,互相没有怨恨,这正体现了礼的作用。这就是君臣上下的大义。所以说,燕礼是用以表明君臣大义的。

席:小卿次上卿,大夫次小卿,士、庶子以次就位于下。献君,君举旅行酬。而后献卿,卿举旅行酬。而后献大夫,大夫举旅行酬。而后献士,士举旅行酬。而后献庶子①。俎豆、牲体、荐羞②,皆有等差。所以明贵贱也。

[注释]

①庶子:孙希旦说:本节所言"庶子",皆谓庶子官所掌之庶子,非谓庶子之官也。②牲体:谓俎实。燕礼的牲用狗,所谓俎实,就是狗肉。荐羞:荐指脯醢,羞指庶羞。庶羞就是多种美味下酒菜。

[译文]

燕礼席位的安排是:宾席在户牖之间,上卿的席位在宾席之东,小卿的席位在宾席之西,次于上卿;大夫的席位在小卿之西,又次于小卿;士与庶子,堂上没有席位,在阼阶下依次站立。饮酒时,宰夫代国君为主人。宰夫首先向国君献酒,国君饮过之后,举杯向在座的人劝酒;然后宰夫又献酒给卿,卿饮过之后,又举杯向在座的人劝酒;然后宰夫又献酒给大夫,大夫饮过之后,又举杯向在座的人劝酒;然后宰夫又献酒给士,士饮过之后,又举杯向在座的人劝酒;最后才是给庶子献酒。席前所陈之馔:国君和宾席前,俎肉、脯醢、庶羞皆有;卿席前,有脯醢、庶羞而无俎肉;士以下,唯有脯醢而已。席位有尊卑,献酒有先后,肴馔有多少,这些都是用来表明贵贱有别的。

聘义第四十八

[题解]

《仪礼》有《聘礼》一篇，本篇即释其义。聘是访问之义。诸侯之间如果久无盟会，就要派遣使者到友好国家致意。

聘礼：上公七介①，侯伯五介，子男三介，所以明贵贱也。介绍而传命②，君子于其所尊弗敢质，敬之至也。三让而后传命，三让而后入庙门，三揖而后至阶，三让而后升，所以致尊让也。君使士迎于竟③，大夫郊劳。君亲拜迎于大门之内而庙受，北面拜贶④，拜君命之辱，所以致敬让也⑤。敬让也者，君子之所以相接也。故诸侯相接以敬让，则不相侵陵。卿为上摈，大夫为承摈，士为绍摈。⑥君亲礼宾，宾私面私觌⑦。致飨饩⑧，还圭璋⑨，贿赠，飧、食、燕⑩。所以明宾客、君臣之义也。故天子制诸侯，比年小聘，三年大聘，相厉以礼。使者聘而误，主君弗亲飨食也所以愧厉之也。诸侯相厉以礼，则外不相侵，内不相陵。此天子之所以养诸侯，兵不用，而诸侯自为正之具也。以圭璋聘，重礼也。已聘而还圭璋，此轻财而重礼之义也。诸侯相厉以轻财重礼，则民作让矣。主国待客，出入三积⑪。饩客于舍，五牢之具陈于内⑫。米三十车，禾三十车，刍薪倍禾，皆陈于外。乘禽⑬日五双，群介皆有饩牢。壹食再飨，燕与时赐无数。所以厚重礼也。古之用财者不能均如此，然而用财如此其厚者，言尽之于礼也。尽之于礼，则内君臣不相陵，而外不相侵。故天子制之，而诸侯务焉。

[注释]

①介：聘宾的随从。聘宾是正使，介可以说是副使。但介有多人，其身份不一，有的是大夫身份，有的是士的身份。②介绍而传命：孙希旦说："绍，继也。介绍而传命，谓陈列众介，相继而立，而后传聘君之命也。"③竟：通"境"。④贶（kuàng）：赠送。⑤所以致敬让也："让"字原脱，据《大戴礼·朝事》补。⑥卿为上摈三句：上摈、承摈、绍摈，都是主国国君派出的迎宾者。承和绍也都是继的意思。他们在迎宾时，和众介一样，也是一字儿排开地站着。⑦私面：聘宾以私人身份拜访主国的卿大夫。私觌（dí）：聘宾以私人身份晋见主国国君。⑧致饔饩（xì）：就是下文所说的"饩客于舍，五牢之具陈于内"。已杀的牲叫做饔，未杀的活牲畜叫做饩。已杀的牲如果煮熟了就叫做饪，未煮的生肉叫做腥。主国总共馈送五具太牢的饔饩，其中包括煮熟的牲肉一牢，生肉二牢，饩二牢。⑨圭璋：圭是聘国君的礼物，璋是聘夫人的礼物。⑩飨、食（sì）、燕：即飨礼、食礼、燕礼。三者都具有宴会性质，但规格不同。飨礼最为隆重，食礼次之，燕礼又次之。飨礼所用之牲是太牢，有酒，也有饭，但由于飨礼的意义主要在于教训恭敬节俭，所以虽设有酒，并不喝。食礼所用之牲也是太牢，有饭有肴，虽设酒而不饮，其礼以饭为主，故称为食礼。燕礼所用之牲是狗，有酒有肴而无饭，以饮酒为主，可以微醉，为了表示亲昵，行之于路寝（飨礼、食礼并行之于庙）。⑪积：谓刍、米之类物品，用以供给聘宾道路之所需。⑫五牢之具陈于内：详本节注⑧。⑬乘（shèng）禽：指雌雄形影不离而又成群地聚集在一起的鸟类，例如雁、鹜之属。

[译文]

聘礼的含义：爵为上公的诸侯，派卿出聘用七个介；爵为侯伯的诸侯，派卿出聘用五个介；爵为子男的诸侯，派卿出聘用三个介。这是为了表明贵贱。聘宾将介一溜儿排开，一个挨着一个地站着,然后才传达聘君的命令,这是君子对于他所尊敬的人不敢有所简慢,极其尊敬的表示。聘宾辞让三次以后才传达聘君的问候,谦让了三次以后才随着摈者进入庙门,进门之后,聘宾与主君又互行了三次揖礼才来到堂阶跟前,升堂之前,彼此又互相谦让了三次,然后主君才率先登阶,聘宾接着登阶。这些都是表示尊敬谦让的。聘宾到达主国国境,主君派士将聘宾迎入境内;聘宾来至近郊,主君又派大夫前去慰劳;聘宾来至主国庙门之外,主君亲自拜迎于庙门之内,然后在庙中接受聘宾转达聘君派其来访之意;聘宾献上带来的礼物,主君面朝北拜谢厚赐,拜谢聘君派遣使者光临。这些都是表示主君对聘君、聘宾的尊敬谦让的。尊敬谦让,这是君子之间互相交往应有的态度。所以诸侯之间互相尊敬谦让,就不会互相侵略欺凌了。主国接待聘宾,由卿为上摈,大夫为承摈,士为绍摈。主君亲自用醴酒酬宾,聘宾又以个人的名义拜访主国卿大夫,以个人名义晋见主国国君;主君又派人前往宾馆向聘宾馈送饔饩,退还聘宾作为信物奉献的圭璋;聘宾归国之前,主国的卿通过聘宾向聘君转赠一束纺绸;访问期间,主君要举行一次食礼和两次飨礼来招待聘宾,而举行燕礼的次数则没有一定。上述种种,都是为了表示宾主之间、君臣之间应有的礼数。所以,天子为诸侯订立制度:每年派大夫互相聘问,每三年派卿互相聘问,以礼来互相勉励。如果使者来聘时,礼节上有错误,主国国君就不亲自为使者举行飨礼和食礼,以此来使使者感到羞愧并激励他自我勉励。如果诸侯都能够以礼互相勉励,那就对外不会互相侵犯,对内不会互相欺凌。这就是天子为什么能够驾驭诸侯而不必使用武力,而使诸侯自己管理好自己的方法。用圭璋这样珍贵的玉器作为行聘的礼物,可以说是一份重礼了。聘宾归国之前,主国又将圭璋归还给聘宾,这是轻视财物而重视礼仪的意思。如果诸侯都能以轻财重礼的道理互相勉励,那么他们的百姓就会跟着讲究谦让了。主国对客人的招待,在其出入国境时，要馈送粮草之类的物品各三次；客人住进宾馆之后，主君要派人馈送饔饩五牢，置于宾馆门内；另外，还有30车米，30车禾，60车饲草，60车薪柴，皆置于宾馆门外。另外，每天还要提供鹅鸭之类的家禽五双，也要向聘宾的随从馈送饔饩；主君要为客人举行一次正式的食礼、两次正式的飨礼，至于燕礼和四时当令新物的馈赠，则没有固定的数目。这些都是为了表示对礼的高度重视。古人的使用财物并非事事如此，然而在聘礼这件事上却舍得如此花费，是为了说明对礼的极其重视。如果大家都对礼极其重视，那就会对内君臣不相欺凌，对外国家不相侵略。所以天子特地制定聘礼，而诸侯也都专心推行。

聘射之礼，至大礼也。质明而始行事，日几中而后礼成，非强有力者弗能行也。故强有力者，将以行礼也。酒清①，人渴而不敢饮也；肉干，人饥而不敢食也；日莫②人倦，齐庄正齐而不敢解惰③，以成礼节。以正君臣，以亲父子，以和长幼。此众人之所难，而君子行之，故谓之有行。有行之谓有义，有义之谓勇敢。故所贵于勇敢者，贵其能以立义也；所贵于立义者，贵其有行也；所贵于有行者，贵其行礼也。故所贵于勇敢者，贵其敢行礼义也。故勇敢强有力者，天下无事，则用之于礼义；天下有事，则用之于战胜。用之于战胜则无敌，用之于礼义则顺治。外无敌，内顺治，此之谓盛德。故圣王之贵勇敢强有力如此也。勇敢强有力，而不用之于礼义、战胜，而用之于争斗，则谓之乱人。刑罚行于国，所诛者乱人也。如此则民顺治而国安也。

[注释]

①清：通"瀞"，冷寒。②莫：通"暮"。③齐庄：即"斋庄"。齐，通"斋"。解：通"懈"。

[译文]

　　聘礼和射礼，是最重大的礼。天刚亮时开始举行，差不多到了中午时才能结束，不是强健有力的人便做不到。所以，只有强健有力的人才能行此重大之礼。酒已凉了，人虽然渴了也不敢喝；肉也要晾干了，人虽然饿了也不敢吃；天色已晚，人们都疲倦了，但还神态端庄，班列整齐，不敢有丝毫懈怠，坚持完成各种应有的礼节。以此来使君臣正位，父子相亲，长幼和睦。这是一般人所办不到的，而君子却能办得到，所以称君子为有行。有行就是有义，有义就是勇敢。所以说，勇敢之所以可贵，在于他能够立义；立义之所以可贵，在于他能够有行；有行之所以可贵，在于他能够行礼。所以人们之所以看重勇敢，是看重了他敢于实行礼义。所以勇敢坚强有力的人，在天下无事之时，就把他的勇敢坚强有力用到实行礼义方面；在天下有事之时，就把他的勇敢坚强有力用到克敌制胜方面。用到克敌制胜方面就会所向无敌，用到实行礼义方面就会无为而治。对外做到了所向无敌，对内做到了无为而治，这就叫做盛德。所以圣王对勇敢坚强有力的人是如此地看重。一个人如果勇敢坚强有力，但不把它用到实行礼义和克敌制胜方面，而用到私人的争强斗胜上去，那就叫做乱人。国家制定刑罚，就是要处罚这类乱人。这样以来，百姓就会服从管教而国家也得以安宁。

　　子贡问于孔子曰："敢问君子贵玉而贱碈①者何也？为玉之寡而碈之多与？"孔子曰："非为碈之多，故贱之也；玉之寡，故贵之也。夫昔者君子比德于玉焉：温润而泽，仁也；缜密以栗，知也；廉而不刿②，义也；垂之如队③，礼也；叩之，其声清越以长，其终诎然，乐也；瑕不掩瑜，瑜不掩瑕，忠也；孚尹旁达④，信也；气如白虹，天也；精神见于山川，地也；圭璋特达，德也；天下莫不贵者，道也。《诗》云：'言念君子，温其如玉。'⑤故君子贵之也。"

[注释]

①碈:似玉的美石。②刿(guì):刺伤。③队:古"坠"字。郑玄说"礼尚谦卑",所以才"垂之如队,礼也"。④孚尹(yún)旁达:王夫之说:"孚,与'浮'同。尹,竹上青。言光彩外发如筠,而浮动旁达,表里如一也。"⑤《诗》云二句:见《诗经·秦风·小戎》。言:助词。无实义。

[译文]

子贡向孔子问道:"请问君子为什么都看重玉而轻视碈呢?是因为玉的数量少而碈的数量多吗?"孔子回答说:"不是因为碈的数量多,因而就轻视它;也不是因为玉的数量少,因而就看重它。从前的君子,都是拿玉来和人的美德相比:玉温厚而又润泽,就好比仁;缜密而又坚实,就好比智;有棱角而不伤人,就好比义;玉佩垂而下坠,就好比礼;轻轻一敲,玉声清脆悠扬,响到最后,又戛然而止,就好比动听的音乐;既不因其优点而掩盖其缺点,也不因其缺点而掩盖其优点,就好比人的忠诚;光彩晶莹,表里如一,就好比人的言而有信;宝玉所在,其上有气如白虹,就好比与天息息相通;产玉之所,山川草木津润丰美,又好比与地息息相通;圭璋作为朝聘时的礼物可以单独使用,不像其他礼物还需要加上别的什么东西才能算数,这是玉的美德在起作用;普天之下没有一个人不看重玉的美德的,这就好像普天之下没有一个人不看重道那样。《诗经》上说:'多么想念君子啊,他就像玉那样温文尔雅。'所以君子才看重玉。"

丧服四制第四十九

[题解]

"名曰《丧服四制》者,以其记丧服之制取于仁、义、礼、知也。"换言之,仁、义、礼、知是制定丧服的四条原则。孔颖达说:"以上诸篇,每篇言义,此不云《丧义》而云《丧服四制》者,但以上诸篇皆记《仪礼》当篇之义,故每篇言义也。此则记者别记丧服之四制,非记《仪礼·丧服》之篇,故不云《丧服之义》也。"本篇的大部分内容也见于《大戴礼·本命》。

凡礼之大体,体天地,法四时,则阴阳,顺人情,故谓之礼。訾①之者,是不知礼之所由生也。夫礼,吉凶异道②,不得相干,取之阴阳也。丧有四制③,变而从宜,取之四时也。有恩有理,有节有权,取之人情也。恩者仁也,理者义也,节者礼也,权者知也。仁、义、礼、知,人道具矣。

[注释]

①訾(zǐ):诋毁。②吉凶异道:孙希旦说:"居丧之衣服、容貌、饮食、居处皆与吉时不同。"③丧有四制:从人情上来说,就是感情、理智、原则性、灵活性;从道德上来说,就是仁、义、礼、知。知,古"智"字。

[译文]

制定礼的总的原则是,取法天地,效法四时,顺乎阴阳,体乎人情,本着这样的原则去制定才叫做礼。那些诋毁礼的人,压根儿就不知道礼是怎样制定出来的。礼有吉礼、凶礼，二者的做法大不相同，不可混为一谈，就是取法于阴阳。丧服有四条原则，因时制宜地采取其中某条原则，就是取法于四时。在四条原则中，或属于感情上的，或属于理智上的，或属于原则性，或属于灵活性，就是取法于人情。属于感情上的东西，是仁的表现；属于理智上的东西，是义的表现；属于原则性的东西，是礼的表现；属于灵活性的东西，是智的表现。仁义礼智都有了，做人的道德也就齐备了。

其恩厚者其服重，故为父斩衰三年，以恩制者也。门内之治，恩掩义；门外之治，义断恩。资于事父以事君①，而敬同。贵贵尊尊，义之大者也。故为君亦斩衰三年，以义制者也。

[注释]

①资：拿取。君：这个"君"字的含义甚广，它包括天子、诸侯、卿大夫，绝不是只指国君。所以郑玄注解下文"贵贵尊尊"说："贵贵，谓大夫君也。尊尊，谓天子、诸侯也。"

[译文]

如果感情深，丧服就重，所以父亲死了要服斩衰，守丧三年，这就是以感情原则为依据的。为有血缘关系的人服丧，感情重于理智；为没有血缘关系的人服丧，理智重于感情。以侍奉父亲的态度来侍奉君，把对二者的敬爱拉平。家臣尊敬卿大夫，臣民尊敬天子、诸侯，这是义中的头等大事。所以，天子、诸侯、卿大夫死了，作为他的臣民或家臣也要服斩衰，守丧三年。这是以理智原则为依据的。

三日而食，三月而沐，期而练①，毁不灭性，不以死伤生也。丧不过三年，苴衰②不补，坟墓不培，祥③之日，鼓素琴④：告民有终也，以节制者也。资于事父以事母，而爱同。天无二日,土无二王,国无二君,家无二尊:以一治之也。故父在为母齐衰期者,见⑤无二尊也。

[注释]

①练:练冠。用煮练得柔软洁白的布做的丧冠。②苴(jū)衰:即斩衰。苴是用雌麻做成的首绖和腰绖,穿斩衰丧服者服之。③祥:大祥。父母去世两周年时的祭礼。④素琴:没有雕饰的琴。⑤见:古"现"字。

[译文]

父母之丧,三天以后就可以喝粥,三个月以后就可以洗头,周年以后就可以改戴练冠,虽然极其悲伤,身体非常羸弱,但也不至于危及性命,这体现了不因死者而伤害生者的道理。丧期最长也不超过三年,斩衰丧服破了也不再补,坟头不再添土,到了大祥就可以弹奏素琴。凡此种种,是要告诉人们哀伤是有限度的,这是以原则性的精神为依据的。以侍奉父亲的态度来侍奉母亲,对二者的亲爱程度是相同的。但是因为天无二日,地无二王,国无二君,家无二主,都只能由一个人来做最高领导。所以父亲健在时母亲去世,那就只能降服齐衰,丧期一年,以体现家无二主的道理。

杖者何也?爵也①。三日授子杖,五日授大夫杖,七日授士杖。或曰担主,或曰辅病②。妇人、童子③不杖,不能病也。百官备,百物具,不言而事行者扶而起;④言而后事行者,杖而起;⑤身自执事而后行者,面垢而已。⑥秃者不髽⑦,伛者不袒,跛者不踊,老病不止酒肉。凡此八者⑧,以权制者也。

[注释]

①爵也:孙希旦说:"杖本为爵者设,盖有爵者德必厚,德厚则恩深,恩深者其居丧必病,故须杖以扶之也。"②辅病:即扶病。③妇人:谓女子之未笄者。童子:谓男子之未冠者。④百官备三句:是指天子、诸侯来说的。⑤言而后事行者二句:这是指大夫、士来说的。⑥身自执事而后行者二句:这是指

庶民来说的。⑦髽（zhuā）：妇人露着发髻。⑧八者：第一是父在为母齐衰，第二是授杖有先有后，第三是妇人、童子不杖，第四是或扶而起，或杖而起，或面垢而已，第五是秃者不髽，第六是伛者不袒，第七是跛者不踊，第八是老病不止酒肉。

[译文]

　　服丧者为什么要拄着丧杖呢？因为服丧者是有爵位的人。天子去世，第三天授给太子丧杖，第五天授给大夫丧杖，第七天授给士丧杖。有的人没有爵位为什么也拄着丧杖呢？据说是因为他是嫡子，担任丧主，须要主持丧礼。有的人不是嫡子为什么也拄着丧杖呢？据说是，他们虽然不是嫡子，但为父母之丧哀痛太甚，因而致病，须要用杖来扶持病体。女孩子、男孩子不用拄杖，因为他们年龄还小，哀痛不深，不会生病。办丧事所需要的各色人等一应齐备，所需要的各种物品也应有尽有，丧主不用发话就把事情办了，这样的丧主可以哀痛得厉害些，哀痛到别人搀扶才能站起。其次一等，事事都要等待丧主发话才能办理，这样的丧主哀痛就要减轻些，哀痛到自己拄着丧杖站起。再次一等，事事都要丧主亲自动手才能办理，这样的丧主哀痛就要更轻些，只要蓬头垢面就够意思了。居丧时，秃头的妇女不需露出发髻，驼背的人不需袒衣露体，瘸子在哭泣时不需顿足跳起，年老和有病的人不需停止喝酒吃肉。以上八件事，都是根据灵活性的原则制定的。

　　始死，三日不怠，三月不解①，期悲哀，三年忧，恩之杀②也。圣人因杀以制节，此丧之所以三年，贤者不得过，不肖者不得不及。此丧之中庸也，王者之所常行也。《书》曰："高宗谅闇，三年不言。"③善之也。王者莫不行此礼，何以独善之也？曰：高宗者武丁，武丁者殷之贤王也，继世即位，而慈良于丧。当此之时，殷衰而复兴，礼废而复起，故善之。善之，故载之书中而高之，故谓之"高宗"。三年之丧，君不言，《书》云"高宗谅闇，三年不言"，此之谓也。然而曰"言不文"④者，谓臣下也。

[注释]

①解：通"懈"。谓哭之不懈。②杀（shài）：减降。③《书》曰二句：见《尚书·无逸》。又见《论语·宪问》。④言不文：见《孝经·丧亲章》。

[译文]

亲人刚死，头三天哭泣不止，不吃不喝，头三个月仍时时哭奠，周年之内则哀容满面，三年之内则怀忧在心。这是随着时间的流逝，丧亲的哀痛也跟着递减。圣人就根据这哀痛的逐渐递减来制定礼，这就是为什么丧期一定要规定成三年，再孝顺的子女也不得超过，再不孝顺的子女也不得达不到。这是丧礼的折中之处，历代君王也都是照此实行的。《尚书》上说："殷高宗居庐守丧，三年不谈国事。"这是在夸奖他啊。凡是君王，莫不照此规矩办事，为什么要单独夸奖殷高宗呢？回答是：殷高宗就是武丁，武丁是殷代的贤王，即位以后，专心致志地居庐守丧。在他即位期间，殷代由衰败而转向复兴，礼由废弃而又被重视，所以夸奖他。因为夸奖他，所以特地在《尚书》中记载此事并加以赞扬，所以称他作"高宗"。三年之丧，天子、诸侯不用发话就把事情办了，《尚书》上说的"殷高宗居庐守丧，三年不谈国事"，说的就是这个意思。然而《孝经》却说"孝子在居丧期间，说话不讲究修辞"，似乎和《尚书》讲的有点矛盾，须知《孝经》讲的是臣下呀。

礼：斩衰之丧，"唯"而不对；齐衰之丧，对而不言；大功之丧，言而不议；缌、小功之丧，议而不及乐。①父母之丧②，衰，冠绳缨，菅③屦，三日而食粥，三月而沐，期十三月而练冠，三年而祥。比终兹三节④者，仁者可以观其爱焉，知者可以观其理焉，强者可以观其志焉。礼以治之，义以正之，孝子，弟弟，贞妇，皆可得而察焉。

[注释]

①斩衰之丧八句：已见于《间传》。②父母之丧：实际上，下文说的仅是父丧的孝服。据《仪礼·丧服》，母丧的孝服是"疏衰裳，冠布缨，疏屦"，即齐衰孝服，帽带用布条，穿粗草鞋。③菅（jiān）：茅草。④三节：孙希旦说："三节者，谓三月而沐，期而练，三年而祥。盖丧以既葬、既练、既祥为变除之大节也。"

[译文]

按照礼的规定，居丧的人在和他人交往时，如果是斩衰之丧，那就只发出"唯唯"的声音而不回答别人的问话；如果是齐衰之丧，那就可以回答别人的问话，但不可主动问人；如果是大功之丧，那就可以主动问人，但不可以发表议论；如果是缌麻、小功之丧，那就可以发表议论，但还不可谈笑风生。为父母服丧，要身穿孝服，头戴孝帽，帽带用麻绳编成，脚穿草鞋，三天以后才开始喝点稀粥，三个月以后才开始洗头，十三个月满一周年才开始换上练冠，第三年过了大祥之祭以后才开始恢复正常生活。到了这三个阶段都完成以后，孝子如果是仁者，就可以从中看出他的爱心，是智者就可以看出他的理性，是强者就可以看出他的意志。用礼来治理丧事，用义来匡正丧事，是不是真正的孝子，是不是真正的敬兄爱弟，是不是真正的贞妇，都可以看得一清二楚。

主要参考书目

汉·司马迁《史记》,中华书局校点本,1959年。
汉·班固《汉书》,中华书局校点本,1962年。
南朝陈·陆德明《经典释文》,上海古籍出版社,1985年。
唐·孔颖达《礼记正义》(吕友仁校点),上海古籍出版社,2008年。
唐·张参《五经文字》,《丛书集成》本。
宋·卫湜《礼记集说》,文渊阁《四库全书》本。
宋·朱熹《仪礼经传通解》,《朱子全书》本。
元·吴澄《礼记纂言》,文渊阁《四库全书》本。
元·陈澔《礼记集说》,中国书店,1994年。
明·郝敬《礼记通解》,《续修四库全书》本。
清《钦定礼记义疏》,文渊阁《四库全书》本。
清·方苞《礼记析疑》,文渊阁《四库全书》本。
清·江永《礼记训义择言》,文渊阁《四库全书》本。
清·徐乾学《读礼通考》,文渊阁《四库全书》本。
清·秦蕙田《五礼通考》,文渊阁《四库全书》本。
清·王夫之《礼记章句》,《续修四库全书》本。
清·万斯大《礼记偶笺》,《续修四库全书》本。
清·姜兆锡《礼记章义》,《续修四库全书》本。
清·杭世骏《续礼记集说》,《续修四库全书》本。
清·孙希旦《礼记集解》,中华书局点校本,1989年。
清·郝懿行《礼记笺》,《续修四库全书》本。
清·朱彬《礼记训纂》,中华书局点校本,1989年。
清·焦循《礼记补疏》,《续修四库全书》本。
清·俞樾《小戴礼记平议》,《清经解续编》本。
清·王聘珍《大戴礼解诂》,中华书局校点本,1983年。

清·孙诒让《周礼正义》，中华书局校点本，1987年。
清·胡培翚《仪礼正义》，《续修四库全书》本。
清·凌廷堪《礼经释例》，"台湾中央研究院"中国文哲研究所，2002年。
清·邵懿辰《礼经通论》，《皇清经解续编》本。
清·郑珍《仪礼私笺》，《续修四库全书》本。
清·王引之《经义述闻》，《续修四库全书》本。
清·孙诒让《十三经注疏校记》，齐鲁书社，1983年。
清·陈立《白虎通疏证》，《清经解续编》本。
清·陈寿祺《五经异义疏证》，《清经解》本。
清·王先谦《荀子集解》，中华书局，1988年。
清·皮锡瑞《六艺论疏证》，《续修四库全书》本。
清·郝懿行《尔雅义疏》，中国书店，1982年。
清·段玉裁《说文解字注》，上海古籍出版社，1988年。
王梦鸥《礼记今注今译》，台湾商务印书馆，1969年。
杨天宇《礼记译注》，上海古籍出版社，2004年。
吕友仁、吕咏梅《礼记全译》，贵州人民出版社，1998年。
《郭店楚墓竹简》，文物出版社，1998年。
《郭店楚简研究》，辽宁教育出版社，1999年。
《郭店简与儒学研究》，辽宁教育出版社，2000年。
黄怀信《大戴礼记汇校集注》，三秦出版社，2005年。
方向东《大戴礼记汇校集解》，中华书局，2008年。
王锷《礼记成书考》，中华书局，2007年。
《周礼注疏》，北京大学出版社校点本，1999年。
《仪礼注疏》，北京大学出版社校点本，1999年。
吕友仁《周礼译注》，中州古籍出版社，2004年。
杨天宇《仪礼译注》，上海古籍出版社，1994年。
吴承仕《经典释文叙录疏证》，中华书局，1984年。
陈戍国校点《周礼·仪礼·礼记》，岳麓书社，1989年。
洪业《洪业论学集》，中华书局，1981年。
沈文倬《宗周礼乐文明考论》，浙江大学出版社，1999年。
钱玄《三礼通论》，南京师范大学出版社，1996年。
钱玄《三礼辞典》，江苏古籍出版社，1998年。
阮刻《十三经注疏》（附校勘记），中华书局，1980年。
杨伯峻《春秋左传注》，中华书局，1981年。
《国语》，上海古籍出版社校点本，1978年。

图书在版编目(CIP)数据

礼记/李慧玲,吕友仁注译.—郑州:中州古籍出版社,
2010.1　2013.12(重印)
(国学经典)
ISBN 978-7-5348-3277-2

Ⅰ.①礼…Ⅱ.①李…②吕…Ⅲ.①礼仪—中国
—古代②礼记—注释③礼记—译文Ⅳ.①K892.9

中国版本图书馆CIP数据核字(2009)第236024号

出版社:中州古籍出版社
　　　　(地址:郑州市经五路66号　邮政编码:450002)
发行单位:新华书店
承印单位:河南大美印刷有限公司
开本:640mm×960mm　1/16　印张:27.25
字数:320千字　　　　　　　印数:9 001-13 000册
版次:2010年1月第1版　　　印次:2013年12月第3次印刷

定价:39.00元

本书如有印装质量问题,由承印厂负责调换。